「三つの帝国」の時代

THE SECOND WORLD

Empires and Influence In The New Global Order

アメリカ・EU・中国のどこが世界を制覇するか

パラグ・カンナ
玉置 悟＝訳

講談社

はじめに

アーノルド・トインビー（＊1）ほど世界をよく知っている人はいなかった。彼が書いた全12巻から成る『歴史の研究』は、人間の文明に深く密着した比類ない名作だ。だが彼が妻と一緒に船に乗り、「これまでの研究でなじみの深い世界各地を実際に訪れて人々に会い、実際にこの目で確かめるため」と言って世界旅行に出たのは、ロンドンの王立国際情勢研究所を引退した後のことだった。17ヵ月にわたって南米から環太平洋諸国、南アジア、近東諸国へと旅行したトインビーは、各地に残る過去の帝国の残片や、不確実な将来への予測を書きとめてはロンドンに送った。その原稿は後にまとめられ、『東から西へ』と題されて1958年に出版された。

それから半世紀近くたって、革表紙がついたその本の初版は、私が世界旅行に出た時に最も洞察に満ちたガイドブックとなった。私の旅行の目的は、世界を覆う歴史的な二つの大きな力が、互いに影響し合いながらどう働いているかをこの目で見て調べることだった。その二つとは、50年前にトインビーが本能的に察知し、しかし名前をつけて呼ぶことのなかった世界の状況、すなわち「地政学的な要因」と「グローバリゼーション」の二つだ。

地政学的な要因とは、「民族や国家の力」と「地理的な位置や形」との関係をいう。グローバリゼーションとは、あらゆる形態による交換を通じて世界中の人々の間でますます広く深くなってゆく相互の結びつきのことである。トインビーは、過去の帝国や文明の、「興隆と滅亡」と「拡大と縮小」について書きとめた最初の歴史家だった。彼が生きた、第一次世界大戦前から1970年代はじめにかけての時代は、世界的な統合の大きな波がいくつも訪れた時代だった。1970年代には多国籍企業が台頭し、それ以後、世界の地政学的な要因とグローバリゼーションはますます強まり、今では1枚のコインの両面となるほど強固に結びついている。

本書が探索する国や地域は、今後の世界秩序の行方を決めるうえで中心的な舞台となる国や地域であり、本書ではそれらをひっくるめて「第二世界」と呼んでいる。この「第二世界」という言葉は、かつて旧ソ連の支配下に置かれた社会主義国を意味したこともあったが、次第に使われなくなっていたものだ。しかし現在の世界には、トインビーが航海に出た時代の2倍以上もの国があり、本書が新たに「第二世界」と呼ぶカテゴリーに入る国は、かつてなかったほどの数にのぼる。そしてこれらの現代の第二世界で、地政学的な要因とグローバリゼーションの衝突や合流が絶え間なく起きている。

元素の周期表と同じように、国家もサイズ、安定度、富裕度、世界観などによって、グループに分けることができる。政情がより安定し、繁栄している第一世界の国は、だいたいにおいて今の国際秩序によって恩恵を得ている。それにひきかえ、貧しくて政情が不安定な第三世界の国は、その国際秩序のもとに置かれた不利な立場を克服できずにいる。本書がスポットライトを当てる第二世界の国々は、この二つのグループにはさまれ、そのほとんどが内部に第一世界と第三世界の特徴を両方持っている。すなわち、持てる者と持たざる者の大きな二極にはっきり分かれているということだ。これらの国は、今後その障害をはねのけていくことができるのか、それとも分裂していくのか、または統合されてより大きな複合国家になっていくのか、そういったことも本書が探求するテーマの一つだ。

これら内部が二極に分かれた第二世界の国々は、アメリカ、EU、中国、の三つの〝帝国〟が、グローバリゼーションをテコにそれらの国を自分のほうへ引き寄せようとする時、世界の力のバランスがどちらに傾くかを決めるカギとなる。これらの国は、どのようにして、どの〝帝国〟と同盟関係を結ぶだろうか。そしてどの〝帝国〟のグローバリゼーションのスタイルが勝利するだろうか。さらにとができ、また第二世界にしかない。これらの問いに対する答えはすべて第二世界に見つけることができ、また第二世界にしかない。

変貌する地球と、世界に広がる第二世界の影響の方向性を理解するには、私たちは自分がそれらの国民になったつもりになり、彼らの身になって考えなければならない。世界銀行（＊2）の役員たちは、「少なくとも飛行機で上空を飛んだことがなければ、その国についての専門家とは言えないよ」などという冗談を平気で言うくらい、現地の実状に興味がない。この手の〝専門家〟は、統計上の指標を指して「この国の状況は以前よりずっと良くなっている」などと言うが、それはたいてい、その国の首都がきれいになってホテルがどんどん建ち、銀行にＡＴＭができ、ショッピングモールができ、犯罪多発地帯が都心部から外れた特定地域に限定されていることを意味しているにすぎない。首都以外はどうなっているのかといえば、空港のない都市がいくらでもあり、まともな道路もなく、インフラ設備も荒れ果てている。つまり、首都と首都以外を比べれば、とても同じ国とは思えないような状態になっている。これでは「繁栄している」と彼らが言うあちこちの国でしょっちゅうクーデターが起きたり、経済が破綻《はたん》したりするのを見るのも不思議ではない。

聖アウグスティヌス（＊3）は「世界は書物と同じである。実際に行ったことのない者は、本を1ページしか読んでいないのに等しい」と言った。国際関係においては、実際に体験したことの事実のみが、直感で得たことの正しさを証明したり否定したりできる。私たちは、そういう体験をしてはじめて、たちまち反応が返ってくるうえ思わぬ結果が訪れる今日の複雑な世界で、リスクの高い政治的決定をするのにも自信を持つことができるのだ。

私は第二世界の国々を巡《めぐ》り、政府の人たち、学者、ジャーナリスト、事業家などのほか、タクシー運転手から学生に至るまで、さまざまな人たちと会話を交わし、都市ばかりでなく小さな集落からも世界を眺めてみた。そして現地の人たちと同じ視線で世界を見ることができたと感じるまでその国に滞在するよう努めた。

旅行中にはいろいろな見方や考えが浮かんだ。矛盾する見方や考えのなかには、明らかにすべき真実が隠れていることもある。つまるところ、そのようなあいまいさは、世界が複雑であることの当然の帰結なのだ。

現実が理屈に合わないことはだれでも知っている。理屈で考えるのでなく、むしろ第二世界のパターンをよく調べて、純粋に感覚的に判断するように努めたほうが、すべての第二世界に共通する特徴を浮き上がらせることができる。国々の違いは絶対的なものではなく、相対的だ。たとえば、人々の行動の文明度は、その国の政府がどれほどまともかに反映される傾向があるが、それはその国の道路にも現れる。第一世界では道路がよく整備されているが、道路が整備されていない第三世界の国の首都はどこも渋滞だらけで、土ぼこりと排気ガスにかすんでいる。そして第二世界にはその両方が混在している。政府の腐敗は、第一世界では国民の目から巧みに隠され、第三世界では露骨に大手を振ってまかり通っており、第二世界はその中間で微妙に見え隠れする。外交的には、第一世界の国は主権国家として自律的に決定を下し、第三世界の国は消極的に経済大国の新重商主義（＊4）の対象となっている。第二世界の国は、その両者の間を落ち着かなく行ったり来たりしている。

世界を巡ってみれば、世界政治の底流に横たわる理論が以前よりよく見えるようになっていることがよくわかる。アメリカ、ＥＵ、中国の、〝帝国〟の支配は進んでいる。政治的な違いはますます重要でなくなり、世界の経済は統合されつつある。世界地図は描《か》き変えられつつあり、しかもそのプロセスを推進しているのはアメリカ人だけではない。それにもかかわらず、世界がますます非アメリカ化している今ですら、新聞の見出しに聞き慣れない地名が登場した時のアメリカ人の態度は、地理と歴史に対する彼らの深い無知を反映している。

だが、この本はアメリカ人だけに向けて書かれたものではない。なぜなら、三つの帝国が存在し、無定型なグローバリゼーションが深く進行する今の世界にアメリカを適応させる仕事は、アメリカ人だけにやらせるには重要すぎる。

戦争は神がアメリカ人に世界地理を教えるための方法なのかもしれないが、今や世界中の人が、新しい「世界権力の地理」をよく理解しなければならない時代になった。もし私たちが理解の共通基盤を見つけられなければ、私たちの将来を救えるものはない。

【訳注】＊1：アーノルド・トインビー＝イギリスの歴史学者。1889年生、1975年没。

＊2：世界銀行＝第二次世界大戦後、IMF（国際通貨基金）とともに設立された国際金融機関。現在では開発途上国への融資を行うことを業務としている。歴代総裁はなぜかアメリカ大統領が指名する。最近ではネオコン（新保守主義）の中心人物の一人でイラク戦争の立案者、ユダヤ系のポール・ウォルフォウィッツが国防副長官を辞任後、総裁になったが、まもなく女性スキャンダルで辞任した。

＊3：聖アウグスティヌス＝ローマの修道士で、6世紀末にイギリスのキリスト教化に貢献し、初代大司教になった。

＊4：重商主義＝もともとは植民地時代のヨーロッパの強国が植民地を搾取して富を築くために行った経済政策で、国家が介入して自国に有利な差益を生ませる不平等貿易を行うこと。新重商主義とは、現代では形は変わっても、強国に同様の思想があることを指す。

◉目次

はじめに　1

序章　三つの〝帝国〟の関係　17
現代の帝国　17
地政学的な権力の世界市場　20
三つの外交スタイル　22
世界秩序の行方　24
地政学とは何か　26
地政学的要因とグローバリゼーションの関係　27
人間を動かす「恐れ」と「強欲」　30
国もまた人間　31
混乱の第二世界　34

〈パートI　ヨーロッパの東〉

第1章　ブリュッセル
——ヨーロッパの新しい中心地　40
拡大するEU　41
EUが拡大する理由　44
〝ヨーロッパ人〟というアイデンティティー　46

第2章　変貌するロシア　48
ロシアの根本的な矛盾　49
繁栄と退廃　51
EUとの綱引き　53

第3章　ウクライナ
——西欧とロシアの〝ボーダー〟から〝架け橋〟へ　56
東西の分裂　57

オレンジ革命　59
ロシアの逆襲　61
新しいウクライナ　63
〈コラム〉東ヨーロッパの連帯　66

第4章　バルカン諸国
――「東方問題」の解決は可能か　69
ギリシャ、スロヴェニア、ルーマニア、ブルガリア　71
セルビア――道のど真ん中に建っている家　72
ボスニア――〝新バルカン人〟とブルース・リー　77

第5章　トルコ
――東西に向かうトルコ行進曲　80
トルコの戦略的重要性　81
全方位外交　82
アメリカの影響力が低下した理由　85
〝新オスマン主義〟の芽生え　86
足を引っ張る古い伝統と人権問題　88

第6章　コーカサスの回廊　91
グルジア　92
飼い慣らされていない動物がいる動物園　95
東西冷戦の残り火　96
後に引けないEU　98
消えぬ紛争のタネ　100
アゼルバイジャン――カスピ海という瓶の栓　101
元KGBトップが作った国　104
100年間に文字が3回も変わった国　106
〈パートⅠのまとめ〉　109

〈パートⅡ　ユーラシアの深淵部〉

第7章　シルクロードと現代の〝グレートゲーム〟　114
中央アジアの歴史　116
新しい時代の始まり　119
NATOと上海協力機構（SCO）　120

第8章　縮むロシア
――中国がシベリアを乗っ取る日　124
中国のひそかな侵略　125
モンゴルは中国の一部か　127
中露の危険な関係　128

第9章　チベットと新疆ウイグル
――現代の〝竹のカーテン〟　130
中国の〝五つの戦略〟　131
アメリカの西部開拓時代に似た状況　132
中国の同化政策　133
チベット　134
新疆ウイグル　135
消えゆくものと台頭するもの　138

第10章　カザフスタン
――幸せは多方向パイプラインに　140
サクセスストーリーは〝全方向ベクトル戦略〟から生まれる　140
ロシアとの駆け引き　142
ロシアより中国　143
中国の侵食　145
進む民族主義　147
可能性のある将来　148
民主化は可能か　149
〈コラム〉中央アジアはまとまれるか　150

第11章　キルギスタンとタジキスタン
――独立していることだけがすべて　154
キルギスタン　154
新シルクロードの通過点　156
アメリカの情報収集基地の効果は　157
タジキスタン　158

第12章　ウズベキスタンとトルクメニスタン
――まるでタイムトンネルに入ったような独裁国　160
ウズベキスタン　160
第三世界に沈没　161
弾圧の口実に使われる〝テロとの戦い〟　163
イスラム過激派と独裁政権の関係　164
中露への接近　166
トルクメニスタン　168

第13章　アフガニスタンとパキスタン
――アジアの危険地帯の行方　171
アフガニスタン　172
中国はNATOが息切れするのを待っている　173
パキスタン　175
パキスタンの〝テロとの戦い〟　175
中国との取引　177
アメリカとの歪んだ関係　178
中国の影響力　178
〈パートⅡのまとめ〉　181

〈パートⅢ　モンロー主義の終焉〉

第14章　新しいルールの誕生　186
支配と隷属の歴史　187
アメリカの関わり方　188

戦後と米ソ冷戦　191
21世紀の到来　194
ラテンアメリカはまとまれるか　196
〈コラム〉アフリカと東アジアの間　198

第15章　メキシコと中米諸国
——南米とアメリカを結ぶへその緒　201
メキシコ　201
アメリカに押し寄せるメキシコ人　203
中米諸国　205

第16章　ヴェネズエラ
——ボリヴァルの復讐　208
チャベスの衆愚政治的独裁　210
アメリカ敵視政策　212
チャベスの夢　213
中国カードとEUカード　214

第17章　コロンビア
——アメリカの浮沈空母？　217
コロンビア革命軍とアメリカの〝ドラッグ戦争〟　218
ラテンアメリカ型資本主義の典型　220
反政府ゲリラの衰退　222
ボリビア　223
アンデス諸国の将来　224

第18章　ブラジル
——南の巨人　226
三つの革命を経験　227
混乱が続いた経済　228
第二世界のリーダーを目指す　229
中国との関係　230
南半球の人種のるつぼ　231
始まった改革　233

第19章　アルゼンチンとチリ
——二卵性双生児　235
アルゼンチン　235
坂を転げ落ちた国　237
ブラジルとの協力体制　239
チリ　240
坂を這い上がってきた国　240
〈パートⅢのまとめ〉　245
〈パートⅣ　“中東”とは何か〉
第20章　アラブ世界
——切れたベルト　248
アラブ民族主義とイスラム主義　249
困難なイスラムの統一　253
第21章　北アフリカ諸国（エジプトを除く）
——北アフリカ沿岸はヨーロッパの南海岸　255
モロッコ　258
アルジェリア　260
リビア　261
カダフィの革命とテロ支援　262
国際社会へ復帰　265
変わらぬ国内事情　265
〈コラム〉中国の進出　268
第22章　エジプト
——官僚主義と宗教主義のはざま　271
ナイル川とスエズ運河に依存　271
アメリカより中国、ＥＵ　273
機能しない政府　275
ムバラクの長期独裁　277
イスラムの本流と新興グループ　279

アメリカの政策が過激派を生む　281

第23章　中東の火薬庫——ロードマップの行方　283

どうしてこうなったのか　283
イスラエルとパレスチナ——ともに粉々　286
イスラエル　287
パレスチナ　291
ヨルダン——イラクとパレスチナのはざま　294
すべてを部外者が持っている国　295
レバノン——耐えられないほどの軽さ　298
ヒズボラの実力　300
シリア　302

第24章　元イラク——ブラックホール　304

イラクは消滅する　306
クルド人国家が誕生する　308

第25章　イラン——美徳と悪徳　313

ホメイニのイスラム革命　314
反米親中国路線　316
停滞と退廃　318

第26章　湾岸諸国　321

サウジアラビア——カネの世界とイスラム原理主義の本拠地が同居　325
サウード家とイスラム原理主義者の関係　326
国内の現実　329
現代文明とイスラムの関係　330

アラブ首長国連邦（UAE）――シンガポールとラスベガスが合体　331
繁栄する国際都市　332
繁栄の光と影　334
悲惨な外国人労働者の境遇　336
〈パートⅣのまとめ〉　339

〈パートⅤ　アジア人の手によるアジア〉

第27章　アジアの底流　344
中国の非論理性　346
〝リムランド理論〟のアメリカ　347
自信をつけるアジア　350
東アジア諸国の特徴　352

第28章　東アジア・西太平洋地域と中国　355
日本と中国の関係　355
韓国と中国の関係　356
オーストラリアと中国の関係　357
シンガポールと中国の関係――中国が「第一世界」に入りたくなった理由　358
〈コラム〉インドは本当に台頭するのか　361

第29章　マレーシアとインドネシア――中国による大東亜共栄圏　365
マレーシア――隣人で友人　366
マハティールの〝アジア型イスラム〟　368
多民族が共存する国　370
インドネシア――天然資源の宝庫　372
軍部が経営する国　372
台頭するイスラム原理主義　374
中国との微妙な関係　377

第30章　インドシナ
――東南アジアの三角地帯　381
ミャンマー――今や中国の一地方　381
タイ――北に向かって微笑む　383
ベトナム――新たな綱引き　386
カンボジアとラオス　388
〈コラム〉オセアニア　389
第31章　大きさこそすべて
――中国帝国の実力　391
〃超大国〃の中国的解釈　394
鄭和の大航海　394
中国の言う〃調和のとれた世界〃とは何か　395
アメリカとのせめぎ合い　397
EUの関わり方　400
中国に味方するグローバリゼーション　401
先進国のノウハウを〃丸ごと利用〃　401
海賊版の無法地帯　404
格差を縮める努力　405
止まらない環境汚染　406
一国二制度の行方　407
儒教の復活　408
それでもやはり一党独裁　409
2050年まで民主化はない　410
おわりに――世界に力の〃平衡〃は可能か　412
重要性を増す第三世界　414
帝国の危険な綱渡り　415
3極による力の〃平衡〃は可能か　417
訳者あとがき　420

本文中、♯の記号を付したものは原書にある注、＊の記号を付したものは訳者による注です。

原書には、適切さを欠く記述が登場しますが、事実関係が明確なものに関しては翻訳段階で調整しています。

「三つの帝国」の時代

――アメリカ・EU・中国のどこが世界を制覇するか

本文地図／朝日メディアインターナショナル

THE SECOND WORLD by Parag Khanna

序章
三つの〝帝国〟の関係

クイズを三つ。
①1990年代にNATO軍の爆撃で崩壊したバルカン諸国を再建したのは誰か。
②メキシコの通貨が暴落して債務不履行に陥りかけた時、苦境を救ったのは誰か。
③旧ソビエト連邦が崩壊し、中央アジアの旧自治共和国が先を争って独立を求めた時、国境を落ち着かせてそれらの国の通商を促進したのは誰か。

この三つの問いの答えは、すべて〝帝国〟である。答えを順に示せば、EU（欧州連合）、アメリカ、中国、という帝国だ。

現代の帝国

今の時代に、帝国の話などあまり流行らないかもしれない。「そんなものは侵略と重商主義（＊1）の時代の過去の遺物だ。第二次世界大戦後にアフリカやアジアの植民地が独立し、1990年代はじめにソ連が崩壊して以来、とっくに歴史のゴミ箱に捨てられている」と多くの人は言うだろう。実際、民族自決の意識の高まりとともに、世界は政治的分裂の新しい時代に入るだろうと予測した人は多かった。第二次世界大戦が終わった時点で、世界にある国の数は50に満たなかった。それが今や、そのうちに200に達し、すべての少数民族が自分たちの国を持ち、自分たちの通貨を持ち、国連に加盟するかもしれないという勢いだ。

だが、過去数千年の歴史を通じて、帝国が世界最強の政体でなかった時代はない。かつての帝国は政治的なくびきによって配下の国が争い合うのを抑え、秩序を求める人々の普遍の願望を満たしていた。安定と意味のある民主主義を生むには、社会秩序は不可欠な前提条件だ。17世紀まで、ローマ、イスタンブール、ヴェネツィア、ロンドンは、まだ国家になっていなかった数千ものコミュニティーを支配していた。そして第二次世界大戦が始まるまでに、世界の権力はわずか六つの帝国にまとめられ、そのほとんどはヨーロッパにあった。だがこれらは、古代の帝国と違ってみな小さな国で、海外の植民地を武力で支配することで成り立つ人工的な帝国だった。そのため植民地が独立するとともに、それらの帝国も終わりを告げた。

しかしそれで〝帝国〟という存在そのものがなくなったわけではない。帝国は定期的に破滅的な戦争を引き起こすので、望むべき統治の形態にはほど遠いとしても、なお人間は心理的な限界のために、いまだにそれより良いものを作ることができずにいる。

大国主義はやはり復活した。世界を形作っているのは帝国同士の間の関係であって、それ以外の国や文明の間の関係ではない。世界の地理に意味を持たせているのは文明ではなく帝国なのだ。実際、これらの帝国はさまざまな文明を横断して存在している。つまり、帝国は各地の文明を無視して自分たちの基準と習慣を広めることにより、人々のアイデンティティーを変えていく力がある。帝国にとっては、個々のユニークな文明を保存するより、自国の国力の拡大のほうが大事である。ひとことで言えば、帝国は文明より大きい。

今日、世界各地にある地域的な支配の中心は、過去のほとんどの時代より数が少なくなっている。第二次世界大戦以後、それまで小さな封建社会に分かれていた中国は統一され、ヨーロッパでは二十数ヵ国の連合による超国家的なEUができた。こうして、それに超大国アメリカを加えた三つが、ごく自然に〝帝国〟となった。これらの三つは、それぞれ地理的に大きな一つの塊としてまとまっており、軍事的、経済的、人口統計的に拡大する力を持っている。そして世界に小さな国がたくさんあればあるほど、帝国にとっては分断支配（＊2）がやりやすい。

しかしどのような帝国も、トインビー（＊3）が「不滅であるという幻想」と呼んだものに陥りやすい。たとえば、アメリカ人は自分たちが世界ではじめて、全世界の統治権を握ったと考える傾向があるが、「世界中に日の沈まぬところはない」と豪語した最後の世界帝国はイギリスだった。

第二次世界大戦後の植民地が解放された世界では、他国の領土を侵略して征服することはタブーとなり、アメリカがかつてのイギリスのように世界の隅々まで一方的に命令を下すことはできなくなった。またアメリカは世界中に軍隊を駐留させているが、それでその国を支配しているわけではない。もし権力が純粋に軍事力によって測られるなら、アメリカは間違いなく世界の頂点にあり、世界は一極―多極支配、つまりアメリカを頂点としてその下に各地域の支配者がいる構造になっていることになる。だが、テクノロジーの発達により各国の防衛力が増していることもあり、最近では以前に比べて軍事力が持つ意味は小さくなっている。

その反対に意味が増しているのが経済的な生産力、世界市場でのシェアー、技術革新の力、天然資源の保有量、人口のサイズであり、それに加えて国家としての意志の力や外交スキルといった目に見えない力も重要になっている。実際、すべての軍事大国が核保有国である現在、経済力は軍事力より重要である。中国は巨大な人口と産業の生産力と外貨準備により、空前の潜在力を持った大国になった。EUは経済的な豊かさの面でアメリカや中国を凌いでおり、人口の規模はアメリカより大きくて中国より小さく、大きな軍事力とすぐれた技術力を持っている。

こうして超大国の配置は再びバランスを取ったが、それを一点で支える中心がない。現在、世界の力のバランスを支える比較的同程度の政治の中心地は、ワシントン、ブリュッセル、北京である。

【訳注】＊1：重商主義＝「はじめに」を参照。
＊2：分断支配＝いくつもの国や集団を支配するために、それらが団結しないようにお互いを争わせて分断してしまう支配のテクニック。一つひとつは小さな抵抗勢力でも、たくさん集まって団結されると手ごわくなるが、それらがお互いに争い合っていれば、力がまとまらないのでコントロールしやすい。特に植民地時代のイギリスがこの手法にたけていた。
＊3：トインビー＝「はじめに」を参照。

地政学的な権力の世界市場

権力は空白を嫌う。旧ソ連が崩壊したことにより、アメリカは世界のどこにでも自由に軍隊を派遣できる国となったが、それで世界の覇権を確かにしたわけではなかった。実際、アメリカの一極支配は短かった。まもなくEUと中国が、内部の統一に向けていた力を外に向ける展開へシフトし始めたからだ。今や地球上の至るところで、アメリカナイズ、ヨーロッパナイズ、中国ナイズが進むようになった。

こうして世界の権力は、一国による独占から公開市場へと移った。アメリカ、EU、中国は、軍事力や経済力や政治力を駆使して、自国が影響を及ぼすことのできる勢力圏を世界中に作る競争を始めた。このような権力の世界市場では、いわば消費者の立場になったほかの国々は、どの超大国を自分たちのパトロンにするかを選ぶ。時として、パトロンは複数いることもある。こうなると、ある一つの超大国が、ある敵国の生命線を断ち切って封じ込めようとすれば、たちまち別の超大国が援助の手を差し伸べ、自分の側に引き入れようとすることが可能になる。このような真の地球規模の競争を、人類はかつて目にしたことがなかった。

　アメリカの国家安全保障戦略は、世界の危険な地域に安定を促進することによって、それらの地域の中心となる国を作ることを狙っている。しかし最近では、そのような地域の多くにおいて、アメリカはもはや安全保障を与える者とは見なされておらず、むしろ不安定をもたらす者と考えられている。そしてそのことが、中国やＥＵがそれらの国々を自分たちの勢力圏に引き入れるためのドアを開くという力学を生みだした。だがアメリカのライス国務長官が「大国っていうのは、ほかの国のことに首を突っ込まなくてはいられないのよ」と漏らしたように、実際、アメリカが信用を失いつつあるからといって、ＥＵや中国がそれをすぐつかめるほど単純な話ではない。

　地政学的な権力の世界市場では、ある超大国の政策が正しいかどうかは、その政策が実際に効果があるかどうかによって判断されねばならず、またその効果はほかの超大国の政策との比較によって証明されなければならない。そういう意味で、アメリカはＥＵや中国から学べることがたくさんある。

　冷戦が終わった時、アメリカの政治家のなかには「ヨーロッパに駐留する米軍を縮小すれば、フランスとドイツが再び争いを始める」と主張する人たちがいた。しかし彼らの予想に反して両国はＥＵの中核となり、ＥＵは現代の帝国に成長したばかりでなく周辺国を吸収して拡大を続け、さらに多くの国が加盟を熱望して列をなしている。またやはりその頃、アメリカの国防総省は中国の台頭を封じ込める戦略を発表したが、中国はその名が示す通り〝世界の中心たる王国〟の地位を復活させて世界の覇者になろうとする道を歩み続けている。そしてＥＵと同様、周辺国をいわば半主権を持った自国の一地方同然に変え、軍事的な侵略ではなく人口統計的な拡大(*4)と、経済的に取り込むことによって従わせている。このような拡大政策は、かつて帝国主義と呼ばれたが、今ではグローバリゼーションと呼ばれている。

【訳注】*4:その地における中国人の数を増やすこと。

三つの外交スタイル

アメリカ、EU、中国の三つの帝国は、それぞれ特徴ある外交スタイルを持ち、21世紀を主導するのは誰かを競い合っている。それらの外交スタイルとは、同盟を作るアメリカ型、コンセンサスを基本に据えるEU型、助言・忠告を中心に事を進める中国型だ。

①アメリカ型

冷戦時代、アメリカはトルーマン大統領(*5)が唱えた反共政策をもとに、共産主義と闘って勝つことを唯一最大の目的とし、アメリカを中心に放射状に広がる強固な同盟を作った。現在はそれと対照的で、懸案を一つひとつ別個に取り上げて処理する政策に変わり、〝有志連合型〟の同盟を作っている。アメリカは引き続き世界をリードしていく意志を示しており、たとえば国連の安全保障理事会や、NATO(*6)の決定事項の色合いはアメリカが決めている。NATOはソ連が消滅した今では守備範囲を大きく広げ、ペルシャ湾から中央アジアに至るまでの作戦を行っているほか、世界各地の係争の調停に関わっている。

しかし個人主義を信条として自己利益を極度に強調するアメリカのやり方は、諸外国の信頼を得ることが難しくなってきている。アメリカは短期的な見通しにばかり集中するので、対テロ、民主化、経済自由化などの政策が変更されるたびに混乱を生み、その一方で相変わらず軍事力に頼っているため、同盟国ですら離反する恐れをはらんでいる。今日のアメリカは、かつて1960年代のフランスが「利権ばかりで友人なし」と皮肉られた状態を体現している。

②ＥＵ型
ＥＵは、これまで大西洋をはさんでアメリカの方ばかり向いていた地政学的な力の中心を、ヨーロッパの方を向くように変える力を秘めた革命的な組織だ。多国家間にまたがる最も進化した統治形態を持ち、政治的に征服するのではなく企業の合併に似た形で国々を統合しており、その内部貿易圏と勢力範囲は北アフリカからコーカサス地方（＊7）にまで及んでいる。ＥＵ法は加盟国の大半の国内法に優先し、加盟国の貿易のほとんどはＥＵ内部で行われている。加盟国にはそれぞれの主権が認められているが、外部に対してはますます共通のビジョンを持って共同で当たるようになりつつある。

またＥＵは世界最大の市場を持ち、世界のテクノロジーや規則のスタンダードの多くには事実上ＥＵの基準が用いられるなど、軍事力を除けばＥＵの潜在力はアメリカを凌いでいる。合意することを基本に進めるＥＵの対外政策には、二十数ヵ国の加盟国が話し合い、合意事項を履行するのに時間がかかるという欠点もあるが、社会福祉を大切にするヨーロッパ人共通の精神がＥＵの活気を保っている。

③中国型
中国はすでに引力の中心であり、帝国外交の三つ目のモデルになっている。中国の助言・忠告型の

外交は、合意する部分を強調し、意見が一致しない懸案は棚上げにして状況が好転するまで先送りするというスタイルで、努力型のやり方が賞賛と信頼を誘っている。全世界の人口の過半数はアジアにあり、アジアの人たちは中国の平坦でない過去をよく知っているが、最近では将来の可能性に順応するようになりつつある。彼らは、中国の台頭はもはや避けられないとあきらめ、むしろ格安の消費財、より平等な市場、地域のプライドといった、自分たちの利益に結びつけることで歓迎しようというムードになってきている。

半世紀前、中国は国家予算の5パーセントものカネを注ぎ込んで世界中の共産ゲリラを支援していたが、今では世界中にあらゆる種類の顧客を持つ同盟関係を築く努力をしており、同時にペルシャ湾沿岸、中央アジア、南米などのエネルギー供給国の獲得では他国と争っている。そしてロシアやインドなど、世界の中間権力者の協力獲得競争で欧米と激しい綱引きを演じている。またキューバ、ヴェネズエラ、スーダン、ジンバブエ、イラン、ウズベキスタン、ミャンマー、北朝鮮など、アメリカが押さえつけようとするほぼすべての政権を支援している。

【訳注】＊5：トルーマン大統領＝アメリカの第33代大統領。任期1945～1953年。民主党。
＊6：NATO（ナトー）＝北大西洋条約機構。冷戦時代に西ヨーロッパをソ連の脅威から守ることを目的に、西欧諸国とアメリカ、カナダによって作られた軍事同盟で、当時はアメリカの核戦力が抑止力の中核となっていた。冷戦終結後は周辺地域の紛争や域外の危機管理に任務を拡大し、旧ソ連圏の東欧諸国が次々と加盟している。対テロ戦争ではじめてアフガニスタンに地上軍を投入し、次第に、国連軍が機能できない場合にそれに代わって行動できる欧米中心の組織になりつつある。最近では日本との結びつきも強めている。
＊7：コーカサス地方＝第6章を参照。

世界秩序の行方

これからの世界秩序は、いくつもの中心を持つ多元的なものになるだろう、と考える人は多い。つまり、中国は基本的に東アジアの地域的な大国にとどまるだろう、日本はより国家主義的になって自己を主張するようになるだろう、ＥＵはその直接の圏内では栄えても、圏外に対する影響力に欠けるだろう、インドは台頭して中国に対抗するようになるだろう、ロシアは再び大国として復活し、イスラム教国は団結して地政学的な威力となるだろう、などの考えだ。だがこれらの考えは、すべて、もっとずっと深い現実があることを見落としている。それは、アメリカ、ＥＵ、中国の三つは、すでに世界の権力のほとんどを手中に収めているということだ。この三つは、ほかのいかなる国が追いつこうとすることも全力で阻止しようとするだろう。

軍事的な方法であろうが、それ以外の方法であろうが、ロシア、日本、インドが、地球規模で自己を主張するようになることはできない。これらの国は超大国ではなく、三つの帝国に正面から対抗するよりは、むしろそのどれかを支持したりしなかったりすることで、それらの帝国の世界支配を支えたり阻害したりするバランスとなるだろう。実際、これら3国は、自分自身の領域において三つの帝国に出し抜かれつつある。

イスラム諸国も同様だ。彼らは外交的な団結力がないため、広大な地域に広がったまま意味のある全体となってまとまることができず、三つの帝国の引力によってその方向に曲げさせられている。

このように、今の世界にはまぎれもなく三つの超大国＝帝国が存在している。そしてそれらは今後も主導権争いを演じ続けるだろう。世界秩序を決めるもう一つの主要な手段——戦争——がそれ以外のことを命じないかぎり。

地政学とは何か

ルイス・キャロル（＊8）は「後ろしか向かないというのは記憶の哀れな性《さが》だ」と書いたが、地政学は歴史と異なり、明快に、前を見ることを目的として後ろを向く純粋な科学だ。国際関係論を「時事の天気予報のようなもの」にたとえるなら、地政学は「気候風土学のようなもの」であり、天気と違って地政学的な要因が一晩で変わることはない。

本論に入る前に、ここで地政学がどのようにして生まれ、発達してきたかをごく簡単にたどっておこう。

20世紀のはじめに、ドイツのフリードリッヒ・ラッツェルという政治地理学者が、「帝国は生き延びるために膨張を続けなくてはならない」という理論を唱えた。ちょうど輪ゴムを伸ばして輪を大きくしていくように、帝国は境界を広げながら、その地域内の事実を変えつつ国家を確立してゆく。そして境界の輪ゴムが切れない限り遠くまで、領土となった地域の支配を広めてゆく。

〝地政学〟という言葉は、ラッツェルの教え子だったスウェーデンのルドルフ・チェレンという人が作った造語だ。だが、ナチスの将校だったカール・ハウスホーファーという地理学者が、「ドイツはドイツ民族のみによる単一人種の生存圏を必要とする」という自国の膨張理論を正当化するためにこの言葉を使ったため、地政学のイメージが悪くなった。ハウスホーファーによる純粋な学問からのこのような逸脱が、その後数十年にわたって地政学の純粋さを汚すことになったといえる。

一方、イギリスの有名な地理学者ハルフォード・マッキンダー卿は、ユーラシア大陸に台頭する強国が世界を支配するようになることを心配し、大陸の勢力からイギリスを守ることに心を砕いた。ユーラシア大陸の内陸部は海から到達することができないため、当時世界最強のイギリス海軍でも攻略できない。そこでマッキンダーはこの地域を地球上で最強の天然の砦《とりで》であると考え、〝ハートランド〟(＊9)と呼んだ。しかし、アメリカ海軍の戦略家アルフレッド・マハンは、海軍力こそ世界支配のカギであると主張し、「海の帝国こそ、間違いなく世界の帝国である」という言葉を残した。

その少し後、フランスのフェルナン・ブローデルという学者が「歴史を見るには、長い年月の間に起きたことを大きく眺めることのほうが、個々の出来事を細かく分析するより重要である」という歴史研究のアプローチ法を唱えた。それ以来、地政学は海と陸の両面から考える総合的なものに進化してゆき、世界中の出来事を長期的な時間の流れのなかでとらえる戦略研究に用いられるようになった(＊10)。

【訳注】＊8：ルイス・キャロル＝『不思議の国のアリス』の作者。
＊9：ハートランド＝地政学ではユーラシア大陸の内陸部を指すが、現代英語の〝ハートランド〟という言葉は単にある地域の中心部分を指す一般語で、特にこの地域を指す固有名詞ではない。
＊10：現代の地政学＝軍事面ばかりでなく政治、経済、宗教、歴史、文化などさまざまな側面を含み、本書でもそういう意味でこの言葉を使っている。

地政学的要因とグローバリゼーションの関係

過去の歴史を見ると、地政学的な要因が衝突した後にはきまって壊滅的な大戦争が起きている。世界支配の序列を決める大戦争はおよそ100年に一度の割合で続き、最近の例はナポレオン戦争（1803〜1814年）と第一次、第二次の世界大戦（1914〜1945年）だ。

今からほぼ100年近く前に起きた第一次世界大戦は、歴史、文化、地理的空間、政治機構など共通点をたくさん持っていたヨーロッパの強国の間で、それらの共通点があるにもかかわらず誤った推測とほんの些細《ささい》な誤解がきっかけで起きた。だが今日のアメリカとEUと中国は、そういった共通点をほとんど持っていない。中国など民主主義国ですらない。このように決定的に異なる現代の帝国の間で、第三次世界大戦の発生を防ぐ方法はあるのだろうか。

実は、世界戦争の歴史的なくり返しを止めることができるかもしれない力が、最近一つだけ浮上してきた。それがグローバリゼーションの力だ。今やグローバリゼーションは、地政学と同じように世界のシステムとなり、どのような超大国もこの新しいグローバリゼーションを単独でコントロールすることはできなくなっている。それが止まる時は、地球上のすべてが止まる時だ。昼も夜も貨物船や石油タンカーが海を行き交い、何十万人もの人々がそれまで行ったことのない土地に飛行機で運ばれ、金融市場は世界中に資本を動かしている。その一方で、各地の内戦は燃えさかり、テロ攻撃が起き、核を搭載した兵器が世界中に配備されている。そしてたくさんの評論家や専門家が、グローバリゼーションは美徳だとか、地政学は邪悪だとかと過大に強調している。実際、この二つは正反対の概念でもあり、グローバリゼーションが地政学の対極として扱われること自体、ある種の進化の現れなのだ（#1）。

〝グローバリゼーション〟という言葉が使われるようになったのは最近だが、この出来事そのものは今に始まったことではなく、昔から歴史を通じて盛んになったり衰えたりをくり返してきた。だが、それが今ほど広く大規模に行われるようになったことはない。1990年代にはいわゆる〝反グローバリゼーション運動〟が起きたが、今ではすっかり消えてしまった。そのかわりに登場したのが、「いかにして〝人間的なグローバリゼーション〟を達成するか」という真剣な討論だ。

今やグローバリゼーションは、どのような社会にとっても、生き残り進歩するために欠かせないものとなっている。デモ隊がWTOサミット（＊11）に押し寄せて、既存のルールを廃止せよと叫んでいた時も、彼らがその声を代弁していると主張していた砂糖や綿花を栽培する貧しい小作農家は、生活のためにいつものように仕事を続けていなければならなかった。２００１年9月11日にアメリカで起きた同時多発テロでさえ、グローバリゼーションを推進する貿易自由化やコミュニケーション技術の爆発的発展を止めることはなかった。

経済が発展するには国家間の相互依存が必要になり、相互依存が進めば国家間の緊張をゆるめて争いを武力によらない競争に変えることも可能になる。実際、世界経済が一つだけのエンジンで動くことはなく、三つの帝国の経済はお互いに深く絡み合っているため、衝突した場合に支払わなくてはならない代償は非常に大きなものになる。三つの帝国はみな貿易帝国でもあり、世界中の物資供給を支配する巨大な国際企業は、しばしばほかの帝国の勢力範囲にオペレーションセンターを持っている。つまり、それらの企業が繁栄するかどうかは、ほかの帝国の弱さにではなく、強さにかかっている。こうして今や三つの帝国は、まるで体がつながった三つ子のようになっており、どの動脈が切れても3者がみなダメージを受ける。このような形でグローバル化したつながりのみが、この小さな地球の上で帝国同士が軍事的に対決するような、かつての地政学的な対立の再来を防ぐことができる可能性がある。

【原注】＃1：「地政学」対「グローバリゼーション」の関係を簡単に言えば、「支配」対「統合」、「衝突」対「協調」、「ピラミッド型の階級序列」対「水平に広がるネットワーク」、「政治」対「経済」、「ペシミズム」対「オプティミズム」、「宿命論」対「進歩主義」、などと表現することができる。

【訳注】＊11：WTO＝世界貿易機関。世界の大多数の国が加入しているが、ロシアや中東・アフリカのイスラム教国の一部などがまだ加入していない。

人間を動かす「恐れ」と「強欲」

とはいえ、グローバリゼーションの力だけで、地政学的な衝突の歴史がくり返される危険を防ぐことはもちろんできない。歴史的にグローバリゼーションは、帝国が自分の体制とルールを他国に押しつけたり引っ込めたりするたびに、つまり帝国のエゴによって発展や後退をくり返してきた。古代ギリシャが勢力を拡大できたのは、自分が持っていない資源を通商で得ることによって築いた富で大きな兵力を維持し、また他国の指導者を買収して、自国の排他的貿易圏を守ることができたからだった。近世以降に起きたグローバリゼーションの波もみな完全に重商主義的（＊12）であり、ヨーロッパの強国がほかの国の天然資源や人的資源を支配しようとする過程で起きている。将来たとえ世界が一つにまとまろうとも、衝突を引き起こす原因となる「経済的・政治的な支配の序列」と「それによって支配される側が抱く不公平感や不当感」を消し去ることはないだろう。なぜなら、人間は「恐れ」と「強欲」という二つの力によって突き動かされているからだ。

このように、グローバリゼーションを推進する帝国は両刃の剣である。帝国は平和と繁栄をもたらす力になることもできるが、もしほかの帝国の領域に侵入できる機会があれば、帝国がそれを放っておくことはまずない。そしてグローバリゼーションの発達は、かつてないほどそれを容易にした。世界が小さくなった分だけ、より熾烈な競争の時代が到来することを予告している。昔の植民地は武力で他民族を征服して作られたが、今日では、国はカネで買われる。一時、〝グローバリゼーション〟という言葉を〝アメリカナイズ〟と同義に考える人たちがいたが、事実は逆で、むしろグローバリゼーションが「アメリカの力による平和」を終焉に向けて劇的に加速している。

【訳注】＊12：重商主義＝「はじめに」を参照。

国もまた人間

トインビーは、「国家も個人と同じように、それぞれみな特徴のある性格を持っている」と書いているが、実際、信頼やリスペクト、強欲、復讐心など、あらゆる人間的な感情は国際政治でも交錯する(#2)。たとえば、かつてパキスタンのズルフィカール・アリー・ブットー(＊13)は、「もしインドが核兵器を開発するなら、パキスタンは草や木の葉を食べてでも核開発を行う」と宣言したが、これは明らかに感情的な発言であり、冷静で合理的な判断ではない。アレキサンダー・ヴェント(＊14)は「国もまた人間だ」と述べたが、それは名言だ。

国家の心理が個人の心理と類似している例はいくらでも挙げることができる。軍拡競争は、対抗するギャンググループが、抗争で相手より大きな武器を持とうとするのとなんら変わるところはない。一国のアイデンティティーを形作る歴史は、一家の歴史や家族の写真アルバムと同じように、世代から世代へと伝えられてゆく。そして最も重要なことは、人も国も、アブラハム・マズロー(＊15)の唱えた〝ニーズのピラミッド〟(＊16)に従うということだ。つまり、人間の最も基本的なニーズとは、飢えやのどの渇きを満たすことだが、それと同じように、国にもまず財政上のニーズがある。そしてそのつぎに、人間なら雨風や暑さや寒さを防ぐための住居や、暮らしの安定へのニーズがあるが、国にとってそれにあたるのが安全保障だ。そして最後のニーズは、個人なら所属意識、愛情、他人からのリスペクトや承認などだが、国にとっては「自国の存在感を持つこと」がそれに相当する。「民主的な国家運営」はこの最後の段階で、「生きるために食べる」という最も基本的なニーズが満たされ、つぎの経済的なニーズがなんとかなってはじめて、人は民主的な政治に積極的に参加できるようになる。純粋に完全な民主主義というものは、たとえて言えばオートクチュールのようなものだ。人はそれに憧れるが、日々の生活に使えるほど実用的ではない。

世界の人々の最も抗しがたい理念は、実は民主主義でもなければ資本主義でもなく、その他のどのような〝〇〇主義〟でもない。それは〝成功すること〟だ。すべての社会が求めているのは、1759年にアダム・スミス（＊17）が著書『道徳情操論』で喝破したように、「自分たちの状態を、現在より良くすること」なのだ。つまり、「最高のものは無理でも、達成し得るつぎにベストのものは、またはステータスは何か？」ということだ。イラクで2005年に行った世論調査で、今望むものは何かと聞かれた多くのイラク人が「ただ〝ノーマルな〟国がほしい」と答えている。

今日、何をもって〝成功〟と呼ぶかについては、国や人によってさまざまに異なり、答えはいくらでもある。そして世界権力が地政学的な世界市場にある今、小さな国々はさまざまな方法によって、自分たちの望むものを手に入れようとする。人と同じで、国家にも頭や心や胃があり、頭と心が機能するにはたいていまず胃が満たされる必要がある。そこで第二世界の国はそれぞれの外交手段を通じて、自分たちが必要とするものを与えてくれる世界権力と組む。そして、それを一番よく与えることができた帝国が、ほかの帝国を出し抜くことになる。

もし「友人を獲得し、ほかの人々に影響を与えること」が個人にとって重要だとすれば、国家にとっても「同盟国を獲得し、ほかの国々に影響を与える」ことは同じように重要になる。そこで第二世界の国々は、三つの帝国がそれぞれの勢力を拡大してライバルの足を引っ張るために用いる戦略を、比較して見るようになった。そしてそれらの第二世界の国の行動が、世界の力のバランスを変える可能性すらある。

なかには、いくつもの顔を使い分け、世慣れた手法によって、一つだけでなく二つや三つの帝国から利益を引き出そうと試みる国もある。その逆に、三つの帝国をうまく競わせることができず、特定の一つの帝国の影響下にどっぷり入ってしまう国もある。第二世界の産油国、特にヴェネズエラ、リビア、サウジアラビア、カザフスタンは、態度をあいまいにする戦略がどれほど有効かを観察できるかっこうの舞台となった。広い意味で、第二世界の将来が三つの帝国とどう関わり合うかにかかっているのと同じように、三つの帝国の将来は、第二世界の国々をどう管理するかにかかっている。

【原注】#2：古代ギリシャの哲人ソクラテスは、人間の魂には「欲望」「プライド」「理性」の三つの部分があると述べているが、国家も同様である。やはり古代ギリシャの歴史家トゥキュディデスは、社会を動かすモチベーションは「恐れ」「誉れ」「利害」の三つだとしている。さらに、20世紀のイギリスの著名な軍事史研究家ベイジル・リデル・ハートは次のように述べている。「私はかつて、経済こそ戦争を引き起こす圧倒的に大きな理由だと考えていたが、後に、経済より心理的な理由のほうが大きいと思うようになった。そして今思うのは、戦争を引き起こす原因は決定的に〝個人的〟なことであり、それは国家の動きに影響を及ぼす力を持った人間の個人的な欠陥と野望からわき起こるということだ」

【訳注】＊13：ズルフィカール・アリー・ブットー＝1970年代にパキスタンの大統領と首相を歴任したが、1977年のクーデターで投獄され、1979年に処刑された。1990年代に首相を務め、2007年12月に暗殺されたベナズィール・ブットーはその長女。
＊14：アレキサンダー・ヴェント＝ドイツ生まれの若手の国際関係論学者で、現在アメリカ在住。
＊15：アブラハム・マズロー＝自己実現理論で知られるアメリカの心理学者。
＊16：ニーズのピラミッド＝「マズローの欲求のピラミッド」と訳されることが多いが、正しくは「欲求」ではなく「ニーズ」である。
＊17：アダム・スミス＝スコットランド出身の18世紀の経済学者。『国富論』を書き、重商主義を批判して自由貿易を唱えた。

混乱の第二世界

第二世界は変化の過程にある。第三世界から上昇してくる国もあれば、第一世界から転落してくる国もあるだろう。第一世界の国は、OECD(*18)に加盟している30ヵ国以上はない(少なくとも、メキシコとトルコは明らかに第一世界ではない)が、第三世界に属する国は、最も少なく見積もっても、世界銀行が開発最途上国に指定している48ヵ国よりたくさんある。そして、第一世界と第三世界の中間に位置する第二世界の国は、少なくとも100ヵ国以上あり、その人口は世界の総人口の大半を占めている。

第二世界の国には、第三世界と同じような巨大な闇市場とポチョムキン・ビレッジ(*19)があり、また富の地理的な配分が中世のレベルにある。つまり、国家の収益の大部分が首都に集中しており、かつ首都から外に出ることがない。首都を離れれば離れるほど貧しくなってゆく。このことを考えれば、メキシコやトルコからイランに至るまで(そして第一世界の国であるフランスでさえ)、首都の市長より権力のある職は国家元首しかないのも驚きではない。この事実は、これらの国で最近国家元首になった(あるいはほぼなりそうになった)人物たちがみな、首都の元市長だったことで説明できるかもしれない。

第一世界のほとんどすべての国は自由民主主義だが、それは民主主義のお陰で第一世界になったのではなく、第一世界になった豊かさが民主主義を実現する余裕を与えたのだ。一方、第二世界の国の多くは民主主義へ向かう途中にあるが、国民一人あたりの年収はおよそ3000ドルから6000ドルにすぎない。そのためそれらの国は、民主化することが本当に人間社会の自然な欲求なのか、それとも民主主義とは西洋の特定の文化に根ざしたものにすぎないのかを知るための、重要な試験場となるだろう。

時に、すべてのグローバリゼーションは良いことであり、富の量はそのまま生活の質の良さに結びつくと考え、グローバル化した国を第一世界、部分的にグローバル化している国を第二世界、グローバル化していない国を第三世界、と分ける人がいる。だがグローバル化には長所もあれば短所もある。たとえば、物質的な進歩が資源の枯渇を招いたり、世界のグローバル化が古来の民族や伝統の良さを破壊したり、相互依存が進みすぎて国内の自給自足ができなくなるなどだ。またグローバリゼーションに賛成か反対かは、誰が権力の座にいるかによって決まることが多い。たとえば、イランの政権は、対抗勢力が力を増すのを防ぐためにグローバリゼーションを阻止しようとしてきたが、エストニア、ラトヴィア、リトアニアのバルト海沿岸3国は、グローバリゼーションの力によって旧ソ連の支配から脱出し、以前のアイデンティティーを取り戻し、あるいは新たに打ち立てた。またメキシコやレバノンなどは、グローバリゼーションのお陰で、世界中に四散する同胞からの送金によって経済が破綻《はたん》しないでいられる。

しかし、第二世界の国々が何よりマスターしなければならないのは地理だ。私たちは友人を選ぶことはできるが、隣人は選べない。好むと好まざるとにかかわらず、隣国は永遠に隣国のままだ。ニコラス・スパイクマン（＊20）の残した言葉、「地理こそ、外交政策で最も重要な要素である。なぜなら地理は不変だからだ」は真理であり続ける。最近、第二世界の国がいくつも連なる地域では、それらの国々の間の境界がなくなりつつあり、集団的な連合が形作られているところがある。しかし、地理的につながっている第二世界の国がいくらかたまって地政学的な集団を作っても、なお帝国の地殻変動的な影響の手は伸びてくる。東ヨーロッパから中央アジア、南米、アラブ諸国、東南アジアに至るまで、第二世界諸国を勝ち取るための帝国のレースはすでに始まっている。

【訳注】＊18：OECD＝経済協力開発機構。長らく欧米先進国プラス日本の金持ち国クラブだったが、冷戦終結後の1990年代に東欧諸国と韓国も加盟した。本部パリ。
＊19：ポチョムキン・ビレッジ＝未開発であることを隠すために作った、見せかけだけの豪華な景観を持つ建物の地区のこと。18世紀末にクリミア地方を制圧したロシアのポチョムキン公が、視察に訪れた女帝エカテリーナ2世の一行を感心させるため、映画セットのような見せかけだけの街並みを作ったとされることからこの呼び名がある。
＊20：ニコラス・スパイクマン＝20世紀前半に活躍したアメリカの政治学者。マッキンダーの大陸パワー論とマハンの海軍パワー論を発展させ、ユーラシア大陸の沿岸部が重要だと説く〝リムランド理論〟を唱えた。

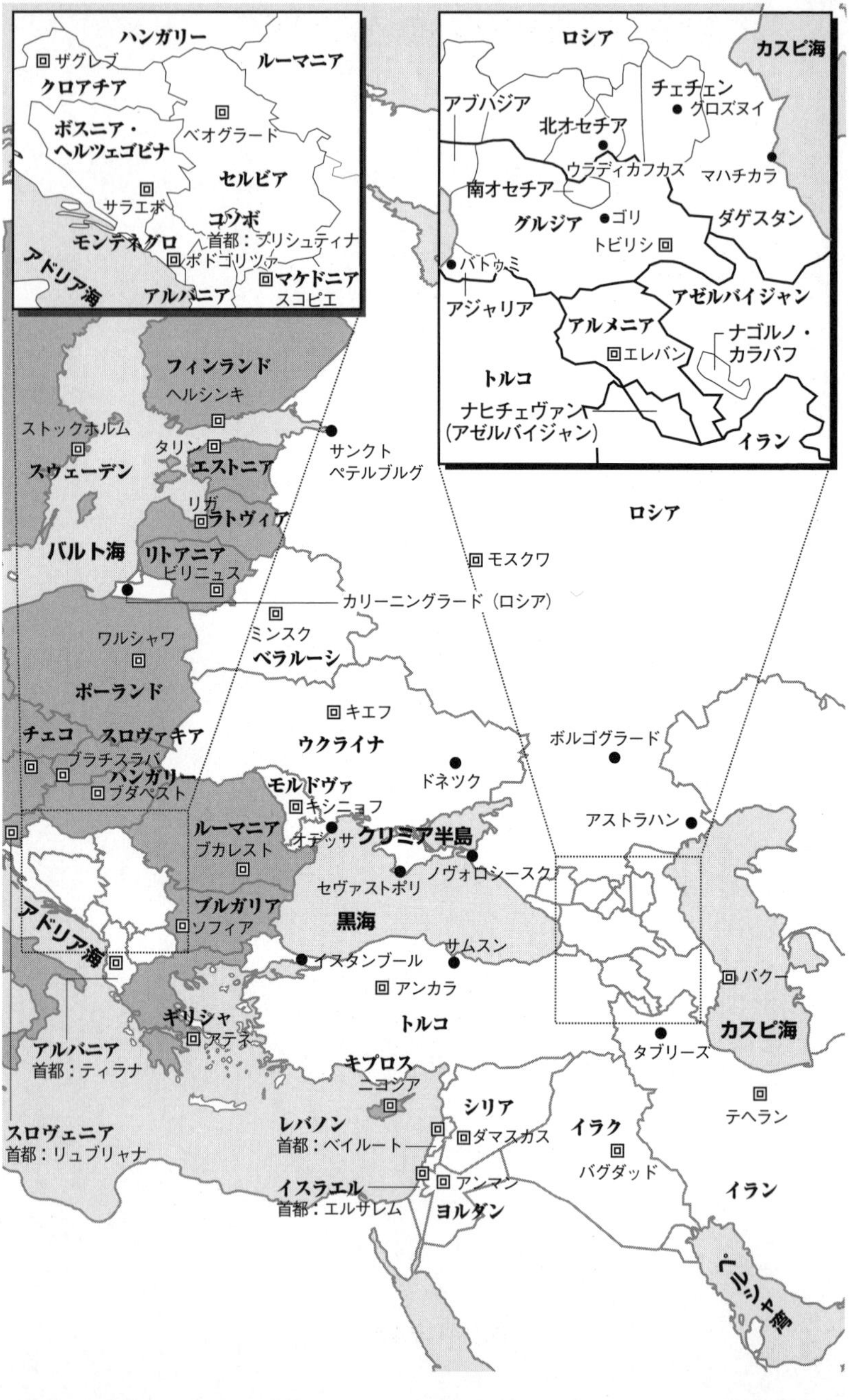
ハンガリー
ザグレブ
ルーマニア
クロアチア
ボスニア・
ヘルツェゴビナ
ベオグラード
セルビア
サラエボ
コソボ
首都：プリシュティナ
モンテネグロ
ポドゴリツァ
マケドニア
スコピエ
アドリア海
アルバニア
ロシア
カスピ海
チェチェン
グロズヌイ
アブハジア
北オセチア
ウラディカフカス
マハチカラ
南オセチア
グルジア
ゴリ
ダゲスタン
トビリシ
バトゥミ
アジャリア
アゼルバイジャン
アルメニア
ナゴルノ・
カラバフ
エレバン
トルコ
ナヒチェヴァン
(アゼルバイジャン)
イラン
フィンランド
ヘルシンキ
ストックホルム
タリン
サンクト
ペテルブルグ
スウェーデン
エストニア
リガ
ラトヴィア
ロシア
バルト海
リトアニア
ビリニュス
モスクワ
カリーニングラード（ロシア）
ミンスク
ワルシャワ
ベラルーシ
ポーランド
キエフ
チェコ
スロヴァキア
ウクライナ
ブラチスラバ
ボルゴグラード
ハンガリー
ドネツク
ブダペスト
モルドヴァ
キシニョフ
アストラハン
ルーマニア
オデッサ
クリミア半島
ブカレスト
ノヴォロシースク
セヴァストポリ
アドリア海
ブルガリア
ソフィア
黒海
サムスン
イスタンブール
バクー
アンカラ
トルコ
ギリシャ
カスピ海
アテネ
タブリーズ
アルバニア
首都：ティラナ
キプロス
ニコシア
テヘラン
シリア
スロヴェニア
首都：リュブリャナ
レバノン
首都：ベイルート
ダマスカス
イラク
バグダッド
イスラエル
首都：エルサレム
アンマン
ヨルダン
イラン
ペルシャ湾

パートⅠ
ヨーロッパの東

ノルウェー
オスロ
北海
エディンバラ
デンマーク
コペンハーゲン
オランダ
アムステルダム
イギリス
アイルランド
ダブリン
ロンドン
ベルリン
ベルギー
ドイツ
ブリュッセル
プラハ
パリ
ルクセンブルク
首都：ルクセンブルク
フランス
スイス
オーストリア
首都：ウィーン
ベルン
大西洋
モナコ
イタリア
首都：モナコ
アンドラ
首都：アンドララベラ
バチカン市国
マドリッド
ポルトガル
ローマ
リスボン
スペイン
地中海
ジブラルタル（イギリス）
アフリカ
EU加盟国

第1章 ブリュッセル(＊1)——ヨーロッパの新しい中心地

キエフ、トビリシ、バクー(＊2)。これらの都市は、ロンドン、パリ、ローマなどの西欧諸国の首都とは外観も雰囲気もまるで違う。旧ソ連時代の崩れた建物の残骸も、人々の心のなかに残る巨大な残骸も、ともに街中に散らかっている。これらの国はみな、本格的なオーバーホールが必要だ。しかし問題は、それをするには政治的な安定と経済的投資、そしてとりわけロシアに対するバランスが必要だということだ。

「かなり単純な話ですよ。私たちはロシアが嫌いなのです」

タリンで知り合ったエストニア(＊3)の外交官がそっけなく言ったそのひとことには、彼らが抱える感情的かつ戦略的な問題がよく現れていた。もちろん、これは「ヨーロッパの東」にとって新しい問題ではない。過去1000年以上にわたり、この地域では西欧系のキリスト教(＊4)とスラブ系の正教会派(＊5)、さらにトルコ系のイスラム教が衝突をくり返してきた。

今から100年ほど前のこと、ハルフォード・マッキンダーとルドルフ・チェレン(＊6)は、ロシアの力を封じ込めようと知恵を絞った。マッキンダーは米欧の大西洋同盟こそ解決法だと説き、チェレンは強固な中央ヨーロッパ連盟が必要だと説いた。だが今日起きていることは、二人の想像力をはるかに超えている。冷戦終結後の東欧は、かつてのようにロシアとドイツに東西からはさまれて潰される地帯に戻ることはなかった。ＥＵ（欧州連合）が新しいヨーロッパ帝国のなかに統合したからだ。

【訳注】＊1：ブリュッセル＝ＥＵの本部はベルギーの首都ブリュッセルに置かれている。
＊2：キエフ、トビリシ、バクー＝それぞれウクライナ共和国、グルジア共和国、アゼルバイジャン共和国の首都。
＊3：エストニア＝バルト海沿岸3国の一つ。タリンはその首都。
＊4：西欧系のキリスト教＝基本的にカトリックとプロテスタント。
＊5：スラブ系の正教会派＝スラブ系とは、ロシアや東欧諸国の主要民族。正教会派とはギリシャ正教、ロシア正教など、中・東欧諸国に多いキリスト教の教派で、東方教会派ともいう。
＊6：ハルフォード・マッキンダーとルドルフ・チェレン＝序章を参照。

拡大するＥＵ

ＥＵの拡大をイメージするには、地図を見ればよくわかる。凍《い》てつくバルト海沿岸3国から南に、ポーランド、チェコ、スロヴァキア、ハンガリーの中央ヨーロッパ4ヵ国と、その東のウクライナ、ルーマニアと続く大きな帯が、旧ユーゴスラビアとバルカン半島南部まで下り、それから東に向かって黒海沿いにブルガリア、トルコ、コーカサス地方と進んでカスピ海沿岸に至る、太いL字型の広大な地域が拡張しつつある部分だ。この地域の国々は、トルコとバルカン諸国を除き、かつては共産圏のワルシャワ条約機構（＊7）の重要メンバーだった。これらの国の多くは、これから発展して第一世界を目指そうと意気込んでいるが、現地を実際に旅行してみると、次から次にトラブルに見舞われる。交通機関の予期せぬ遅れなどは日常茶飯事で、全体主義から解放されてまだ1世代が過ぎていない人々の、あらゆる不安に満ちている。

１９９０年代、共産主義を捨てた東欧が厳しい内省に苦しんでいた時、ＥＵはすでに楽々と勝ち進んでいた。ソ連が崩壊して以来、東欧諸国は平均1年に1ヵ国の割でEUに吸収されてきたのだ。2004年5月1日には、この日1日だけで10ヵ国、1億人以上の人が正式に〝ヨーロッパ人〟になった（#1）。ミラン・クンデラ（＊8）はこれらの国を「ロシアに拉致されたヨーロッパの国」と呼んだが、冷戦後に彼らが復帰したヨーロッパは、ベルサイユ条約（＊9）後のもろくて落ち込んだヨーロッパではなかった。

「このパスポートが、新しいヨーロッパの心意気をよく物語っています。1914年以前には、私たちはパスポートなどいらなかったのです」

西欧の若者で混雑する列車のなかで、チェコ人の旅行者が赤葡萄《ぶどう》色のパスポートを見せながら自慢げに言った。

「パスポートなど不要にするのが一番よいのですが、そうもいかないので、セカンド・ベストの方法をとっているのです。それがEUの〝共通パスポート〟です。これには私たちの国の言葉も使われているんですよ」

18世紀から19世紀にかけて、ヨーロッパの指導者たちはどの国の言葉を共通語にするかで常にもめたが、今のEUは、すべての新加盟国の言葉に正式なステータスを与えている。そうすることにより、昔からどの国にもよくある好戦的愛国主義の芽を摘み取り、多言語を用いる異質な要素の集合体である新帝国の建設を確かなものにしようというのだ。これは、20世紀前半のヨーロッパの不名誉な歴史からの、画期的な転換だった。

第二次世界大戦で廃墟となった西欧は、復興後、半世紀以上にわたって力を蓄えてきた。そして今日、EUは世界最大の超国家集合体として、加盟国がそれぞれ明確な独立国でありながら、一つの国家より大きな意味を持つようになった。加盟国間のつながりは細部にわたって制度化され、加盟国間に戦争が起きることは事実上ありえなくなり、より大きな安全保障と経済的な安定を約束することで、加盟国間の外交政策の調整にほぼ成功している。

「我々にとって、第二次世界大戦後最大の作戦は、軍事作戦ではなかった」

とEUの高官が誇らしげに言った。

「それは2002年の、通貨をユーロに切り替える大作戦でした」

EUの拡大は、アメリカのイラク戦争よりカネがかかるギャンブルだが、イラク戦争と違ってこちらは結果が出つつある。ブリュッセルのパブで話をした威勢のいいリトアニア人のEU官僚はこう言った。

「拡大するたびに膨大なカネが出て行きますが、私たちが広めている安定は数値では計れませんよ」

新たに加入した元共産国の物理的なインフラを甦《よみがえ》らせるためだけに、EUは毎年100億ドル（およそ1兆円）以上のカネを使っている。これは、1世代前に〝ヨーロッパの病人〟と呼ばれたアイルランドや、独裁政権が終わった後のスペインとポルトガルを復興させた時と同じ戦略だ。ハンガリーが西欧に追いつくには何十年もかかるだろうと多くの人は予想したが、EU加盟国となった今では生産の80パーセントがヨーロッパのさまざまな国からくる人たちの指導のもとに行われ、輸出の80パーセントがEU加盟国に向けられており、すでにヨーロッパ企業の業務委託の中心地になっている。スロヴァキアは早々と戦車の生産をやめて、フォルクスワーゲンの生産に切り替えた。ポーランド、ハンガリー、チェコで起きた政府のスキャンダルですら、EUによる統合の結果、ほとんど経済成長に影響を及ぼさなかった。

「ヨーロッパの企業家は、新加盟国に群がっているよ」

ドイツの経営コンサルタントがとうとうとしゃべりたてた。彼がワルシャワやブダペストに頻繁に出張するのに使っているルフトハンザ航空は、新加盟国に向かう短距離便の増便ラッシュだ。

ＥＵの拡大はまた、それ自身が新しい市場を作り出し、アメリカへの輸出に対する依存を減らす効果をもたらした。新加盟国の新鮮な血液が、競争力の強い連邦を作り出し、それがヨーロッパ全体の経済を押し上げている。バルト海沿岸3国の開発モデルである「企業経営の自由」「オープンな競争」「柔軟な労働法」の三つは、西欧のなかにあって停滞している業界や企業に逆輸入されてきた。ブリュッセルのあるアナリストによれば、今や統合は、かつて西欧の指導を受けてグローバル化に成功した東側の国の人たちが積極的に推進しているという。

【原注】#1：この10ヵ国とは、キプロス、チェコ、エストニア、ハンガリー、ラトヴィア、リトアニア、マルタ、ポーランド、スロヴァキア、スロヴェニア。

【訳注】＊7：ワルシャワ条約機構＝冷戦時代、アメリカと西欧の軍事同盟NATOに対抗するためにつくられた、ソ連、ブルガリア、ハンガリー、東ドイツ、ポーランド、ルーマニア、チェコスロヴァキアの共産7ヵ国による軍事同盟。ソ連の消滅とともに1991年に解体した。

＊8：ミラン・クンデラ＝チェコ出身でフランスに亡命した小説家。民主化の動きが高まるチェコスロヴァキアにソ連が軍事介入して全土を占領した1968年の「プラハの春」事件を題材にした『存在の耐えられない軽さ』が代表作。邦訳書多数。

＊9：ベルサイユ条約＝第一次世界大戦後に結ばれた講和条約。

ＥＵが拡大する理由

こうしてＥＵは、歴史上最も人気のある、そして成功しつつある帝国となったが、それは加盟国を〝支配〟するのではなく、〝教えて訓練する〟戦略の成果だ。ＥＵから財政援助が受けられ、域内の自由な移動が保証され、ユーロを通貨として使えるというインセンティブを望まない国はない。今やブリュッセルはアメリカのワシントンに匹敵するたくさんのロビイスト（＊10）であふれ、そのなかにはEU加入を競うバルカン諸国や旧ソ連の自治共和国に雇われた広報関係の一団もいる。だが、モルドヴァ、アルバニア、アゼルバイジャンなどの、荒廃が進んでいる元共産国が加盟を認められるには、加盟国の軍隊、経済、政治を法的に拘束するEU法や規則を受け入れて国内法を整備しなくてはならない。EUの官僚たちは、それらの国に将来の懸案を少しずつ、理解して実行できる範囲で示し、手に負えない国を建設的なメンバーに変える努力をしている。

とはいえ、EUが拡大を続ける理由は、新加盟国とEUの双方にある。加盟を希望する国が列をなしている一方で、EU自身も拡大しなければ死んでしまうという事情があるのだ。公式には認めていないが、EUは加盟国を増やすことによって西欧諸国の人口減少を補い、労働力の供給量を増やしている。

しかし、少しずつ進む東西ヨーロッパの合体は、政治・経済的にばかりでなく、文化的、心理的にも重要な意味を持っている。ヨーロッパの多様化が今後もますます進めば、〝ヨーロッパ人である〟ということが抽象的な概念ではなく、徐々に現実的な理想になってくる。今後、ヨーロッパ人のアイデンティティーは、さまざまな人種が混在する民族的なものから、世界的なものに変わっていくだろう。

【訳注】＊10：ロビイスト＝特定の法案を通してもらいたい業界や団体から雇われ、議員に陳情する政治工作の専門家。議会のロビーで議員たちに陳情したことからこの名がある。

〝ヨーロッパ人〟というアイデンティティー

西欧人のなかには、人類のエリートとしての〝西欧〟が、周辺諸国を吸収することによって薄められることへの恐れを持っている人がいるのは事実だ。だがヨーロッパの進化は、過去数十年にわたって排他的（＝キリスト教徒のみ）またはネガティブ（＝ロシア人ではない）な意味があった〝ヨーロッパ人〟という言葉に、ポジティブな意味を持たせつつある。実際、今のヨーロッパはすでに多様化しており、一部はイスラム化している。イギリス、フランス、ドイツではイスラム人口が増加しているし、まだEU加盟は実現していないもののアルバニア、ボスニア、トルコ、アゼルバイジャンの総計1億人近いイスラム教徒が、欧州評議会（＊11）やNATOを通じてヨーロッパの外交的・戦略的空間を埋めている。新ヨーロッパ共同体としてのEUは、古代のローマ帝国やモンゴル帝国やオスマン・トルコ帝国が理解していたひとつの自明の理を体現している。それは、帝国が成功するには、人種差別主義はあり得ないということだ。

こうして〝ヨーロッパ人〟という言葉は、〝アメリカ人〟とか〝中国人〟というのと同じようなアイデンティティーを示すものになった。特に若い世代は、以前の世代より自分たちを〝ヨーロッパ人〟と考える傾向が強く、冷戦後に育った若者たちは、彼らの親たちが確立しようと闘ったアイデンティティーを超越している。それぞれの国の国民であることより〝ヨーロッパ人〟であることを大切にするこれらの若者たちは、今や実質的にビザが不要になった域内の30近い国を自由に旅し、ヨーロッパの数ヵ国語をしゃべり、交換学生プログラムで学び、ヨーロッパ議会の選挙で投票し、域内のさまざまに異なる社会で国際結婚をしている。

すべての帝国と同じように、EU帝国の輪ゴムも、それ以上伸びることができなくなるまで伸びていくだろう。そして、少なくとも旧ソ連の支配下にあった国をすべて統合し、国境の障害を取り除き、地理的に切れ目のないおよそ35ヵ国の6億人近い国民を含む「ヨーロッパの力による平和」を築き上げるまで、拡大を続けようとするだろう。

しかし今のところ、L字型地帯のヨーロッパ化はまだ完成にはほど遠い。バルカン諸国やコーカサス地方は紛争後のいつまた壊れるかわからないもろい状態から抜け出ておらず、武器の密輸や女性の人身売買組織の格好の拠点となっている。トルコにはトルコの考えがあり、EUの方針にたやすく従いはしないだろう。そして東には、ヨーロッパにとって最大の障害であるロシアが控えている。

【訳注】＊11：欧州評議会＝1949年に西欧・北欧の10ヵ国により発足したが、現在では旧共産圏の中欧・東欧を含む46ヵ国が参加している。EUの首脳会議である欧州理事会とは別組織。

チャーチルはロシアを「謎に包まれた謎で、中身も謎だ」と評したが、現在でもロシアは世界最大の難問のままだ。

広大な領土と、減り続ける人口のアンバランスが続くロシアは、一つのかたまりと見るより、四つの部分に分けて考えたほうがわかりやすい。まず、ヴォルガ河流域に広がる、スラブ民族が主体のヨーロッパロシア、その南に、黒海とカスピ海の間に横たわるコーカサスロシア、そしてウラル山脈の東から中央アジアへの入り口と続くシベリア地方、そしてモンゴルと中国と国境を接し、太平洋につながる極東ロシアだ（#1）。もしロシアがロシアとして存在することを望むなら、これらの地域を一つにまとめなくてはならない。それができなければ、ユーラシア大陸の地図に重大な影響が生じることになる。

ロシアと西欧の接触が増えるようになったのは、18世紀はじめにピョートル大帝が首都をサンクトペテルブルグに移してからのことだ。その結果、西欧より物質的に劣っていることを知ったロシア人に民族意識が芽生え、同時に自虐的な国民性が生まれたともいわれる。旧ソ連の崩壊後、〝風呂とウォッカ外交〟（＊1）が10年も続いたため、指導者たちが麻痺《まひ》してしまい、国家的な苦境に陥ったのもそのあらわれかもしれない。ロシアはあまりに巨大なので、アメリカもヨーロッパも中国もロシアが強国であることを望まない。しかし今日、表面はきらびやかなクレムリンの内部では、与党派閥はソ連帝国時代の二日酔いに苦しみ、かつての超大国の地位を失ったことへのフラストレーションでいっぱいだ。

実際、現在のロシアが外交的地位を保っていられるのは昔のなごりでしかない。もし、アラブとイスラエルの紛争や、北朝鮮やイランの核開発問題などに関する重要な国際会議にロシア代表が欠席しても、結果に違いはまったくないだろう。アメリカ、EU、中国は、はるかに影響力の大きい重要な役者である。

【原注】#1：シベリアと極東ロシアについては第8章を参照のこと。
【訳注】＊1：風呂とウォッカ外交＝ジャクジーやサウナで、外国の外交官や政治家とウォッカを飲み交わしてバカ騒ぎをする、1990年代のロシアの〝外交〟。

ロシアの根本的な矛盾

ベルリンに本拠を置く、あるロシア問題専門家が言った。

「今のロシアは、19世紀に起きたスラブ民族主義者と西欧化主義者の論争の、21世紀版をやっているのですよ。今争っているのはユーラシア主義者と親欧米主義者ですがね。しかし、昔も今も、彼らの論争には、ロシアは西洋の一部なのか、それとも西洋とは違うのかについて、常に明確さが欠けているのです」

元KGB官僚、〝鋼鉄の男〟プーチンのもとで、かつての栄光を復活させようというユーラシア主義者は、ロシアを1990年代の停滞から浮上させるのに成功したように見える。石油、天然ガス、石炭、木材などの天然資源を、アメリカとEUと中国を合計したよりも多く保有するロシアは、再び世界帝国のような言動をすることができるようになった（#2）。かつてのソ連時代には、広い国土に展開する強大な核兵器群が力の源泉だったが、今日のロシアでは、動脈のように延びるパイプライン群が国家の活力源となる血液を運んでいる。エネルギー企業ガスプロムは、2000年に100億ドル程度だった規模が、2006年には3000億ドル（約30兆円）近くにまで急成長した。これはロシアの全経済規模の実に3分の1を占める大きさであり、「ロシア外交」はたちまち「ガスプロム外交」と同義になった。

ガスプロムは、東ヨーロッパ全域の天然ガス供給ネットワークを支配している。そのため、東ヨーロッパ諸国は二つのカテゴリーに分かれざるを得ない。エネルギー資源を武器に使うモスクワの恫喝《どうかつ》をかわす資金がある国と、貧しいためにそれができない国だ。後者の国は、国内のロシア大使館に籍を置いて活動している情報員の仲間の、怪しげなロシア人ビジネスマンの陰謀にさらされている。ルーマニアやグルジアなどの国は、ロシアに重要な資産を買い占められたり、価格をつり上げるなどの要求を押しつけられたりしている。バルト海沿岸3国が西欧に接近した時、プーチンはドイツ向けに建設する予定の新しいパイプラインを、これらの国を通過させずにバルト海の海底を通すことを提案した。

「プライドが傷ついたんだよ」

ウォッカのオンザロックを傾けながら、モスクワのインテリが説明してくれた。

「周辺国の離反は、我々のナショナリズムをますます煽るだけだ」

だがガスプロムの独善的な企業理論は、旧ソ連の重要な同盟だったベラルーシを離反させ、すでにロシア外交に損害を与えている。ガスプロムから料金を倍にすると言われたベラルーシは、同国を通過してヨーロッパに向かうパイプラインから石油を抜き取るという手段に出た。
今やガスプロムは、ロシアの外交政策を形作るばかりでなく、ロシアという国家そのものになった。企業の所有者が国なのか民間なのかがまるではっきりしない盗賊政治的な経済システムのなかで、ガスプロムはロシア最大の土地所有者であり、道路や病院を建設し、スポーツセンターのスポンサーになっている。これらはすべて、クレムリンが一度もしなかったことだ。プーチンに指名されて新大統領になったメドヴェージェフは、それまでこの会社の会長だった。だが、ガスプロム・クレムリン連合は、彼ら以外の唯一の大きな政治勢力である、いわゆる新興財閥に対抗するというポピュリスト的な手法を取っており、中央集権的な強さを復活させるためだと言って密かに資産を再び国有化しようとしている。ロシア政府は民間が経営していたすべてのカジノを閉鎖させ、各地の大都市近郊に政府直営のカジノをオープンした。毎年、冬になると、政府は役人がウォッカを飲んで酔っぱらって騒ぐために何週間もの冬休みをとり、ベテラン政治家のイワン・グラチェフ(*2)をして「あいつらが仕事をしなければしないほど国のためによい」と言わしめた。

【原注】 #2：ロシアは天然ガスの生産量で世界第1位、石油の生産量は世界第2位である。
【訳注】 ＊2：イワン・グラチェフ＝元ロシア連邦下院副議長。

繁栄と退廃

モスクワにある元KGB本部ビルの一つには、今では中に高級ディスコができている。ハイパー資本主義者のクーデターが進むなか、恒久的に不安定なビジネス階級のお気に入りの車は、窓を薄暗い色につぶしたSUV（スポーツ多目的車）だ。彼らは毎晩のように、ライオンやらSMプレーの女王様のようなダンサーとのパーティーに明け暮れ、山盛りのキャビアで最後をしめる日々を送っている。安全なのはサウナのなかだけだ。みな裸になり、武器の携行ができないからだ。全ロシア経済の4分の3が集中しているモスクワは、今やニューヨークよりたくさんの億万長者が住む世界で最も物価が高い都市の一つになっている。プーチンが指名したモスクワ市長は、さえない巨大な彫刻で街を生まれ変わらせ、交通渋滞に巻き込まれたドライバーがその目障りな光景を見つめている横を、カネで警察を雇った金持ちがパトカーのサイレンに先導されてフルスピードで走り抜けて行く。高級ショッピングモールは入場料を取り、庶民は相手にされない。

プーチンは、ロシアの脆弱《ぜいじゃく》な国家機構を本能的な直感で統治する、昔ながらの伝統を継続した（#3）。アンドレイ・イラリオノフはプーチンが信頼する補佐官だったが、2005年に「ロシアは、政治的な自由のある国であることを放棄した」と暴露して信頼を失った。独立系のメディア、野党グループ、司法制度はすべて力を取り上げられた。一時はクレムリンの官僚のためにシンクタンクが政策を研究したこともあったが、今や政治アナリストたちはうらぶれた事務所に引っ越したまま ろくに仕事がない。

こうしてロシアは、石油政治国家の典型になった。大金を浪費し、発展は偏り、エリートたちは莫大な埋蔵量を持つ天然資源をめぐって争い合い、税金をたくさん払わない低所得の大衆の要求は聞き届けられることがない。石油の輸出による国家の収入が、兵器や国民の必需品のために大盤振る舞いされることもない（＊3）。軍の指揮系統は混乱し、装備は旧式化したままだ。国の人口が毎年50万人という驚くべき多さで減少しているため、軍は兵員の確保にすら苦労している。広大な国土に住む国民の3分の2は貧困ぎりぎりの状態で暮らし、冬の極寒期には毎年大量の凍死者がでている。暖房のない崩れかかったレンガのアパートで、人々は自分たちの石油やガスはいったいどこに行ってしまったのだろうとため息をついている。ロシアのエネルギーが自国民を死なせないために使われなければ、もはやロシアは存在しなくなるだろう。

【原注】＃3：プーチンは、本当はクレムリンに権力を集中しすぎることを望まなかったが、エリツィン時代の民主主義が脆弱すぎたために、そうせざるを得なかったのだと考えるロシア人は多い。ロシアはその脆弱さのため、1998年の金融危機や、同盟国セルビアに対するNATOの空爆を防ぐことができず、より強いリーダーシップを求める声が強まったといわれている。だが、たとえそれが事実だとしても、なおジョージ・ケナン（＊4）が1947年に指摘したことは今日でも生きている。ケナンは、「この国で政治的な統合のプロセスが完成したことは一度もなく、クレムリンの人間たちは、1917年にロシア革命で手に入れた権力を確かで完全なものにするための争いにすっかり心を奪われている」と述べている。

【訳注】＊3：ただし、ロシアの国防予算は2007年より増加が目立ちはじめ、2008年にはさらに増えている。
＊4：ジョージ・ケナン＝アメリカの外交官で歴史学者。冷戦時代のソ連問題の専門家で、長らく国務省に勤めた。

EUとの綱引き

今でもロシアとアメリカは、冷戦時代と同じように核ミサイルの照準をお互いに向け合っている。しかしたとえロシアがNATOの拡張を阻止し、アメリカのミサイル防衛計画を遅らせることができたとしても、EUの拡大を止めることはできない。ヨーロッパ人は過去10年以上にわたり、「ロシアは近すぎるし大きすぎる」ので怒らせるわけにはいかないと考えてきたし、バルカン紛争を終わらせるにはロシアの協力が必要だった。だがウクライナでもコソボでもチェチェンでも、ロシアは常に西欧が目標を達成しようとするたびに妨害をしてきた。

ところがバルト海沿岸の小さな3国（＊5）は、海外に住む同胞のロビー活動や巧みな大衆キャンペーン、投資家に有利な条件を与える政策などにより、腰の重いEUを引き込み、ロシアを出し抜いた。EUの規定では、3国は国境が確定しなければ加盟の交渉を進められないことになっていたが、ロシアが国境確定の話し合いを中止して3国のEU加盟を妨害すると、EUは国境が確定していないまま3国を加盟させた。エストニアとラトヴィアは中世のハンザ同盟（*6）の時代から、自由主義の西欧文化と深い関係があり、今ではその経済的なつながりを復活させている。特にエストニアでは、30代の若い世代が政治でもビジネスでも中核を占めており、インターネット電話サービスのスカイプのようなハイテク企業には、西欧諸国からの就職希望者が殺到している。

一方、EUにもユーラシア主義者がいて、ロシアを吸収して西欧化したいと考えている。よく、ロシアは石油と天然ガスでヨーロッパの首根っこを押さえていると考える人がいるが、カネを払ってくれる顧客の手に噛みつくには限度がある。ロシアの貿易と石油の輸出のほとんどはヨーロッパに向けられているが、ヨーロッパは再生可能エネルギーを増やしたり、北アフリカの天然ガスの輸入を増やすなどして取り引き先を分散しつつあり、ロシアに対する立場は強くなっている。

一方のロシアは、エネルギー資源の膨大な埋蔵量を持ちながらも、経済成長を続けるには依然としてヨーロッパからの投資を必要としている。自動車から建築に至るまで、ロシアでまともに機能しているものがあるとすれば、それはたいていヨーロッパ製だ。だが欧州復興開発銀行（*7）は、ロシアの新しい権威主義の火に油を注ぐことを避け、荒廃したインフラ設備を改善するために投資を行い、民間セクターを育てている。これは将来の民主的なロシアを下から作るための動きである。プーチンは国民に愛国心を要求し、国家主義的な青年団体をバックアップしたが、なお西欧化を望む勢力を沈黙させることができなかった。ロシアの富裕階級は、モスクワがロンドンやベルリンのように経済発展することを望み、クレムリンには優秀な人材が不足している。EUはロシアが透明性を改善することを条件に、ロシアの航空宇宙産業に出資している。

欧州理事会（*8）のスタッフが自信ありげに言った。

「私たちはロシアとの関係を、ちょうど1950年代のドイツとフランスのようなパートナーの関係にするように、ロシアに圧力をかけることができます。ロシアはヨーロッパへのビザなし渡航を求めていますが、私たちはロシアのビジネスマンや政治家や学生のなかから選別してビザを与えています。これは、ロシア政府にフェアなゲームをしてもらうための重要な外交的手段です」

ロシアが超大国だった時代は終わった。ロシアは世界最大のエネルギー資源立国であり、巨大な外貨準備高を持ちながら、国内の経済規模はいまだにフランスより小さい。そして統計上は豊かになったが、政策を見てみれば、その富が持続しないであろうことを示すものばかりだ。今日、ロシアが西側諸国に対して拒否権を使うことを防いでいるのはEUであり、またロシアを西側に参加させることができるのも、そしてそうすることでロシアの手からロシアを救うことができるのもEUだ。

【訳注】＊5：バルト海沿岸3国＝エストニア、ラトヴィア、リトアニアの3国。
＊6：ハンザ同盟＝中世後期に、バルト海沿岸の北ドイツを中心に貿易で栄えた都市同盟。
＊7：欧州復興開発銀行＝旧共産圏の中東欧諸国の経済改革を推進し、市場経済の発展を支援するために作られた。本部ロンドン。
＊8：欧州理事会＝EUの首脳会議。

第3章 ウクライナ
——西欧とロシアの〝ボーダー〟から〝架け橋〟へ

「ここはヨーロッパから見れば片隅かもしれないが、ロシアとの闘いではど真ん中ですよ」

　ウクライナの首都キエフにあるアイリッシュ・パブで、独立系新聞社の30歳になる編集者が力を込めて言った。

　大きな戦略はワシントンやブリュッセルやモスクワや北京で立てられるにしても、実際の闘いは地球上のさまざまな場所で、カネ、パイプライン、海外在住の同胞のネットワーク、メディアなど、グローバリゼーションのあらゆる武器を使って行われている。ウクライナはこの外交ゲームが政治家、軍の高官、活動家、ビジネスマンなどによって、昼夜の別なく行われている国だ。そこには、ロシアを黙らせてEU帝国を東に拡大するという、巨大な利害がかかっている。

　過去何世紀にもわたり、ウクライナの貧しい農民はロシアとドイツによって分割されてきた。皮肉なことに、ウクライナが国としてのアイデンティティーを与えられたのは、1939年にナチスとソ連との間に協定が結ばれた時で、しかもそれは強大なソ連の支配のもとでだった。〝ウクライナ〟という名称は、ウクライナ人にとっては〝母国（ホームランド）〟を意味するが、ロシア語では〝辺境（ボーダーランド）〟を意味する。今日でも、その状態はほとんど変わっていない。

東西の分裂

キエフ郊外にある邸宅で、親ロシア派で知られるウクライナのメディア王が言った。

「我々はもうソ連の一部ではないが、だからといってただちに西側を信頼できるということではない。ひとつの支配者を別の支配者で置き換えるのは進歩とは言えない」

　1990年代の、欧米の〝まずロシアが先〟政策は、ウクライナをかつて何世紀もそうだったのとまったく同じ状態にしてしまった。ドニエプル川を境に、ヨーロッパ的な西部とロシア的な東部に分かれてしまったのだ。その結果、ウクライナは戦略的に重要な位置にある人口5000万人近い国であるにもかかわらず、潜在力を実現化することができないまま、今なおまるで二つの異なる国のように感じられる。

　西部は農業が中心でカトリック、東部は工業が盛んで正教会派（＊1）のため、人々はめったに東西を行き交うことがない。西部の中心地ルヴィーフでは、ちょうどポーランドの町でよく見かけるように、人々は公園でのんびりチェスをしたり歌を歌ったりしているが、東部の工業都市ドネツクはロシアに似た雰囲気で、ウクライナ語よりロシア語のほうがよく使われている。ドネツクにはソ連時代の象徴であるレーニン像が依然として誇らしげにそびえているが、ルヴィーフでは撤去されて巨大な植木鉢の花壇になっている。

　このように、東部と西部の隔《へだ》たりは大きいが、過去と未来のはざまに置かれているという点ではどちらも同じだ。国中どこに行っても、ソ連の一部だった時代の衰退と混乱が感じられる。ソ連崩壊後、統制価格を廃止してただちに民営化すれば、能率が向上して市民の福利が得られると人々は思い込んだ。だがそれまで仕事や賃金ばかりか、人の心さえ国がコントロールしていたウクライナには、国家以外に社会的な分配のシステムが存在しなかった。

その結果、すべての旧ソ連圏の国と同様、物価が急上昇して実質所得が激減し、生活必需品すら買えなくなり、すべての世代の社会保障が失われた。厳冬期の吹雪や真夏の熱波に襲われた地域では、冷暖房を持たない何千人もの高齢者が死んでいった。今日、旧ソ連時代のレンガの建物は崩れかけ、いまだに極度のインフレが庶民の生活を脅《おびや》かしている。キエフのタクシー運転手は、自分が運転するラーダやヴォルガ（＊2）が路上で故障することを恐れている。修理するカネも、新車を買う貯金もないからだ。

ロシアと同様、見かけのよい街並みを作る最初のチャンスが到来したとばかりに、生々しい資本主義が吹き荒れた首都キエフは、モスクワに似たポチョムキン・ビレッジ（＊3）になった。街の中心部の豪華さは、中心部から離れるにしたがってひどくなる貧困を隠しているにすぎない。ウクライナを隣のポーランド並みにするには、首都だけに圧倒的に偏っている外国からの投資や、国中にある税金を払わない物々交換市場などの、著しく第三世界的な状態から脱皮しなくてはならない。キエフにある地下街は、夏のどしゃ降りの雨を避けるには良いが、海賊版ＤＶＤの天国だ。旅行代理店は鉄道企業の切符独占販売になすすべがない。

「わが国はまだ石器時代ですよ」

と旅行代理店の人がすまなそうに謝った。

ウクライナはまた、西欧に住む３００万人近い同胞からの送金にいまだに大きく依存している。だがその一方で、キエフにはモスクワと同様、高級ナイトクラブがいくつもあり、そこでは外車を乗り回す名門出身の金持ちたちがシャンペンの泡を浴びながら、「いったいキエフはどうしたというんだ？　まわり中ウクライナに囲まれちゃってさ」などとうそぶいている。

【訳注】＊1：正教会派＝キリスト教の一派。第1章を参照。
＊2：ラーダやヴォルガ＝ともにロシア製の乗用車。
＊3：ポチョムキン・ビレッジ＝未開発であることを隠すために作った、見せかけだけの豪華な建物の地区のこと。序章を参照。

オレンジ革命

２００３年のこと、ある外部の専門家は、「ウクライナはみじめな国に囲まれたまま、みじめな国であり続けるだろう」と予言した。当時のレオニード・クチマ大統領（＊4）の政府は、中央アジア諸国によく見られる準独裁政権に似ていて、選挙の透明性は怪しげだった。ヨーロッパとアメリカの情報機関は、クチマが議会や民間の反対勢力に与えたわずかに呼吸できる隙間に指を差し込み、広げる努力を忍耐強く続けた。そしてそれまでほとんど連携のなかった海外在住のウクライナ人や学生グループを、新しく生まれたばかりの自由メディアに結びつけ、全国規模の国民の不満を表に吹き出させた。

クチマが望んだ後継者でロシアに後押しされたヴィクトル・ヤヌコヴィッチは、２００４年の大統領選挙で勝つはずだったが、対抗馬のヴィクトル・ユシチェンコが突然かかったダイオキシン中毒から命をとりとめたため（毒を盛ったのはクチマの仲間のロシア人だと言われている）接戦となり、同情を集めたユシチェンコがやり直し選挙で勝利した。緊迫した最後の大詰めの場面で血の雨が降らなかったのは、独裁者が敗れたことを示すに十分だった。西側情報部のエージェントに訓練されたクチマの大統領警護隊は、オレンジ色の旗を振る群衆（＊5）に向かって銃火を浴びせることを拒否したのだ。

しかし、ウクライナとオレンジ色にはもともとなんの関係もない。これは、人々が陰鬱《いんうつ》で極寒のウクライナの冬を乗り切って改革運動に参加するムードを高めるために、西側のコンサルタントが考え出したものだ。だがまもなく、オレンジ革命もそれほど美しいものではなかったことが明らかになる。セルビアやグルジアでもそうだが、過去10年間に起きた旧ソ連圏の急激な変化は、すべて後になってから、恥知らずなほどあきれた政治が行われていたことが暴露されたことできわだっている。ユシチェンコが新大統領の座に就くと、ご都合主義の政治家たちはたちまちユシチェンコ側に寝返り、かつて体制側にいた不適任な者たちが政府の高い地位に就いたため憲法改正はストップし、オレンジ革命は旧共産党の腐敗した特権階級集団を別の腐敗集団に入れ替えただけの、ただの市民クーデターのようになってしまった。

地図をみるとよくわかるが、ウクライナはヨーロッパに属するかどうかはっきりしない位置にある。それをはっきりさせるのは政治だけだ。オレンジ革命の後、ユシチェンコはただちに「ウクライナは一つの国家として、地理的にだけでなく、精神的にも道義的価値観においても、ヨーロッパの一員であることを選んだ」(*6)と宣言した。しかし、西欧の政治の基準から言えば、ウクライナはポーランドにも及ばず、パキスタンのレベルに近い。新興財閥と国会の顔ぶれはほぼ完全に同じで、議席は一番たくさんカネを払った者に売られている。議員の多くは文字通りほとんど国会に出席せず、さえない政府のビルよりヨーロッパ製の高級家具が置いてある自分の会社のオフィスにいるほうを好む。

オレンジ革命後の最初の首相になったユリア・ティモシェンコは、映画「スター・ウォーズ」のレイア王女ばりのヘアスタイルがトレードマークで、〝オレンジ革命の女神〟と呼ばれ、パキスタンのベナズィール・ブットー元首相(*7)に似たカリスマ的な人気を誇った。だが2005年になると、第二世界の多くの二人三脚のリーダーたちと同様、彼女とユシチェンコは衝突した。二人は大統領制がよいか議員内閣制にすべきかで対立し、ユシチェンコは議員内閣制に移行することを約束したが、結局、大統領の権限に固執し、その年のうちにティモシェンコと彼女の内閣を解散させてしまった。

【訳注】＊4：レオニード・クチマ＝ウクライナの第2代大統領。1994年から2004年まで2期を務めた。はじめは欧米に接近して資本主義化を推進したが、次第に腐敗したため2期目には反乱が広がり、最後はロシアのプーチンにすり寄った。

＊5：オレンジ色＝この時期にウクライナ全土を巻き込んだ争乱のシンボルで、そのためこのムーブメントは「オレンジ革命」と呼ばれている。

＊6：ヨーロッパの一員＝ロシアの一部ではないということ。

＊7：ベナズィール・ブットー＝2007年12月に暗殺された。序章を参照。

ロシアの逆襲

「革命後にできた新しい政府が国民から信頼されるのは、ほとんど万国共通ですよ」キエフで知り合った親ロシア派の世論調査員が、紅茶をすすりながら言った。「しかし、エリートたちは国民のニーズにまるで無関心さ」

急激に膨れあがるインフレのため、庶民はミルクや肉すら手が届かなくなった。ロシア同様、民営化による利益が一部の人間たちに独占されたため、ユシチェンコもティモシェンコもともに再国有化政策に舵を切り直し、国が東西に分裂するのを避けるため、東ウクライナに拠点を持つ親ロシア派の政敵ヤヌコヴィッチ（＊8）と取り引きせざるを得なかった。そして2年間の膠着《こうちゃく》状態の後、2006年の総選挙をヤヌコヴィッチの党が制した。

皮肉なことに、ユシチェンコ大統領の権限を強化する法案をついに通すことができたのは、親ロシア派のヤヌコヴィッチが主導する国会においてだった。こうして親欧米派の政府は腐敗のため敗れ、それぞれの勢力に味方する保安隊と警察が小競り合いを続けるなか、西側はロシアに売ったケンカの第2ラウンドを失った。見かけだけ〝ヨーロッパの国〟のように振る舞っても、中身が伴わなくてはどうにもならない。

100年前、スウェーデンの戦略家ルドルフ・チェレン(＊9)は、「ウクライナとバルト海沿岸3国は、モンゴルに影響された帝政ロシアの〝アジア的な〟野望から、〝文化的な〟ヨーロッパを守るための要衝である」と述べた。だがロシアにとっては、ウクライナなくしてロシアが〝帝国〟であり続けることはあり得ない。ウクライナは欠くことのできない自国の一部であり、ロシアがウクライナを真の意味で外国と考えたことは一度もないのだ。そこで、オレンジ革命に敗北を喫したロシアは激怒し、かつてソ連の支配下にあった地域への西側の浸透をボロクソに非難する〝かんしゃく外交〟を始めた。そしてもちろん、ウクライナはすばやく悟った。石油と天然ガスがそうさせる。

ユシチェンコが選挙で勝利すると、ロシアはただちに天然ガスの値段を3倍に引き上げ、カザフスタンからウクライナに送られる石油を止めたのだ。さらに、将来の石油の供給をコントロールするため、ロシアのガスプロム(＊10)とウクライナの新興財閥に操られた怪しげな会社が設立された。それについてウクライナ外務省のある官僚は、「ロシア人は間違いから学ぶこともできないほど血迷っている」と漏らした。

【訳注】＊8：ヤヌコヴィッチ＝ユシチェンコと大統領選挙で争って敗れた。
＊9：ルドルフ・チェレン＝序章を参照。
＊10：ガスプロム＝ロシアのエネルギー企業。第2章を参照。

新しいウクライナ

ウクライナでも世代交代が起きている。キエフにある「愛国戦争大博物館」には今でも若い母親が子供を連れて訪れ、子供たちは戦車の砲塔に登って遊んでいるが、学校では、戦車はソ連の英雄的行動のシンボルとしてではなく、外国人による占領のシンボルとして教えられている。

1980年代のソ連のペレストロイカ(＊11)時代以降に生まれたウクライナの若い世代に、ソ連的な思考はまったくない。彼らはレーニンとスターリンがウクライナにどれほどの悲劇をもたらしたかをよく知っている。今は高齢化したソ連時代からの筋金入りの政治局員が彼らを政権から遠ざけているが、若い世代は将来ウクライナが西欧の一員として発展することを冷ややかに楽観している。

「ちょうど、怖いヤクザの兄貴分がすぐ隣で睨《にら》んでいて、その圧力を振り切って反対側にいる家族のほうに逃げようとしているようなものですよ。私たちは過去1000年間にわたって、この国が置かれている地図上の位置を恨まなかったことはありません」

とウクライナの幹部外交官が説明してくれた。

だがその状況を、EUの「遅くてもやらないよりは良い」式のアプローチ法がようやく変えるかもしれない。クチマですら、ウクライナがいつかはEUに加わることを希望すると言ったのだ。だがEUは渋った。ウクライナは農業に大きく依存しており、もしEUに加盟すれば、フランスとスペインの農業が大きな打撃を受ける。それに、ウクライナの人口構成は若い世代が圧倒的に多いので、西欧の労働者の安定を脅かす可能性がある。

だがそれらの困難にもかかわらず、オレンジ革命は、西欧がウクライナの加盟を先送りにするために言っていた言い訳を、もはや言えなくさせた。ウクライナはEU加盟国となるには大きすぎるし、貧しすぎる。だが少なくとも、もはやソ連的ではない。

クリミア（＊12）の青々と茂る森の、岩肌の出た崖《がけ》の上に建つ古い教会には、大勢の観光客が訪れている。その光景は、この国がキリスト教の誇るべき伝統を取り戻したことを示している。ロシアは常にクリミアの領有権を主張してきたが、セバストーポリにある海軍基地（＊13）の租借権が2017年に切れるので、その後ロシアの黒海艦隊は永遠に基地を失うことになる。ヤルタ（＊14）にあるロマノフ王朝のリヴァディア宮殿は、かつてスターリンがヨーロッパの地図を描《か》き変える戦略を練るために使った場所だが、今では親西欧派が会議をする時に使っている。

ウクライナ領クリミア自治共和国の首都シンフェロポリで、若い事業家が自慢げに言った。

「ここは、コンピューターチップを生産するウクライナのIT企業が、黒海を経由してトルコやコーカサス地方に輸出する拠点になっているのです」

ヤルタをはじめ、クリミアの海岸はリゾートとしても有名で、西ヨーロッパ各地から訪れる観光客でにぎわっている。

ウクライナで民主主義を促進するためにアメリカがとった方法は、一つの政党をがむしゃらに支援するというものだったため、保身に固まったひとりよがりな政権ができてしまった。だがヨーロッパの議会グループとNGOは、複数の政党を並行してサポートしている。そのほうがより安定した民主主義の基礎を築くことができるのだ。西欧諸国は議会制民主主義であり、アメリカのように大統領制ではないので、彼らの戦略のほうが西側の目標を達成するのに適している。

かつてはアメリカ主導のNATOが西側の軍事的な最前線にあって、EUの基準に達しない国も参加させていたが、そのことが今、EUが拡大する道を開いた。今ではEUの引力はNATOよりはるかに強くなり、またEUはNATOよりはるかに論争を起こさない。

「NATOの拡大を止めたのは、ロシアだけではないのです」

とウクライナの大統領補佐官は言う。

「我々ウクライナ人も、アメリカに隷属させられる形で軍事同盟に参加するかどうかについては意見が分かれたのです。それはロシアに対して感じているのと同じですよ」

だがEUへの加盟には、親ロシア派のヤヌコヴィッチですら熱心だ。

一方、「ウクライナが独立国として存在すること自体が、ロシアを変える」と言ったのは、アメリカの元国家安全保障担当大統領補佐官ブレジンスキー（*15）だ。実際、いつの日か、ロシアがウクライナの西欧化を受け入れた時、ウクライナはロシアに対するモデルになり得るかもしれない。ウクライナは、ロシアが石油・天然ガスを西欧に売るためにどうしても横切らなければならない国だ。その西欧はエネルギー源を分散する努力を続け、ウクライナはチェルノブイリ原発の惨事（*16）にめげず原子力発電計画を進めている。両者の努力を合わせれば、ロシアの資源外交に影響を与えることができる。最近のウクライナは、ロシアのいじめに対して以前より賢い返事をすることができるようになった。あるウクライナの外交官が言った。

「私たちはロシアに、『喜んで協力します！』と言いますよ。もし彼らのルールがEUのルールを守るならね」

【訳注】＊11：ペレストロイカ＝1980年代後半にゴルバチョフが推進したソ連の政治改革。その結果、民主化の動きが加速し、共産党の没落とソ連の崩壊につながった。

＊12：クリミア＝黒海の北岸から南向きに突き出たウクライナ領の半島。

＊13：セバストーポリの海軍基地＝最近ロシアは、租借権が切れた後も基地を手放さないという発言をくり返している。ロシアが強気なのは、この地域でドニエプル川が西に大きく迂回し、クリミア半島はその東岸になるため親ロシア派の住民が多いこと、またこの町には基地関係のロシア人が6万人も住み、町の経済が基地に大きく依存していることな

どにより、基地存続を求める住民が圧倒的に多いためだ。

＊14：ヤルタ＝クリミア半島の先端にある保養地。1945年2月に、第二次世界大戦を終結させるためのヤルタ会談がリヴァディア宮殿で行われた。

＊15：ブレジンスキー＝ポーランド生まれのアメリカの政治学者で、カーター政権の国家安全保障担当大統領補佐官。コロンビア大学教授。特に冷戦時代の旧ソ連・東欧の専門家。現在も評論家として活躍している。

＊16：チェルノブイリ原発の惨事＝キエフの北およそ100キロにある、旧ソ連時代に作られたチェルノブイリ原発が1986年にメルトダウンを起こした事故。

〈コラム〉東ヨーロッパの連帯

ＥＵが拡大していくなかで見落とされがちなのが、東欧の新加盟国の積極的な動きだ。かつて、ＥＵ加盟を熱望していたポーランドからスロヴェニアに至る東側の国々は、西側諸国の東のフロンティアであることを自認し、手に負えないほかの東側諸国との関係を軽んじた。だが、そのようにしているとそれらの国との国境で争いが広がることを悟った彼らは、福音を説く伝道者のような熱心さを素早く身につけ、近隣諸国にＥＵの拡大と民主化の素晴らしさを説くようになった。２００４年のオレンジ革命で、大統領選挙にまつわる対立からウクライナが争乱状態になった時、渋るハビエル・ソラーナ（ＥＵの外交担当上級代表）を無理やり引きずって大急ぎでキエフに仲裁に駆けつけたのは、ポーランドとリトアニアの大統領だった。

最近よくわかってきたのは、クラスメートのように振る舞う新加盟国同士が教え合うほうが、ワシントンやブリュッセルの説教より効果があるということだ。彼らは新入生に教えることがたくさんあり、新入生も彼らのアドバイスのほうが受け入れやすい。

バルト海沿岸諸国は、ＥＵが処方した改革をそのまま最後まで押し通せば、ブルガリアやルーマニアで起きたような政治的分解が起きることを経験からよく知っている。バルカン半島からコーカサス地方に至る国々は、欧州評議会（＊17）や各国政府の交換プログラムを通じて、改革のやり方やEUの厳格な加盟条件の条項の取り扱い方などを、エストニアとラトヴィアにコーチしてもらっている。ウクライナのオレンジ革命では、2000年のバルカン紛争で旧ユーゴスラビアの独裁者スロボダン・ミロシェビッチ（＊18）を追い落としたレジスタンス運動〝オトポール！〟（セルビア語で「抵抗！」の意味）の若い活動家が、ウクライナのレジスタンス運動〝ポラ！〟（ウクライナ語で「もうたくさん！」の意味）に協力するため、ウクライナとバルカンをひんぱんに往復していた。

ベラルーシは、この〝クラスメート方式〟が最も適している国の好例だ。ベラルーシは旧ソ連によるアイデンティティーの消去が最も成功した国で、2005年に元レーニンの秘密警察長官でKGBの創設者、フェリックス・ジェルジンスキーの像が再建されたほど、守旧派が主導権を握っている。大統領のアレクサンドル・ルカシェンコは、西側諸国に後押しされた改革の〝ウィルス〟が伝わってくることを恐れ、西欧の議会制民主主義者の入国をブロックしている。そのためEUとアメリカは、改革勢力を守り訓練するため、ベラルーシに潜入することができるリトアニア人やポーランド人やウクライナ人にますます頼るようになっている（＊19）。

ウクライナとルーマニアにはさまれたモルドヴァも旧ソ連の自治共和国の一つで、実質的にはどちらかというとアフリカの準国家（＊20）に似ており、ここでも東欧の〝クラスメートグループ〟が活躍している。EUは2004年に、この国の首都に代表部を作ったが、その時すでに、ロシアはマフィア政権を作っており、ソ連時代の遺物を守らせることに成功していた。しかしウクライナは国境をコントロールしてAK－47（カラシニコフ）自動小銃から冷凍チキンに至るすべての密輸品を厳重に取り締まり、モルドヴァをロシアの手からもぎ取る努力を始めた。さらに、西に国境を接するルーマニアが2007年にEUに加盟したことは、モルドヴァをさらにヨーロッパに引き寄せる雰囲気を作っている。

かつて、ヨーロッパとは何かと聞かれたら、「それは……ロシアでないのがヨーロッパだ！」とわめけばよかった。しかし、一時はデリケートなロシアにNATOが折れることを恐れたバルト海沿岸3国は、今ではむしろロシアのことを心配している。彼らはロシアが時に子供じみた怒りを爆発させることも、石油の供給の大部分をコントロールしていることも、よくわかっている。またロシアはバルト海沿岸のカリーニングラード（＊21）をまだ領有しているため、バルト海3国は、このロシアの飛び地にロシアと一緒に投資して、第4のバルト海沿岸国に変えたいと願っている。

【訳注】＊17：欧州評議会＝第1章47ページを参照。

＊18：スロボダン・ミロシェビッチ＝第4章を参照。

＊19：ベラルーシの政治改革＝2008年9月末の総選挙は欧州安全保障協力機構が監視し、ルカシェンコ大統領は開かれた選挙を行うと言明。それまで一つも議席がなかった野党がどれほど議席を獲得するか注目された。しかし開票の結果は、やはり野党の当選はゼロだった。欧州安全保障協力機構は、投票が操作されたことを示唆。

＊20：準国家＝一応独立国ではあるものの、実質的に国家として機能していない国を意味する、著者の造語。

＊21：カリーニングラード＝バルト海沿岸3国の南端にある、リトアニアとポーランドにはさまれたロシアの飛び地。もともとドイツ人が開拓し、ハンザ同盟の時代に貿易で栄え、第二次世界大戦後にソ連領になった。2008年11月、ロシアのメドヴェージェフ大統領は、ここに短距離弾道ミサイルを配備すると発表した。アメリカのミサイル防衛計画に協力してミサイル迎撃ミサイルを配備することになったポーランドを脅すことが目的。

第4章
バルカン諸国（＊1）
――「東方問題（＊2）」の解決は可能か

ボスニア駐在のEU上級代表パディー・アシュダウン卿が言った。

「バルカン諸国をすべて含めるまで、ヨーロッパは完成しない。それはいたって単純な話だ。バルカンが安定しなければ、ヨーロッパに不安定と犯罪が輸入されてしまうからだ」

バルカンを安定させ、孤立したヨーロッパの片隅としてではなく、東方への通り道として扱えるようになるまで、EUはそれ以東の地域で超大国として振る舞うことはできない。だが、そのバルカン地方の中心である旧ユーゴスラビアで、冷戦後の民主化が準独裁政権の誕生を招き、国粋主義者の暴力が国を引き裂いてしまった。EUは、そのような状況になることを想定していなかった。

ボスニアでは、今でも町から一歩外に出れば、うち捨てられた薄暗い感じが漂い、空を煙が覆っている雰囲気がある。車で田舎道を行けば、つぎのカーブを曲がった先で何に出会うかわからない。武装民兵の検問所かもしれないし、黒こげになって捨てられたトラックの残骸かもしれない。バルカン地方の政治もこれと同じ状態だ。

１９８０年代には、旧ユーゴスラビア連邦はスペインより豊かだった。だが１９９０年代、西欧の統合が進んでいる間にユーゴスラビアは統一を失い、分解してしまったのだ（＊3）。その期間にくり返された残忍な戦争は、この国を第三世界並みの未開な状態に突き落とし、この世のものとは思えない殺戮《さつりく》で数十万人もの人が消滅した。このグローバリゼーションの時代に、統一に使うべき10年間もの時間を浪費したというのは、壊滅的な喪失である。

「我々は、お互いを取り除くまで自由にはならない」

木々のおい茂るボスニアの村で、年輩の男がいら立たしげに言った。

「もし近いうちに完全な独立を果たせなければ、ヨーロッパ人は我々が再び戦争を始めるのを防げないだろう」

しかし、彼らは1990年代に起きた内戦のような失敗を、永遠に続けると運命づけられているわけではない（#1）。民主主義の制度や文化をバルカン地方に根付かせることは可能だ。1990年代の失敗から10年たった今、それができるのはEUしかない。ギリシャ、スロヴェニア、ルーマニア、ブルガリアに起きたことは、EUにそれができることを証明している。

【原注】#1：バルカン地方の国粋主義は、常にヨーロッパの頭痛のタネだったわけではない。かつてのユーゴスラビアは、チトー大統領のもとで30年以上にわたり安定し、収入も悪くなく、非同盟（＝冷戦時に米ソのどちらにもつかなかった）で、六つの共和国が共通の通貨を用い、今のEUを小型にしたような連邦だった。当時のユーゴは、世界のほとんどの国より多くの国際条約に加入するに足る主権を持っていた。1980年にチトーが死去した後ですら、連邦内の各共和国が持ち回りで大統領を出すシステムが10年間続いていた。

【訳注】＊1：バルカン諸国＝基本的に、旧ユーゴスラビアのスロヴェニア、クロアチア、マケドニア、ボスニア＝ヘルツェゴビナ、モンテネグロ、セルビア、コソボの7ヵ国と、ギリシャ、アルバニア、ブルガリアの諸国。

＊2：東方問題＝18世紀から20世紀初頭にかけてオスマン・トルコ帝国が縮小・崩壊していく過程で、バルカン地方や黒海沿岸を含むヨーロッパの東南部に発生した複雑な不安定状態。クリミア戦争や第一次世界大戦を含む多くの戦争を引き起こす原因となった。大きく見れば1990年代のバルカン紛争もその流れの中にあり、今でも尾を引いている。

＊3：旧ユーゴスラビアの分解＝もともとこの地域は、異なるいくつもの人種が入り組んでいるうえ、カトリック、東方正教会、イスラム教の三つの宗教に分かれており、歴史的に戦乱が多かった。第二次世界大戦後の旧ユーゴスラビアは、スロヴェニア、クロアチア、セルビア、ボスニア＝ヘルツェゴビナ、モンテネグロ、マケドニアの六つの自治共和国による連邦共和国で（当時、コソボはセルビア内の自治区）、カリスマ指導者チトー大統領のもとで統一されて

いたが、1980年にチトーが死去するとともに争いが再燃した。1989年になると東欧諸国の共産主義政権がつぎつぎと崩壊してゆき、さらに米ソの間で冷戦の終結が宣言されると民主化と民族主義が加速し、特にセルビア人至上主義が台頭した。そして1991年から1992年にかけて各自治共和国が独立を宣言して連邦は分解し、内戦状態に陥った。

ギリシャ、スロヴェニア、ルーマニア、ブルガリア

近代以降のギリシャは、イギリスに住む同胞がロビー活動（＊4）をしてマーシャル・プラン（＊5）に乗せるまで、いつ火がつくかわからない火薬箱だった。その後も1975年まで独裁政権が続き、テロリストをかくまい、キプロスにクーデターを起こし、トルコやマケドニアと絶え間なく銃撃戦をくり返していた。ヨーロッパ文明の発祥地でありながら、このような状態にあるギリシャを、EUがなだめすかして近代的なヨーロッパの国らしく振る舞わせるのに10年かかったが、2007年にルーマニアとブルガリアがEUに加盟した今、ギリシャは地理的にもうヨーロッパの飛び地ではない。

スロヴェニアはすでにEU加盟国の半数より豊かになったが、ルーマニアとブルガリアは実質的にいまだ第三世界のレベルに近く、国民の平均所得はほかのEU加盟国の3分の1あたりを漂っている。しかしヨーロッパの技術を与えることにより、ルーマニアはただの貧しい小作農の集団から豊かな穀倉地帯へ変わることができる。またトレードマークのAK－47（カラシニコフ）自動小銃ばかり作っていないで、製造業のための低コストの産業を興すこともできる。

ブルガリアは加盟の条件として、犯罪組織の解体と人身売買の撲滅《ぼくめつ》を求められた。加盟が承認された今では巨額の資金援助が行われ、人々は改装されて生まれ変わった工場に仕事に戻り、西欧の若者たちが黒海沿岸の海水浴場を訪れるようになった。

バルカン地方西部と南部の未加盟国、セルビア、ボスニア、クロアチア、マケドニア、アルバニアは、すべての国の人口を合計してもルーマニアより少なく、どの一つをとってもニューヨーク市の人口より少ない。これらの国は地理的につながっているので、一つにまとまればそこそこのサイズの国になれるのだが、彼らにとって何がよいのかをリーダーたちが常にわかっているわけではなく、すぐ醜い争いを始める。EUとバルカン諸国の〝愛と憎しみ〟に満ちた関係は、EUの旗がはためくようになった今でも、緊張と不確実さが残ったままだ。

【訳注】＊4：ロビー活動＝ロビイストによる議員への陳情活動。ロビイストについては第1章を参照。
＊5：マーシャル・プラン＝第二次世界大戦後、ヨーロッパを復興するためにアメリカが行った援助計画。

セルビア――道のど真ん中に建っている家

1990年代初頭、西欧はユーゴスラビアが分解するのを防ぐために効果のある具体策をほとんど取らなかった。パリとベルリンの官僚たちは、ボスニアのイスラム教徒に武器の禁輸をしたまま、彼らが消滅の危機に瀕しているのに手をこまねいていたのだ。セルビアとクロアチアは旧ユーゴスラビアの武器をそのまま引き継いでいたのに、そのパトロンだったフランスとドイツは、自分たちのクライアントがボスニアのイスラム教徒に対して極悪非道の残虐行為を働いていることを見過ごしていた。

「バルカン紛争の戦犯など、本当に捕まえようと思えば、電話の2、3本もかければ全員捕まえることはできたのです」

セルビアの首都ベオグラードの、ボヘミア的な雰囲気のする地区の一角で、セルビア人の人権活動家が言った。

「だがフランス政府の官僚がそれを避けようとしたんです。そうなるとフランスにとってまずいことになるのでね」

あの戦争で最もあらわになったのは、もちろん西欧の戦略作りが未熟だったということだ。

だが最近ようやく、ＥＵの官僚たちは、バルカン地方にヨーロッパの利害が重なっていることを証明し始めた。それまで何世紀も続いてきた、血に染まった国作りにまかせるのではなく、ＥＵは積極的にバルカンの再建を始めたのだ。その最終目標は、現在のＥＵによる準占領の状態を脱して、将来ＥＵに加盟できるような、主権を分かち合うことのできる国の連合を作ることだ。ところがバルカン諸国の矛盾は、彼らは安定のためにＥＵに依存しているにもかかわらず、エゴが強くて他人の言うことに耳を傾けないということだ。それが特に顕著なのがセルビアで、１世紀近く前に、オーストリア・ハンガリー帝国に併合されるのを拒否したセルビアの抵抗が第一次世界大戦を招いたのもうなずける。

セルビアの首都ベオグラードにある首相官邸の隣に、セルビア陸軍の元司令部がある。そこは、1999年にアメリカ空軍のスマート爆弾（＊6）で破壊されたまま廃墟になっている。その反対側には、この地域で第二次世界大戦後はじめて民主的な選挙で選ばれたセルビアの指導者、ゾラン・ジンジッチ（＊7）が、2003年に凶弾に倒れた路地がある。暗殺を実行したのは、失脚した独裁者、スロボダン・ミロシェビッチ（＊8）に忠誠を誓う勢力だった。

1996年から1997年にかけての真冬の厳寒期に、ミロシェビッチの退陣を求める数千人から数万人のデモ隊が連続90日間にわたってベオグラードの中心部を埋め尽くした。しかし西側諸国は、セルビアの民主化勢力に大きな支援を与えることなく、ミロシェビッチ政権に対する素っ気ない制裁措置をとった後、ＮＡＴＯ空軍による88日間にわたる激しい空爆に踏み切った。ＮＡＴＯの攻撃は熾烈を極め、主要な標的のほとんどが破壊されたが、ミロシェビッチの宮殿の一つはレンブラントの絵画が所蔵されていたため標的から外され、破壊をまぬがれた。

「あの空爆は信じられなかったですよ」と、先ほどの活動家が続けた。

「あいつら（ＮＡＴＯ）はいったいどっちの味方なんだ、という気分でした」

だがセルビアの政治的細菌培養器はその後も放置され、極悪の犯罪勢力は腐敗と増殖を続けた。今日、旧ユーゴスラビアから分かれてできた国のなかで、ＥＵへの加盟に最も頑固に抵抗しているのがセルビアなのも不思議はない。

セルビアのような小さな国の経済規模は、先進国の多くの大企業より小さい。次第に、スマート爆弾ではなく、政治・経済的な戦略が効果を出し始め、草の根運動が２０００年の〝10月革命〟で独裁者スロボダン・ミロシェビッチを倒した。この時、ミロシェビッチが支配していたテレビ局にブルドーザーで突入したことから、これは〝ブルドーザー革命〟とも呼ばれている。しかしセルビア急進党と国粋主義者は、ハーグの国際戦犯法廷で公判中に死亡したミロシェビッチを殉教者とみなしており、今でも議会の主導権を握っている。地に墜ちたこの国のイメージを回復する運動を推し進めたのは学生活動家たちで、１９９５年にボスニアのスレブレニツァ村でセルビア人が残忍きわまる行為を働いた事件のドキュメントを公開して論争を呼んだ。大学の街ニスで、ある学生活動家が言った。

「もし今の指導者たちが、彼らの犯罪企業を操る労力の半分でも雇用を作り出すために向けていたら、我々はとっくにＥＵに入っていますよ」

ベオグラードは、過去２０００年の間に少なくとも40回以上、破壊と再建をくり返してきた。そのためセルビアを〝道のど真ん中に建っている家〟と呼ぶ人がいる。ＥＵは、セルビアを分割した歴史上のたくさんの帝国のなかの、最も新しい帝国なのだ。高慢なセルビア人にとって、それはとりわけ苦痛に満ちた出来事だ。彼らは、セルビアにモンテネグロとの国家連合を作ることを強いたEUのソラーナ外交担当上級代表をあざけって、この連合を〝ソラーニウム〟と呼んでいる。

「EUはようやく重い腰を上げたのかもしれないが、お陰で〝良いこと〟ずくめになっちまったよ」

ごてごてした装飾品で飾り立てた事務所で、セルビア人の政治家がシニカルに言った。

「すでにモンテネグロが独立し、じきにコソボも失うだろう。我々は内陸に取り残されたただの残党だよ。経済的には、ここはもはやドナウ川への通路であるという以上の意味はない」(#1)

セルビア人に必要なのは、避けることのできない現実を受け入れ、何が何でも自分たちのエゴを押し通そうとする民族的な傾向を乗り越えることだ。彼らには、優秀なリーダーとセラピストの両方が必要だ。セルビアがスイスのように、ヨーロッパの真空地帯でいることはできない。

ある人権活動家が嘆いた。

「ここには、ジョージ・ソロス(*9)のような慈善家が誰も来てくれないよ」

必要に迫られ、多くのセルビア人は、自虐的な国粋主義からヨーロッパ的な実利主義に変わりつつある。そこで、東欧のポーランド、チェコ、ハンガリーの〝クラスメートグループ〟(*10)は、バルカン諸国のリーダーたちに、EUの政治スタイルは彼らのためになると活発に説得を続けている。こうして、頑固なセルビアもしぶしぶながら、スロヴァキアとスロヴェニア(*11)を見習い始めた。つまり、年金は時間通りに支払われ始め、腐敗した警察に圧力がかかり、政治家にコネのない学生も大学に入れるようになりつつある。だが、ある投資促進担当の役人が私に愚痴をこぼした。

「もしパスポートが手に入れば、学生の70パーセントは欧米に行ってしまう」

それでもなお、EUが合意するよう要求している事案は、セルビアのインフラと地理的な要素を資産に変えつつある。近々、イタリアのフィアットとアメリカのマイクロソフトが進出してくることになった。NATOのミサイル攻撃で破壊されたミロシェビッチの党本部ビル跡は、高層ビルのビジネスセンターに生まれ変わった。そこで会ったセルビアの事業家は、アメリカのシリコンバレーで働いているセルビア人の男たちを呼び戻すため、セルビアに帰ってくれれば若くて美しい女性がいくらでも手に入ると宣伝している。彼は言った。

「戦争で若い男がたくさん死んだので、若い女が余っているんです。より取り見取りですよ！」

【原注】＃1：EUは国連にかわって次第にコソボの手綱をつかみつつあり、状況は改善されつつある。人々の砕かれた魂を救おうと、キリスト教徒とサウジアラビアのイスラム教徒の宣教師たちが競い合っており、実質的にすべての雇用は国連・西側の駐留軍・NGOの複合体に依存している。コソボ西部にあるペヤ市では、バーやレストランが数千人の国連スタッフの食事の注文を受けて繁盛し、それが荒れ果てた町に利潤をもたらしている。だがひとたび国連が去れば、コソボの経済を維持する産業は何も育っていない。そこでEUは国連よりはるかに大きな人的・経済的・技術的な資源を投入し、地元自治政府の能力を高め、たとえセルビアが反対してもコソボが独立してEUに加盟できるようにしようとしている。

【訳注】＊6：スマート爆弾＝レーザー光線やGPSを使って誘導する爆弾。ステルス攻撃機と組み合わせて用いられる。

＊7：ゾラン・ジンジッチ＝元ベオグラード市長で、ミロシェビッチの独裁政権への抵抗運動で活躍した。バルカン紛争後、セルビアの首相に就任し、ミロシェビッチを逮捕して旧ユーゴスラビア国際戦犯法廷に引き渡した。

＊8：スロボダン・ミロシェビッチ＝元セルビア共和国大統領。セルビア民族主義者のリーダーで、反対勢力指導者の暗殺や、ボスニアやコソボの独立運動の武力弾圧を指揮したとされる。2000年の「ブルドーザー革命」で退陣。コソボ住民の大量虐殺の責任者としてNATOに身柄を拘束され、オランダ・ハーグの国際司法裁判所の旧ユーゴスラビア国際戦犯法廷で裁判にかけられた。2006年3月、独房で心臓麻痺を起こして死亡。

＊9：ジョージ・ソロス＝ハンガリー生まれのユダヤ系アメリカ人で、億万長者の投機家、ヘッジファンドのオーナー。最近では慈善活動でも有名。

＊10：東欧のクラスメートグループ＝第3章のコラムを参照。

＊11：スロヴァキアとスロヴェニア＝ともにセルビア人と同じスラブ系民族なので、セルビアのスラブ人優越主義者も受け入れやすいのだろうと考えられる。

ボスニア――〝新バルカン人〟とブルース・リー

旧ユーゴスラビアをドライブすると、今でも場所によっては、時代遅れの国粋主義者の腹立たしい振る舞いに出会うことがある。10年前、ヨーロッパの人たちは、ボスニアを大量殺戮と分解から救うことができなかったことに対して、皮肉を込めて「これがヨーロッパなの？」と自問した。

ＥＵがバルカンを破壊したわけではない。だがそれにもかかわらず、ＥＵは大金を出してそれを買い取らなければならない。これまでの10年間を通じて、ＥＵはバルカンという粉々になった陶器に大量の外交的接着剤を使用し、最近ようやくアメリカの軍事力に依存する状態から脱け出させた。だがそのかわり、ＥＵはヨーロッパ諸国の派遣可能な部隊の半分を南バルカンに駐留させている。はじめのころは、新植民地主義とも言えるほどの政治的な危険性もあったが、今では、将来の恨みにつながるような官僚的な信託統治は絶対に避けるべきだということをＥＵも理解している。

しかし、その〝将来〟はまだ来ていない。今なお、ボスニアには民族間の深い対立が奥に潜んでいる。スルプスカ共和国（＊12）はサラエボ（＊13）の東わずか10キロほどのところにあり、サラエボを一歩外に出れば、今でもまだ恐怖の冷たい霧が覆っている。現在のサラエボ市は三つの勢力によって分けられており、それぞれの勢力は不明瞭な現状を保っている。競い合う犯罪組織や民兵組織が、市民の支持を得るために病院や年金を運営しているが、人々は誰を信頼したらよいのかよくわからない。今トラクターを運転している人間が、少し前には戦車を運転していたのだ。セルビアの戦犯、ラドヴァン・カラジッチ（＊14）は、潜伏したままいまだに捕まっていない。

曲がりくねった山道を下ってサラエボの街に入っていくと、並んだ建物の前面に、通りかかる車や人を狙ってセルビア人の狙撃兵が高台から弾丸の雨を注いだ跡が、今でも残っているのが見える。それは、ボスニア人を恐怖に陥れて降伏させるために、ラトコ・ムラジッチ（＊15）が行った作戦の一環だった。年輩の人たちは、いまでもあらゆる面で恨みを抱いたままでおり、あらゆることが争いのもとになる。

旧ユーゴスラビアのすべての国の収支は赤字で、みな高いインフレ率を示している。失業率については、あまりに多くの人が闇市場で働いているうえ、セルビア人もクロアチア人もボスニア人も、多くがイラクに建設労働者として出稼ぎに行っているため、信頼できるデータがない。サラエボの街を走る真新しい現代的なバスは、EUと日本から贈られたものだ。

とはいえ、サラエボの旧市街では新しい世代が育っている。1914年にフェルディナント大公（＊16）が暗殺された橋のすぐそばでは、〝新バルカン人〟の若者たちが集まってよくパーティーを開く。その光景は、バルセロナやベイルートと変わらない。よく、人相の悪い若い男たちが、ヨーロッパの国のナンバープレートをつけた大型車やオートバイ（おそらく盗難車）のエンジンをふかして騒いでいる。地下のディスコからは、大音響のテクノ・ミュージックの音が漏れてくる。古いホテルでは武装警備員が一晩中警備しており、深夜に酔っぱらって戻って来るヨーロッパの旅行者を中に入れてくれる。

モスタル市の再建された橋（＊17）の近くには、ブルース・リーの像が建っている。かつて破壊されたこの橋は、この国が地獄に突き落とされたことを示す最大のシンボルだった。そしてブルース・リーは、民族の分割に対する闘いのシンボルなのだ。町の至る所で、イスラム教寺院とキリスト教会が再建されている。若者たちは他人の宗教をあまり気にしていないという。ボスニアの将来に希望を持つ人も増えている。EU軍が引き揚げても戦争はもう起きないと考える若者は多い。独立とともに急いで作られた通貨〝ボスニア・マルク〟がいつかユーロに変わるのは確実だ。

南バルカン復興の最後の仕上げは、まず流出したボスニア人とコソボ人の難民を帰還させ、つぎに、オーストリアからアルバニアに至る交通網を建設することだ。ヨーロッパの最貧国アルバニアについては、いかだでアドリア海を渡って対岸のイタリアに脱出してくる難民のニュース以外、ほとんどのヨーロッパ人は何も知らない。しかし、古代ギリシャや中世のヴェネツィアが栄えた時代には、植民地としての強い結びつきがあったのだ。今ではＥＵ主導のもとで、市場と葡萄《ぶどう》栽培に少しずつ投資が進み、観光客も増えている。これまでの怪しげな古びた国境政策にかわって、ドイツのＩＣＥ高速鉄道の建設も少しずつ始まっている。

「イタリアから鉄道で直接来られるようになれば、ここはヨーロッパだよ」

とイタリア人旅行者が言った。

【訳注】

＊12：スルプスカ共和国＝ボスニア・ヘルツェゴビナのなかの、セルビア人が住む一地方。

＊13：サラエボ＝ボスニア・ヘルツェゴビナの首都。１９８４年に冬季オリンピックが開かれたことで知られる。

＊14：ラドヴァン・カラジッチ＝セルビア人優越主義者で、スルプスカ共和国が成立した後、その大統領兼軍最高司令官になった。ボスニアのイスラム系住民に対する大量虐殺（民族浄化）を指揮したとして、旧ユーゴスラビア国際戦犯法廷から指名手配され、アメリカは５００万ドルの懸賞金をかけた。本書がアメリカで出版された後の２００８年７月末に逮捕され、ハーグの国際法廷に移送された。

＊15：ラトコ・ムラジッチ＝旧ユーゴスラビア人民軍の元部隊司令官。１９９２年のサラエボ包囲攻撃や、この記述にある無差別狙撃のほか、大量虐殺と人道に対する犯罪などで、ハーグの国際司法裁判所から戦犯として起訴されている。支持者にかくまわれていてまだ捕まっていない。アメリカばかりでなく現在のセルビア共和国も懸賞金をかけている。

＊16：フェルディナント大公＝オーストリア＝ハンガリー帝国の皇太子。この暗殺事件が第一次世界大戦の引き金になった。

＊17：モスタル＝ボスニア・ヘルツェゴビナにある町。この橋は町の象徴で、戦争で破壊されたが再建され、世界遺産に登録されている。

第5章

トルコ
——東西に向かうトルコ行進曲

テニスの女王ヴィーナス・ウィリアムズがその上でプレーし、F1レースの無冠の帝王デービッド・クールサードがレーシングカーで渡った橋、ボスポラス大橋は、ヨーロッパとアジアを結ぶ長さ1500メートル余りの吊り橋だ。イスタンブールとボスポラス海峡のシンボルであるこの橋は、トルコ共和国の誕生50周年にあたる1975年に開通した（＊1）。

世界にトルコほど、地理的な位置が重要な国はない。そのため、コンスタンチノープルは1100年の長きにわたってビザンチン帝国（＊2）の首都であり続け、オスマン帝国（＊3）の時代になって名前をイスタンブールと変えてからも、北アフリカから黒海に至る広大な地域を支配する権力の中枢であり続けた。

【訳注】＊1：ボスポラス大橋＝1988年には日本企業が建設した第2大橋が完成し、ヨーロッパとアジアを結ぶ大動脈になっている。
＊2：ビザンチン帝国＝東ローマ帝国に同じ。西暦395～1453年。
＊3：オスマン帝国＝オスマン・トルコ。トルコのイスラム系王朝であるオスマン家により西暦1300年頃建国され、16世紀の最盛期には西アフリカから地中海沿岸、中央ヨーロッパ、アラビア半島、カスピ海西岸までの広大な地域を支配した。17世紀末から18世紀初頭にかけて次第に衰退を始め、1922年に崩壊。

トルコの戦略的重要性

米ソ冷戦の間、黒海の南岸に位置するトルコはNATOの前線基地となり、電波傍受をはじめ共産圏の動向をさぐる情報収集拠点でもあった。ヨーロッパから見たトルコは東洋への玄関口であると同時に、シリア、イラク、イランなどの、危険地帯への入り口でもある。EUにとって、トルコは戦略的な重みを東方に拡大するための支点であり、もしトルコの力を活用できなければ、EUの拡大はバルカン半島までで終わってしまう。

トルコの重要性は西隣のブルガリアから始まる。人口が行く行くは500万人台にまで減少しそうなブルガリアは、EU加盟国でありながら、国というよりは巨大都市イスタンブールの郊外のようになりつつあり、〝イスタンブルガリア〟とジョークを言われている。実際、現在のイスタンブールは、ハンガリーのブダペストからカスピ海西岸の国アゼルバイジャンの首都バクーに至る、広い地域の通商を支配する重要な中心地になっており、ブルガリアの首都ソフィアでは、トルコ人のビジネスマンが自分たちの楽しみのためにホテルをカジノに改装している。ソフィアからトルコに通じるハイウェイが、トルコの国境の町エディルネを過ぎたあたりから長い一直線になっているのは、この部分が冷戦時代にNATO軍機の緊急着陸用に作られたものだからだ。今ではこの道を通って、トルコ人の運転するベンツやBMWの車列が西欧との間を往復している。

トルコが重要なのは、地理的な位置のためだけではない。トルコはイスラム教国のなかで最も力があり、しかも民主主義で世俗主義（＊4）の国だからだ。トルコのエルドアン首相は2005年に、「EUは、政治的な成熟ぶりを示して世界の超大国になるか、もしくはただのキリスト教徒の仲良しグループで終わってしまうかのどちらかだ」と発言した。同年、EUはトルコとの加盟交渉を開始し、異なる人種と文化を含む真の混成体となる機が熟したことを内外に示した。EUは、ただのキリスト教徒の仲良しグループで終わるわけにはいかないのだ。

そこでカギとなる重要な問題は、ヨーロッパ文明と現代トルコの〝新オスマン文明〟がはたして同盟を結べるのかということだ。EUとトルコの関係は、かつてオスマン帝国の勢力がウィーンにまで迫った時とは比べものにならないほど良好になっているとはいえ、7000万人以上の人口があることだけをとってもEUの正規メンバーになるには大きすぎるうえ、国民所得がヨーロッパ諸国よりはるかに低い現状では、交渉の前途は多難だ。

だが、現実的な機能は、建て前よりずっと重要だ。ヨーロッパとトルコが40年以上も前に対話を始めた時には、交渉の主要なテーマはもっぱらトルコの経済をヨーロッパ並みに引き上げることで、内政についてはほとんど議題に上らなかった。外交に関しては、当時はEUの共通外交政策はまだ存在していなかったし、どのみち冷戦時代の外交はNATOの仕事で、トルコは昔からそのメンバーだったから問題はなかった。しかし、現在のEUは、加盟国の主権を統一するために条項で細かく規定しており、いずれトルコに対してもそれを当てはめねばならない時がやってくるだろう。

【訳注】＊4：世俗主義＝宗教が大きな力を持っている国で、政教分離によって宗教が政治を動かさないようになっている体制。2008年7月、エルドアン首相の与党は、イスラム勢力側に傾きすぎているとして、最高裁から世俗法違反で解党を命じられた。

全方位外交

第一次世界大戦の後、トルコ共和国建国の父、ムスタファ・ケマルは、政教分離を断行するとともに、国内外に平和を追求する政策をとった。現在のトルコの〝全方位外交〟は、それを継承したもので、トルコはヨーロッパ、アメリカ、ロシア、コーカサス諸国、イラン、シリア、イスラエルのすべてと和解した。100年前には交戦状態だったイギリスは、今ではトルコのEU加盟を推進する動きの先頭に立っている。歴史的にトルコと争いが絶えないギリシャですら加盟に賛成しているのは、加盟を承認することで、トルコに北キプロスの分離独立を支持する政策を放棄させたいという狙いがあるためだ。

トルコにとって、東部地方はフロンティアで、その東隣のコーカサス諸国（第6章参照）に政治的緊張が続いているため、トルコはイランやアラブ諸国にも気を遣っている。アラブ人は、オスマン帝国の時代に植民地にされたことから、歴史的にトルコを嫌う傾向が強いが、それにもかかわらずモロッコ、リビア、エジプトとの貿易は以前の3倍に増えている。近年のトルコの外相たちはみなアラビア語を流暢に話し、アラブ諸国はトルコがヨーロッパ市場に地位を築いていることを羨んでいる。

トルコのもう一つの有利な点は、彼らはヨーロッパ人と違って、アラブ人が嫌悪する十字軍を送ったキリスト教徒ではないということだ。

「アラブ諸国は、トルコの道徳観と政教分離政策に感謝していますよ」

と言うのは、イスタンブールに駐在するアルジャジーラ（＊5）の記者だ。

「トルコとアラブのメディアは、お互いのニュースをお互いの言葉に翻訳して流しています。私たちは、欧米のやり方に疑問を持っているという点で一致しているのです。アラブ諸国は、彼らがトルコのようにできないのは自分たちが民主化していないからだとわかっていますよ」

だがトルコは、アラブの敵イスラエルとも外交的・軍事的な結びつきがある。トルコは1949年にイスラエルを承認しているのだ。だがまたその一方で、イスラエルの敵イランとも、クルド人の分離独立運動(＊6)という頭痛のタネを抱えている点で一致している。イランで使われている現代ペルシャ語の〝テュルク〟(トルコ人)という言葉には、もともと「野蛮人」とか「浮浪者」の意味があるが、トルコとイランの間には、協調してクルド人を抑圧する暗黙の了解があるばかりか、数十億ドルにも及ぶ貿易とエネルギー資源に関する合意があるのだ。

ＥＵやアメリカが何を言おうが、必要とあればトルコがどんな相手とでもパートナーになることは、ロシアとの関係に最もよく現れている。過去何世紀にもわたり、ロシアは地中海に出る水路を確保するため、トルコの黒海沿岸を支配してダーダネルス海峡(＊7)を手中に収めようとしてきたが、今や両国は共通の利害を見いだした。ロシアの天然ガスをトルコに送る「ブルーストリーム・パイプライン」が黒海海底に建設され(＊8)、トルコにとってロシアは、ＥＵに次ぐ世界で2番目に大きな貿易相手国となったのだ。そしてトルコの建設会社がロシアの街を再建し、ロシアの石油・天然ガスがトルコ経済を支えるという関係ができた。

彼らの協調ぶりは裏社会にまで及んでいる。黒海沿岸にあるトルコのトラブゾンという港町(＊9)に、ロシアが第一次世界大戦中に手に入れた古びた貨物集散地がある。ここに時おり出入りするロシアの豪華クルーザーやその他の船が、いったい何を運んでいるのか、記録をつけるトルコ人はいない。ここにはロシアからスラブ人の女性が集められ、遠くはドバイ方面(＊10)にまで売られていくのだ。

【訳注】＊5：アルジャジーラ＝アラブの富裕国カタールの衛星テレビ局で、アラブ版ＣＮＮとも呼ばれ、欧米人の目からでなくアラブ側の目で見たユニークな報道で注目されている。世界ネットワークを持ち、最近では英語放送も始めたが、アメリカではブロックされていて見ることができない。アルカイダがオサマ・ビン・ラーディンのメッセージの入ったビデオやカセットを持ち込んだのもこの局。

＊6：クルド人の分離独立運動＝この章88ページ参照。

＊7：ダーダネルス海峡＝トルコ北西部の内海マルマラ海からエーゲ海に抜ける海峡。ロシア海軍の黒海艦隊は、ボスポラス海峡とこのダーダネルス海峡を通らなくては地中海に出ることができない。
＊8：ブルーストリーム・パイプライン＝黒海北岸東部のロシア領沿岸から南岸のトルコ沿岸まで、黒海東部の狭い部分の海底に敷設されている。ロシアのガスプロムとイタリアの多国籍石油企業エニのジョイントベンチャーで、黒海までのロシア領内はガスプロム系列が、黒海の海底パイプライン部分はエニ系列のイタリア企業が建設した。建設機器の受注で日本の商社も関係している。
＊9：トラブゾン＝かつてシルクロードが通っていた、人種、文化、言語、宗教のるつぼの町。現在は観光地になっている。
＊10：ドバイ＝第26章「湾岸諸国」を参照。

アメリカの影響力が低下した理由

1990年代、アメリカとEUはトルコを味方につけるために激しい綱引きを演じたが、2003年に始まったイラク戦争は、その綱引きを劇的にEU有利に変えた。アメリカは、イラク侵攻をトルコが当然支持してくれるものと予想していたが、トルコ領内を前進基地として使いたいというアメリカの要請を、トルコ議会が拒否したのだ。トルコは領土内に外国の軍隊が駐屯することを嫌っただけでなく、イラクのサダム・フセインが倒されれば、領土内に住むクルド人のナショナリズムが高まることや、戦争に荷担することで観光客が減ることを恐れたのだ。トルコを軍事的に当てにするという、昔ながらの古びた習慣にアメリカがとらわれている間に、トルコ政府は「民主主義に則って決定する」という、EUの基準に従ったのだとも言える。それ以来、アメリカとの関係は冷え込んだが、EUとの年間貿易額はアメリカとの貿易額の10倍に跳ね上がった。イラク戦争に関する限り、EUの影響力は、加盟国でありながら出兵した東欧諸国より、まだ加盟していないトルコに対してのほうが大きかったことになる（＃1）。

こうしてEUは、トルコの心をつかむという点ではアメリカを一歩リードしたが、言うことをきかせられるかどうかはまた別の話だ。冷戦時代は常に西側に協力してきたトルコだが、今ではこの地域最大の軍事力を持っている。アンカラで会ったトルコ軍の将軍が言った。

「オスマン帝国時代には、我々は広大な地域を支配していたのです。イラクなど、400年も配下に置いていたのですよ。我々はポーランドのように簡単に言いなりにはなりませんよ」(＊11)

【原注】＃1：ブルガリアのあるインテリは私にこう言った。「イラク戦争における東欧諸国の立ち位置は、ヨーロッパの一員という地理的な意識より、アメリカに協力することによる見返りという実利を取ったものだ。ゆくゆくは、ヨーロッパの一員という地理的な要素のほうが、アメリカとの関係より強くなるだろう」

【訳注】＊11：ポーランドがアメリカの意向を受けて2003年のイラク侵攻に加わったことをさす。

〝新オスマン主義〟の芽生え

トルコの若い政策エリートたちは、オスマン帝国の時代のトルコを再び見直し、自我の意識を拡大し始めている。これら新オスマン主義者は西欧など気にしておらず、EUに対してもすんなりとは協調しない。最近では、〝第2の案〟を口にする人も出始めてきた。正式メンバーとして加入を求めるのはやめて、〝特別パートナー〟にとどまり、利害が合う時だけ共同歩調をとればよいというのだ。

1963年からずっと加入問題が話し合われながら、いまだに決まらないトルコは、加入を熱望している国に待つことの利益を教えられるかもしれない。加盟していなくても、ヨーロッパとは過去40年に及ぶ関税同盟を通じた貿易があり、それに移民の増加が加わって、トルコ経済はすでに大きな利益を得ているのだ。加入交渉が始まったばかりの頃は、トルコの人々はヨーロッパの一員となることを熱望していた。ドイツに労働者として移民した、多くが識字率が低かった一世たちは、少ない収入のなかから故郷の村に送金したが、ヨーロッパで生まれ育った二世のなかからは出世して経営者になり、故国に工場や学校を建ててトルコ経済を支える者も多く出た。現在、三世はベルリンからキルギスタンのビシュケクにまで広がり、多額の資金を本国に送金している。今では移民した人々の生活も安定し、ドイツに住むトルコ人の多くは故郷の村に車で里帰りをする。

こうしてトルコが再び東西南北のすべての方向に手を広げつつある今、ＥＵは経済面ばかりでなく、心理的にも政治的にもトルコを安定させる錨にならなくてはならないだろう。だが誇り高いトルコ人を扱うのは至難のわざだ。トルコ人の性格を物語るたとえにこんな話がある。「トルコ人は、10回ひっぱたいても何もしないが、もし11回たたいたらあなたを殺すだろう」

地中海に面するリゾート地ボドゥルムでは、トルコ人の金持ちは、浜辺で酒を飲んで酔っぱらっているヨーロッパ人を見下し、小さな入り江にある別荘から出てこない。少し前の夏、新聞のコラムニストは、「トルコの知識階級は、エーゲ海を堪能することに忙しくて、ヨーロッパの大衆の意見などにかまってはいられない」と書いた。イスタンブールの金持ちたちは、すでにヨーロッパ各地に別荘を持っている。

とはいえ、トルコ人が自信をつけつつある一方で、ヨーロッパによるトルコの目に見えない新植民地化もまた確実に進んでいる。フランスのシラク大統領（当時）は２００５年に、「トルコがヨーロッパの一員になるには、文化的な革命が必要だ」と要求したが、トルコに対する脳外科手術はすでに進んでいる。ＥＵはトルコに、ＥＵ法の35項目を完全履行することを求めているが、この数はほかの国に対する項目の数より4項目多く、しかもトルコがそれを呑んでもなお加盟は保証されていない。ＥＵはまた、トルコの銀行や行政の大規模な近代化、巨大な闇市場の一掃、なかなか決定しないビジネスのやり方の改善などを要求しており、同時にトルコの大プロジェクトの多くを援助している。イスタンブールの美しい街の景観は、ヨーロッパの資金で作られたものだ。

足を引っ張る古い伝統と人権問題

トルコのノーベル賞作家オルハン・パムク氏は、第一次世界大戦中にトルコ人がアルメニア人(*12)を大量虐殺した事件を批判したため、〝トルコの尊厳を侮辱した〟かどで起訴された。「私たちは地理的にはヨーロッパに属しているが、政治的にはどうだろうか。これでヨーロッパと呼べるだろうか?」と彼は問う。

アルメニア人の扱いや将来のキプロスの再統合問題(*13)について、EUはトルコ国内で議論が盛んになるように働きかけている。女性が大学で自由に受講したり、地位のある仕事につけるようになったのも、EUの圧力のたまものだ。クルド人や非イスラム教徒に権利を与えることは、間違いなくEUが提起した最も大きな要求だったろう。クルド人はトルコとイラクの国境にまたがって住む遊牧民で、トルコ領内にはおよそ1200万人が暮らしている。クルド労働者党とトルコ軍の悲惨な闘いは20年も続いたが、最近ではトルコ政府の態度も以前よりは柔軟になりつつある。かつてクルド人討伐に使われた軍用道路は、今ではシリアやイランとの貿易に使うために延長工事が行われており、ゆくゆくはクルド人農家もこの道路によって恩恵を得ることになるかもしれない。

トルコが死刑を廃止したのも、EUの圧力とインセンティブの結果だ。軍部は大きな力を持っているが、EUの積極的な支持もあって、平時における政府の文民統制(*14)はほぼ確立している。今日のトルコでは、非宗教派の政治指導者、軍の高官、イスラム勢力のすべてが、軍の政治への介入より国のヨーロッパ化のほうが重要と考えている。

またトルコは、イスラム教と現代社会が共存共栄できることを示す最もよい例でもある。彼らはスンニ派とシーア派（＊15）の対立の外にあり、イスラム教徒であることよりもトルコ人であることを大切にしている。トルコはアレヴィー派（＊16）とスーフィズム（＊17）に代表されるイスラム教の分派が大きな特徴だが、それらはともに建国の父ムスタファ・ケマルが実施した世俗主義を尊重しており、主流派のスンニ派イスラム主義者も彼らを排除していない。政府の建物や大学で、女性がイスラム教徒のシンボルであるスカーフを頭にかぶることが法律で禁止されているのは、トルコ以外ではフランスだけである。アメリカやEUは、アラブ諸国もトルコを見習ってもらいたいと願っているに違いない。

とはいえ、この国でもイスラム運動が起きているという現実はある。イスラム運動の支持者は、イスタンブールのエネルギーあふれる貧民街から、東部の広大な田舎に至るまでの全国的な広がりがある。イスラム運動が盛んな〝ゲジェコンドゥ〟と呼ばれるイスタンブールの貧民街は、エルドアン首相が1990年代に同市の市長だった時の支持基盤でもある。

内陸部のコニアという町から東に向かって進んで行くと、風景も文化もアジア的になってくる。麦畑、メロン売りのスタンド、道端にある自動車の修理小屋、はぐれた牛、散らかったゴミ……。これらがもう一つの、イスタンブールとは違う、はるかに大きなトルコに見られるすべてである。遠くまで続く細い木々の一帯を行くと、しだいに自動車が減ってトラクターが増え、道の名前が耳慣れないものに変わってくるとともに、トラックののどかなクラクションの音が中央アジアに近づいていることを感じさせる。女性の多くはイスラムの伝統であるスカーフを頭にかぶり、いまだに「名誉の殺人」（＊18）が毎年数百件も行われていると報告されている。

松林と静かな湖が続く広大な東部地方は、トルコにとって戦略的に非常に重要な地域であるとともに、EUにとっても欠くことのできないトルコの地政学的な資産だ。EUは、ロシア、カスピ海、イランの石油と天然ガスをバルカン地方まで運ぶために、そしてコーカサス地方を安定させるために、以前にも増してトルコを必要としている。

【訳注】＊12：アルメニア人＝第6章のグルジアの項を参照。
＊13：キプロスの再統合問題＝現在のキプロス島は南北に分断されており、キプロス共和国として国際社会が承認しているのはギリシャ系住民の住む南キプロスで、トルコ系住民の住む北部は独立を宣言しているものの、トルコ以外の国際社会は承認していない。
＊14：文民統制＝シビリアンコントロール。軍部の政治介入や独走を防ぐため、文民の政治指導者が軍の最高指揮権を持つシステム。
＊15：スンニ派とシーア派＝イスラム教の二大宗派で、現在のイラクでは両派の悲惨な殺し合いが続いている。
＊16：アレヴィー派＝トルコのイスラム教の分派。神秘主義的。
＊17：スーフィズム＝禁欲的なイスラム神秘主義の一つ。
＊18：名誉の殺人＝主にイスラム圏の家父長制のもとで、家族の名誉を汚すと考えられる行為を行った女性を家族が殺すことで、名誉なこととされる。家族の名誉を汚すこととは、婚前・婚外交渉、親が決めた結婚の拒否、妻による離婚の要求などのほか、性的に襲われた被害者なども含まれるという。ただこの処罰殺人の風習は、文化の遅れた地方ではアフリカや中東のキリスト教徒にもインドのヒンドゥー教徒にもあり、本来のイスラムの教えとは関係ないとする説が有力である。法律ではもちろん犯罪になるが、政府の支配の及ばない地域では野放し状態と考えられている。

第6章 コーカサスの回廊

黒海とカスピ海の間に横たわるコーカサス地方は、かつてはオスマン帝国、ロシア帝国、ペルシャ帝国の三つの帝国の脅威に常にさらされた、ただの山の多い一地方だった。だが今では、この一帯は、カスピ海沿岸や中央アジアからヨーロッパに石油を送る新しい動脈が通過する戦略的に決定的に重要な地域である。ヨーロッパがこの動脈を安全に保つには、かつてソ連の一部で今ではヨーロッパの助けがなくては希望もないグルジア、アルメニア、アゼルバイジャンの三つの小さな共和国を味方につけなければならない。

実は、EUはこの地方になかなか手をつけなかった。これらの国は開発のレベルも腐敗のレベルも第三世界に近く、近代化することがいかに大変かがわかっていたからだ。EUには加盟を希望する国に対する厳格な規定があり、基準に満たない国を加盟させることはできない。あるヨーロッパの外交官はこう認めた。

「トルコよりむこうのことは、それがなんであれ、終われば忘れてしまうよ」

コーカサスは、〝非西洋〟が始まる地点だ。

だが今の西欧にとって、カスピ海地方のエネルギー資源の確保は、EU加盟資格の見通しより優先する。最近になってEUは、コーカサス諸国へのアプローチの仕方を劇的に変え始めた。

1990年代のはじめにロシアが「独立国家共同体」（*1）を作った時、欧米の外交官はロシアが旧ソ連圏の国を正しく管理するものと思っていた。だがロシアは、自分自身が崩壊していくにともない、かつての自治共和国を再建するどころか、解体してしまうことが明確になってきた。ロシアはコーカサス諸国を〝ロシアの共同アパート〟と呼んでいる。それは〝分断支配〟（*2）を意味する彼らの隠語だ。ロシアはコーカサス諸国の間に衝突が生じるように挑発し、争乱が起きたらそれを口実に、自分こそ子供たちのケンカを仲裁する力がある唯一の国だと言って介入する。西側はこの悪循環を止めるために、コーカサスをヨーロッパの〝近隣の一部〟と見なすというギャンブルにでた。もしそれに成功すれば、コーカサス諸国は第三世界の状態から抜け出ることができ、同時にヨーロッパのエネルギー資源の安全確保も確実なものに近くなる。

【訳注】＊1：独立国家共同体＝旧ソ連を構成していた15ヵ国のうち、バルト海沿岸3国を除く11ヵ国により1991年に発足した連合体。現在は実質的に8ヵ国になっている。
＊2：分断支配＝序章を参照。

グルジア

こんな国を想像してみてほしい。廃墟になった村、崩れたレンガのビル、真っ黒な排気ガスの煙をまき散らして走るガタガタのトラック、道ばたでトウモロコシを売る女、水が干上がりかけている川で遊ぶ子供たち、目つきの悪いやせ衰えた乞食が物乞いをしている首都……。そしてつぎに想像してほしい。それらの人たちがみな白人だったら、と。

グルジアほど、富の不公平な配分をなくすためだったはずのロシアの共産革命が、それどころか社会を崩壊させてしまったことを雄弁に物語っている国はない。グルジア人はキリスト教徒だが、彼らはどのような意味においてもヨーロッパ人ではない。この国の驚くほど利己的な年長者たちは、彼らより年が若くて態勢が整っていない人間が運営する政府を見捨ててしまった。ウクライナやセルビアや、近い将来政権が変わりそうなそのほかの国と同様、グルジアの選挙による民主主義は、人権の抑圧、市場の操作、権力者の身内による統治などの問題がいっこうに改まらないまま、良くても「ゆっくりと〝自由主義〟の国に変わってゆく程度」だろう。未開発と不安定のサイクルを循環しているだけで一向に進化しない、第三世界の国のような〝革命疲れ〟を、この国も起こすのではないかとEUが心配するのももっともなことだ。

グルジアは旧ソ連の前にもさまざまな勢力に占領された歴史があるが、アラブ、モンゴル、ペルシャの横暴に比べれば、ソ連は最も親切な占領者だった。というのは、スターリンはグルジア出身だったため、第二次世界大戦で破壊されたこの国を税制で優遇し、ソ連の大切な一部として扱ったのだ。だが1991年に独立し、シュワルナゼ大統領（＊3）の政権がヨーロッパから巨額の援助を引き出すようになるとともに、この国は底なしの腐敗にはまっていった。ドイツのある外交官はこう告白する。

「シュワルナゼは、ソ連最後の外相として東西ドイツの統一に力を貸してくれたので、その後も我々は関係を持ち続け、厚遇していたのです」

グルジアで庶民が生計を立てるには、三つの方法があるといわれる。盗品を闇市場で売ること、タクシーの運転手をすること、密輸をすること、の三つだ。

2003年のいわゆる〝バラ革命〟（＊4）の後も、この国に実質的な変化はほとんどなかった。まともに機能するビジネスはどこにもなく、村々は荒れ果てたままだった。良い道路は良い市民を作る。グルジアには今日に至るまで、まともな道路が国中に一つとしてなく、穴だらけの政権を象徴している。

シュワルナゼの後を継いだ若い新大統領サーカシュヴィリは、アメリカの大学を出ているが、独立系の多くの新聞社、テレビ局、政策に反対するNGOを閉鎖させた独裁者だ。シュワルナゼの時代には、まだ公正な裁判をするように判事をカネで買収することもできたが、サーカシュヴィリの政権では、すべて政府に有利になるように前もって決められている。サーカシュヴィリは〝バラ革命〟の時にナンバー2だったジワニアのために、それまでなかった首相の職を作って与えたが、その後二人は対立するようになり、サーカシュヴィリは治安関係を、ジワニアは経済を牛耳り、政府が二つに分裂してしまった。そして2005年2月、ジワニアは一酸化炭素中毒による不審な死を遂げる。

グルジアに真の意味の政党はない。あるのは政党の形をした利権グループだけだ。これでは多くの人が共産主義時代を懐かしがるのも不思議ではない。

アメリカは、グルジアにわずかな軍隊を形式的にイラクに派遣させることにばかり気が奪われ、サーカシュヴィリの見せかけの民主主義を支持する偏見的な態度をかたくなに変えていない。そのため事態が悪化している現実を見ることができないのだ。首都トビリシで、ある活動家が言った。

「アメリカは〝バラ革命〟の成功を信じるあまり、我々のような人権団体にはもう援助をしないのです」

【訳注】＊3：シュワルナゼ大統領＝旧ソ連のゴルバチョフ政権の外相。1995年から2003年までグルジア大統領。
＊4：バラ革命＝2003年にシュワルナゼ大統領を辞任に追い込んだ民主化革命。サーカシュヴィリの率いる野党支持者がバラの花を手に持って議会を占拠したことからこの名がある。

飼い慣らされていない動物がいる動物園

実はサーカシュヴィリは、彼がひっくり返した政権の前任者シュワルナゼによって政治家として育てられた。彼は〝若いパイオニア〟と呼ばれる少年組織を合宿させてカラシニコフ機関銃の射撃訓練を行い、大臣たちは椅子取りゲームに余念がない。あるグルジア人アナリストは怒りもあらわに「グルジアは、飼い慣らされていない動物がいる動物園だ」と言った。

もちろん、ソ連の管理のもとで生き残った産業がワイン作りだけという国を統治するのがたやすいことではないのも確かだ。トビリシは1500年にわたってこの地域の中心地だったが、周辺地帯との関係では常に緊張が続いてきた。トルコとの国境に近い、黒海沿いのアジャリア地方の豪族アシラン・アバシゼは、税関の歳入をすべて自分のために使い、2004年にはサーカシュヴィリと争って（ロシアの後押しにより）内戦を起こそうとし、不発に終わるとロシアに逃亡した。一方のサーカシュヴィリは、同じ頃、首都トビリシの住民の不満を抑えるために、国家の貴重な電力をこの町だけのために抜き取り、自分の親しい仲間を市長に任命して反対勢力を封じ込めた。そして新政府の社会事業資金を調達するため、裕福な事業家を強迫して出資させたが、それらの事業家もみな税金を一度も払ったことがないというつわものばかりだ。

グルジアでは、ブティックやホテルの多くはマネーロンダリング（資金洗浄）を行うための隠れ蓑《みの》でしかない。毎朝決まった時間になると、アタッシュケースを持ったマフィアの手先がやって来て現金を集めてゆく。トビリシにいれば、ギャングのステータスシンボルが、窓を薄暗い色でつぶした黒塗りのベンツであることがよくわかる。なかには、オリジナルのドイツのナンバープレートをつけたままのものも走っている（＊5）。

このようなグルジアにも、いつかは腐敗が浄化され、税金が正しく集められ、警察が正しく機能するようになる日が来るかもしれないが、そのためには外部の強力な手が必要になるだろう。〝バラ革命〟などと言ったところで、彼ら自身の自浄作用は望むべくもない。

【訳注】 ＊5：ドイツのナンバープレートをつけたままのベンツ＝ヨーロッパで高級車を盗み、東欧やコーカサス、中央アジアなどの内陸部に密輸する組織があることを示唆している。第4章のボスニアの項と〈パートⅡのまとめ〉を参照。

東西冷戦の残り火

サーカシュヴィリは、ロシアがグルジアの分離独立派を支援していることに怒り心頭で、「ロシア人は地獄に堕ちろ」とまで言った。そしてアメリカとEUに、ロシアの干渉をはねのけて、グルジア領内が武器やウランの密輸取引に使われている状態をなんとかしてほしいと嘆願した。その結果、国境の要所にアメリカの資金で巨大な税関ビルが建設され、放射性物質の通過を阻止する最新鋭の設備が備えられた。しかし、それだけではロシアの執拗な侵入を防ぐに十分ではない。トビリシ近郊には、弾頭がついたままのソ連の古いミサイルすら捨てられている有り様だ。

ウクライナとグルジアを失ったロシアには、今や黒海には北岸のごく一部しか残っていない。しかもその部分も、アゼルバイジャンからノヴォロシースク（黒海北岸東部のロシアの港町）に送られていた石油の流れが止まったため、戦略的な重要性が低くなっている。

それでロシアは、グルジア内の南オセチア自治共和国に展開していた欧州安全保障協力機構（OSCE）（＊6）の監視グループを解体して、南オセチア人にロシアのパスポートを与え、さらにグルジア北西部のアブハジア自治共和国の分離運動を背後から支援している。その目的は、グルジアを東西に分裂させ、南に国境を接しているアルメニアへのロシア陸軍の到達路を維持することにある。グルジアの東に位置するアゼルバイジャンには、アルメニア人が住む飛び地、ナゴルノ・カラバフ自治共和国があり、アルメニアはこの飛び地をめぐってアゼルバイジャンと対立していて、ロシアはアルメニアを支援しているからだ。

さらにロシアは、ダミー会社を使ってグルジアの金、銅、木材などの天然資源を搾取《さくしゅ》し続け、この小さな国を分解に追い込もうとしている。領土内に駐留する軍隊を撤収してほしいというグルジアの要求に、ロシアは真冬に天然ガスの値段を倍にすることで応じた。これはウクライナを強迫した時と同じガスプロムの手法だ。

「小さな国にとって、隣に大きな強国があるというのは極めて危険なことなのです」

とグルジア人の学者が言う。

「もし戦略的な誤りを一つでも犯せば、命取りにもなりかねません。我々に残された唯一の手段は、外交能力だけです」

もっとも、この地域におけるロシアの支配は、自分の重みで潰れる可能性もある。チェチェン紛争(＊7)はようやく抑え込んだものの、コーカサス北部のさらに広い地域と、ロシア連邦内にあるタタールスタン共和国(＊8)の住民の大部分はイスラム教徒で、反ロシア感情が強いため支配を確立できていないのだ。歴史的にロシアと対立してきたチェチェン人の激しい性格も失われてはいない。ロシアは最近、チェチェン人をなだめるために、チェチェン紛争で破壊した首都グロズヌイに巨大なイスラム寺院を建設した。だがグルジアの外交官はこう言う。

「ロシアはけっしてすんなりとは引き下がらない。いつも必ず、物事を前より難しくする」(＊9)

【訳注】＊6：欧州安全保障協力機構（OSCE）＝ヨーロッパ全域、地中海諸国、旧ソ連諸国を含む56ヵ国から成る国際機関。ヨーロッパの安全保障と経済協力にむけて、加盟国の民主主義を強化し、基本的人権を保障し、武力行使の抑止を目指すことを目的としている。

＊7：チェチェン紛争＝チェチェンはグルジア北方のカスピ海寄りにあるイスラム教徒の小さな自治共和国で、ソ連崩壊の前後から独立運動が激しくなり、ロシアの軍事介入により武力衝突に発展した。エリツィンの時代の1994年から1996年の第一次紛争はロシアが守勢で一応終結したが、1999年にプーチンが侵攻を命じて始まった第二次紛争は首都グロズヌイを徹底的に破壊し、その後モスクワやコーカサスでチェチェン人によるテロ攻撃が頻発した。

＊8：タタールスタン共和国＝モスクワの東およそ600キロのところにある、ヴォルガ川流域の小さな共和国。人口およそ380万人。首都カザンにはヨーロッパ最大のイスラム教寺院がある。

＊9：ロシアはけっしてすんなりとは引き下がらない＝2008年8月8日、グルジアと南オセチアの争いにロシアが直接軍事介入したことで、欧米対ロシアの対立が深まった。サーカシュヴィリがロシアの挑発に乗ってしまったことが発端となった。

後に引けないEU

影響力を及ぼすということは、責任が生じるということだ。西欧がエネルギー資源を確保してこの地域を民主化したければ、ここに小さなヨーロッパを建設しなければならないし、そのためにはロシアに出て行ってもらわねばならない。

1990年代を通じて、コーカサスにあるヨーロッパのおもな出先機関は、民間のエネルギー開発会社だった。彼らの活動はもちろん自社の利益のためだが、また同時に、彼らは戦略的な考えに支えられた商業的な外交官のようなものでもある。そして彼らは〝世紀の取引〟と呼ばれる大事業をまとめた。それがバクー・トビリシ・ジェイハン（BTC）パイプラインだ。これはカスピ海西岸のアゼルバイジャンのバクーから、グルジアを通ってトルコの地中海沿岸都市ジェイハンに至る、世界で2番目に長いパイプラインで、アルメニア周辺など政治的に微妙な地域を避けて大部分が地下に建設された。このパイプラインの完成により、トルコ領内を通過する石油の量は全世界の石油取引量の10パーセントを占めるまでになった。全長1800キロ近くに及ぶBTCパイプラインは、2005年に完成するまでに40億ドルの巨費を要したが、欧米にとってはコーカサスを確保するための安い買い物だったに違いない。

黒海に面したグルジアとトルコの国境は、トルコの大型トレーラーで渋滞している。そのすぐ北にあるグルジアの港町バトゥミでは、住民がマンホールの蓋を集めてくず鉄として中国に売り飛ばしているような状態だが、まもなくEUが救いにやって来る予定だ。数十億ユーロを投じ、アジアに向かう鉄道を建設する計画が始まるのだ。トルコとグルジアを鉄道で結び、ヨーロッパからの貨物をイスタンブール経由でトルコとグルジアを通過させてアゼルバイジャンのバクーまで運び、そこからカスピ海をフェリーでカザフスタンまで運ぶという壮大な計画だ。将来は中国まで延ばすことも視野に入れている。完成すれば、もちろん東方からの物資もヨーロッパに運ばれるようになる。トルコがうっとうしいグルジアは、ビザなし同盟を結んでいるウクライナを経由させてトルコをバイパスしたいのだが、西側との同盟を強める必要があるため、BTCパイプラインを守って怪しげなロシア企業を追放するためにトルコの助けをどうしても必要としている。

EUのカネで改装したオフィスで、グルジア政府の顧問が平然として言った。

「今や、西側のエネルギー資源確保は、我々の戦略的な位置に大きく依存しているのですから、西側は我々がこの国を統治するのを助けなくてはなりません」

ソ連の古い支配で崩壊したこの国を、ゼロから再建するには何十億ユーロもかかるが、EUにはそれ以外に選択の道はない。グルジアの銀行はみな国際金融公社（IFC）（*10）のための業務を行っており、一方、アメリカと世界銀行は、道路の建設と石油精製のために、毎年不定期的に年間1億ドル相当の電力をロシアから買っている。

【訳注】＊10：国際金融公社（IFC）＝世界銀行の一部門。

消えぬ紛争のタネ

今日のコーカサス地方は、10年前のバルカン地方によく似ている。民族間の争いが〝凍結〟されているというのはフィクションにすぎず、西側が積極的に介入しなければ、安定は幻想にすぎなくなるだろう。アブハジア、南オセチア、ナゴルノ・カラバフ（＊11）の民族紛争は、彼ら自身の力で解決することは不可能だ（＊12)。今後も民族間の断絶、武器の拡散、密輸、イスラム過激派の影響の拡大などは続くだろう。グルジアでも、アルメニアでも、アゼルバイジャンでも、新しいナショナリズムが起きている。そしてそのことが、支配者が軍事予算を増加する口実に使われる。カスピ海も例外ではない。ロシアは、カスピ海に注ぐヴォルガ川下流域デルタ地帯にある港町アストラハンの造船事業に力を入れており、イラン海軍に水上警備隊を作るよう提案している。

ＥＵとＮＡＴＯがこれらの地域へのロシアとイランの干渉を止めるには、平和維持部隊を送ることしか方法がない。ＮＡＴＯはすでに、パイプラインを守るためにグルジアとアゼルバイジャンの軍隊を共同運用可能なユニットに改編し、カスピ海沿岸ではロシアやイランの不審船の侵犯に備えて、アゼルバイジャンの沿岸警備隊を近代化している。ＥＵはこの地域を少しずつ「コーカサス連合」のモデルにしようとしているのだ。グルジアとアルメニアはキリスト教国で、そのまわりを取り囲む国はすべてイスラム教国だが、石油は血より濃いことを証明しつつある。もしグルジアの国境警備が強化されれば、グルジアの指導者たちが自分たちの行動を改善しないままでいる口実はなくなるだろう。グルジアのノガイデリ首相は当然のことのように、「より良い国ができれば、コーカサスの問題の90パーセントは解決する」と告白している。

この一帯でロシアの基地の数が減りつつある今、西側はアルメニアからも〝保護者〟を自称するロシアを排除できる機会をつかんでいる。常に政情不安定で、議会に対する武力攻撃すら最近起きたアルメニアは、冷戦終結後の独立以来、ロシア、イラン、海外（特にアメリカのカリフォルニア）在住の同胞からの投資で生き延びてきた。だがアルメニアは、グルジアとロシアの先が見えない対立に耐えているより、トルコとの関係を正常化したほうがよい。そうすればトルコを通じてEUとの関係を強めることができるし、アルメニア民族のシンボルであるアララト山（＊13）への通行も自由になるだろう。グルジアとアルメニアの関係を安定させれば、いつかロシアとイランも、より大きな「黒海・カスピ海エネルギー資源枠組み合意」のようなものに入らねばならなくなるかもしれない（#1）。ヨーロッパ人にとってコーカサスは最も行きたくないところかもしれないが、利権のためには行かねばならない。

【原注】#1：BTCパイプラインはまた、コーカサス諸国とイスラエルの関係も深めている。現在イスラエルが輸入する石油の20パーセントは、カスピ海からBTCパイプラインでトルコのジェイハンまで送られ、そこからタンカーで運ばれてくる。イスラエルは、そのようにして輸入した石油を、さらに紅海経由で極東に再輸出する計画を立てている。

【訳注】＊11：ナゴルノ・カラバフ＝アゼルバイジャンの項を参照。
＊12：彼ら自身の力で解決するのは不可能＝2008年8月に発生した武力衝突は、まさにこの状況から生まれた。
＊13：アララト山＝トルコの東端にある高山で、古代よりアルメニア民族が多く住む地域の中心だった。旧約聖書に登場する「ノアの方舟」が流れ着いた山だという説もある。第一次世界大戦中、オスマン帝国がこの地域のアルメニア人を強制移住させた際に大量虐殺が行われたとされ、トルコとアルメニアの対立は今なお尾を引いている。

アゼルバイジャン――カスピ海という瓶の栓

コーカサス地方は、「ヨーロッパの東」と「アジアの西」が出会うところだ。アゼルバイジャンには古代ローマ帝国の軍隊長によって刻まれたラテン文字の碑文があり、この地が西暦1世紀にはすでにヨーロッパの東のフロンティア（辺境）だったことを示している。しかしローマ人は、「ゴブスタン砂漠（＊14）に人間は住めない」と宣言して引き返した。グルジアから国境を越えてアゼルバイジャンに入り、山間部の心地よい森を下ってから首都バクーに着くまでの間には灼熱の低地が150キロも続いている。〝バクー〟とは彼らの言葉で〝太陽風〟を意味し、この地にぴったりな名だ。

南北をイランとロシアにはさまれたアゼルバイジャンは、EU帝国建設の最後の部分にあたる。この国の、アジア的な気質を持った人たちを仲間に入れることができてはじめて、EU帝国は地理的な完成をみることができるのだ。

バクーには、中世のイスラム寺院、ソ連時代に建てられた巨大なアパート群、超近代的なガラス壁の高層ビルが混在し、その眺めはこの町に東洋と西洋、過去と現在が合流していることをよく示している。かつて、絹や香料を積んだ商隊がここを通ってアラブ、トルコ、インド、中国を結んでいたのだ。アゼルバイジャンの国旗には、イスラムを表す緑、自由を表す赤、テュルク（トルコ）系部族を表す青が使われている。この国は1918年に世界初の民主主義のイスラム教国となり、女性参政権さえ認められた。800万人の国民の大半はシーア派だが、トルコから伝わってきたナショナリズムの影響で、バクーの人々は非常に世俗主義的（＊15）だ。

しかし、バクーでは現代的でも、少し離れた地方にいけばイスラムの掟に従いヴェールをかぶった女性も多く、建物の壁にはイスラムのグラフィティが描かれている。トルコと同様、ここでもイスラム運動の復活が全国的に進行していることは明らかだ。ソ連という重しがなくなったこと、チェチェン難民の存在、それに貧しい南部地域のイスラム寺院やメディアへのイランの資金援助などが影響している。南部では、イランからの援助が唯一の発展の要素であることも多い。

「イスラム過激派の問題を解決するには、トルコのように、政府が監督して学校で正しいイスラム教を教えることしかないですよ」と言うのは、バクーの大学院生だ。「さもなければ、職のない多くの若者が過激派にリクルートされてしまいます。アラブ諸国のようにね」

ブレジンスキー(＊16)は、アゼルバイジャンを「カスピ海という瓶のコルクの栓」と呼んだ。バクーでは数千年前から石油と天然ガスが知られており、紀元前5世紀の昔に、すでに拝火教(＊17)の信者がカスピ海沿岸近くに神社を建てている。20世紀はじめまでに、バクーの石油生産と輸出量は世界一になり、ノーベル(＊18)やロスチャイルド(＊19)の取引にロシアが加わっていた。後にロシアはアゼルバイジャンの石油を厳重にコントロールするようになり、ソ連時代には石油総生産量の70パーセントをアゼルバイジャンの石油が占めていた。ソ連崩壊後、アゼルバイジャンが独立すると、ロシアはアルメニアと組んで、民族派のリーダー、エルキベイ大統領の政権を転覆させた。

アゼルバイジャンは、汚染公害を観光客に見せる珍しい国だ。カスピ海に突き出たバクーの小さな半島には、稼働していない錆びついた石油採掘塔がいくつもあるが、それらはあまりに巨大なため、原油の漏れをなんとか少なくすることと、観光客をヘリコプターに乗せて空から見物させること以外、政府はどうしたらよいのか名案がない。この観光ヘリは、やはり錆びついてうち捨てられた、カスピ海の沖の水面からそびえ立つ採掘塔の上空も飛んでくれる。

【訳注】＊14：ゴブスタン砂漠＝バクーの西50キロほどのところにある火山と荒れ地が続く地帯。先史時代の岩石線画の遺跡があることで知られる。
＊15：世俗主義＝第5章「トルコ」を参照。
＊16：ブレジンスキー＝第3章「ウクライナ」参照。
＊17：拝火教＝ゾロアスター教。紀元前7世紀末から同6世紀にかけて活躍したペルシャの預言者ゾロアスターを開祖とする。ニーチェの『ツァラトゥストラはかく語りき』の〝ツァラトゥストラ〟は〝ゾロアスター〟のドイツ語読み。
＊18：ノーベル＝有名なダイナマイトの発明者でノーベル賞の創設者。兄とともにバクーで石油会社を設立した。
＊19：ロスチャイルド＝アメリカのロックフェラーとともに、世界を操っているといわれるヨーロッパのユダヤ人金融財閥。現在はロンドンのロスチャイルド家が最も大きい。カスピ海油田の利権も握っているといわれる。

元KGBトップが作った国

なかには、アゼルバイジャンをコーカサスのクウェートにしたいという人もいる。ヨーロッパに供給する石油の量が増えつつある今、アゼルバイジャンはすでにコーカサスで最も豊かな国である。税関の長官が六つ星ホテルをオープンし、石油成金が崖《がけ》の上に大邸宅を構えているのは、19世紀にバクーの中心部を建設したヨーロッパの建築家や〝石油男爵〟と同じだ。バクー郊外も整然とした建設ラッシュだ。

しかし、アゼルバイジャンは石油には祝福されたが、英知には祝福されなかった。問題は、あと20年ほどで枯渇するといわれる前者がそうなる前に、この国は後者を集めることができるかどうかということだ。この国はソ連からは独立したものの、いまだに昔ある男が作った政治体制で動いている。その男とは、元ＫＧＢのトップで、最初で最後のイスラム教徒の旧ソ連政治局員、ヘイダル・アリエフだ。

アリエフはこの小さな国には不釣り合いな大物で、独立後に独裁政治を敷いたのはごく自然の成り行きだった。２００３年に息子のイルハムを後継者に指名してまもなく高齢のため病死したが、その後に行われた見せかけの選挙は、すでに決まっている明らかなことを改めて示したにすぎなかった。こういう国では、反動的な年寄りの守旧派を権力から排除することは極めて困難だ。政府の若手官僚は知識が足りず、太刀打ちできない。

政治の腐敗がこの国の生命力を奪っていることについては、海外に住む同国人も、国籍を離脱した人たちも等しく口にする。この国で、もし何かが整然と行われていたら、どこかに隠れた手が潜んでいるとみて間違いない。アゼルバイジャンの長者番付の上位30人のほとんどは大臣か国会議員だ。彼らの唯一の政治的な競争は、消費者としてほかに先んじようとすることだけだ。つまり、今の地位を得るのにいくらカネを使ったか、邸宅を何軒建てたか、ロンドンに持っている別荘のサイズはどれくらいか、などである。

ロンドンでは、国のカネが合法的な響きのある名前の会社に消えてゆく。警察がどうして新品のBMWに乗っているのかについても、いろいろな噂がある（ヒント：ドイツが気前よく寄付してくれたのではない）。減少するチョウザメを守るためにキャビアの輸出が禁止されたら、密輸によってイルハムの友人たちの利益は倍増した。二重基準（＊20）は当たり前で、血縁者をがっちり守るのはアラブ、トルコ、近東ではごく普通のことだ。

「子供たちは、引退することなど計画しませんよ」

バクーの支配階級でいっぱいのレストランの庭園のテーブルで、夕食を共にしたアゼルバイジャンの外交官が嘆いて言った。

「彼らの叔父さんは悪党かもしれないが、それでもお母さんの兄弟なのです」

けれども、アゼルバイジャンがEUの基準に合う国になるか、それともナイジェリアのようにロシア型の石油支配国家になって壁に突き当たるかは、石油収入をどう運営するかにかかっている。アゼルバイジャンは石油セクター以外の産業を育成する努力をほとんどしていないうえ、バクーから離ればいまだに電力供給が時々止まる地域がたくさんある。

「大産油国で停電があるというのは、国の経済が正しく運営されていないことのかなり明らかなしるしだよ」

と言ったのは、一緒にイラン国境付近の山岳地帯を視察に行った、ヨーロッパのある国の外交官だ。そのあたりの住民は、ナゴルノ・カラバフ紛争（＊21）に関連して100万人が強制的にバクーの共同住宅に移住させられている。だがアゼルバイジャン政府は、それについても知らぬ顔を決め込んでいる。

アゼルバイジャンで石油と民主主義がよく混ざらない理由の一つに、石油資源がすでに残り少ないため、生産がピークを迎えている今のうちに稼いでおこうとする心理が働いているということがある。イルハム・アリエフと他の守旧派との間にもすでに政争が始まっている。抗議のデモ隊に、それより数の多い機動隊を投入して鎮圧しようとするのは、病的恐怖症に陥っている政権だけだ。

【訳注】＊20：二重基準＝同じことをしても、他人がするとだめだと言い、自分がする時はよいと言うなど。
＊21：ナゴルノ・カラバフ紛争＝アゼルバイジャンの西南部、西のアルメニアと南のイランとの国境に近い、アルメニア人が住むナゴルノ・カラバフ旧自治区で起きた独立運動。

100年間に文字が3回も変わった国

アリエフ政権の政治・経済的な腐敗をなんとかしなくてはならないのは、EUも同じだ。この政権はロシアにもイランにも気に入られた政権であり、それは彼らが誰とでもつきあうことを示している。彼らはトルコ企業をだまして、送電線システムを新しくする事業の契約から外し、ロシア企業が全コーカサス地方の電力供給を独占できるように便宜を図った。石油以外に産業がないアゼルバイジャンにとって、石油に次ぐ主な収入源は、ロシアに住む200万人の同胞からの送金なのである。ロシア国境とイラン国境での麻薬の密輸はすべて、政治的なコネがある連中がやっている。その結果、ロシアは相変わらずアゼルバイジャンの外交政策に大きな力を持ち続け、イランは引き続きシーア派に対する影響力を行使し続けることができるのだ。そこでNATOは、カスピ海とイランを監視するために基地を作りたいと申し入れており、それに応じてロシアはガバラ地方（＊22）に持っているレーダー基地をアメリカにリースすると提案している。だが、あるアゼルバイジャンの政治アナリストは言う。

「我々はすでに問題をたくさん抱えている。それをアメリカ人にさらにややこしくしてもらいたくない」

この国の事情は、彼らが使う文字によく現れている。20世紀の100年間だけをとってみても、アゼルバイジャン語が使う文字は、アラブ文字、キリル文字（＊23）、ラテン文字と3回も変わった。

イルハムは、2005年に行われた国政選挙の結果を「政府の進路に影響を与えない」と言って相手にしなかった。その選挙の公正度は欧州安全保障協力機構（＊24）の基準に満たなかったが、アメリカはかまわず結果を承認した。だがアメリカもEUも、議会内の改革派をもっと支持し、信頼のおける野党を育成したほうが自分たちのためになる。東欧の〝クラスメートグループ〟（＊25）はここでもすでに活発に活動しており、反抗する子供はうるさい親父の言うことより、友達の言うことのほうをよく聞くだろうと期待している。

きっかけがクーデターであろうが、草の根運動から出た反乱であろうが、外部からの軍事的な侵略であろうが、民主的な統合が起きるのは、国民が支配者たちから体制を解放するための圧力をかける手段を持っている場合だけである。

アゼルバイジャン外務省のある若い官僚が言った。

「〝もとソ連の一部〟以外なら、なんと呼ばれようがけっこうだ」

この国の国民で〝EU〟という言葉が何を意味するのか正確に知っている人はほとんどいないが、少なくともロシアが支配する「独立国家共同体」（＊26）よりはよいだろうと信じている。コーカサス地方は、「ヨーロッパの東」のなかで西欧から最も遠く離れた、トラブルの多いへき地だが、ヨーロッパが自給自足できる帝国となるための将来がかかっているへき地でもある。

【訳注】＊22：ガバラ地方＝アゼルバイジャン北部の、ロシアと国境を接する一地方。
＊23：キリル文字＝ギリシャ文字から作られたスラブ文字で、現代ロシア文字のもとになった。
＊24：欧州安全保障協力機構（ＯＳＣＥ）＝グルジアの項97ページを参照。
＊25：東欧の〝クラスメートグループ〟＝第３章のコラムを参照。
＊26：独立国家共同体＝92ページを参照。

〈パートⅠのまとめ〉

ヨーロッパ諸国の間で過去何世紀にもわたって続いた衝突と敵対の歴史は、未来を予測するガイドにはならない。今のヨーロッパは、まるで一つの超大国のようになって繁栄している。この統一ヨーロッパ＝ＥＵは、手の届く範囲にあるすべての国を変身させる意志を次第に示しつつあり、そのやり方は、過去や現在のどんな超大国よりも優れている。

今日のヨーロッパの内部では、クルド人はトルコから、ボスニア人とコソボ人はセルビアから、ウクライナ人やグルジア人はロシアから守られている。新たに加盟国になるには厳格な基準を満たさねばならないが、相手にＥＵの本質を学ばせることができる場合には、東ヨーロッパの新加盟国がその教師役を受け持つことが多くなっている。

しかし、このように大西洋からカスピ海まで帝国を広げようとしているＥＵだが、そこでリーダーたちの頭をよぎるのは、バーナード・ショー（＊1）が小説『人と超人』の最後のシーンで、スペイン人の旅行者に語らせた次の台詞に違いない。

「失礼ですが、人生には二つの悲劇があります。一つは心からの望みがかなえられないこと、そしてもう一つは、それがかなうことです」

もし加盟国の二十数ヵ所の首都で、ＥＵの拡大という大プロジェクトの定義と目的に関する合意が倦怠に陥り、コーカサス地方など特に不安定な地域における紛争解決の見込みが怪しくなれば、ヨーロッパ人はやる気を失ってしまうかもしれない。ブリュッセルのキッチンにはシェフがたくさんいすぎて、どのレシピが主体になるのかはっきりしないのだ。

しかし、拡大しないために払わねばならない代償は、拡大するために背負い込む重荷よりはるかに大きい。ゆえに、EUの拡大はニュートンの「慣性の法則」に従うことになる。つまり、「運動している物体は、その同じ運動を続ける」のである。EUは動きを止めるわけにはいかないのだ。拡大を止めれば島国的な状態に陥り、外部からの脅威を招くことにもなりかねない。だがそこで、「過伸長の理論」が顔をのぞかせる。過去の帝国はみな、拡大を続けて過伸長のために滅んだ。

もしEUが拡大を止めれば、ユーラシア西部は基本的に、ロンドン、ブリュッセル、アンカラ、モスクワに統治される四つの力によって代表されることになるだろう。

だがこの四つの車輪は、常に同じスピードで回転するとは限らない。そしてさらに、これらの〝西洋〟にアメリカを加えた五つの世界権力のむこうには、「ヨーロッパの東」のさらに東、「中央アジア」という、さらに大きな困難が待ち受けている。

【訳注】＊1：バーナード・ショー＝19世紀末から20世紀前半に活躍したアイルランド出身の作家、劇作家。ノーベル文学賞受賞者。反骨精神と気の利いた皮肉で知られる。

パートⅡ
ユーラシアの深淵部

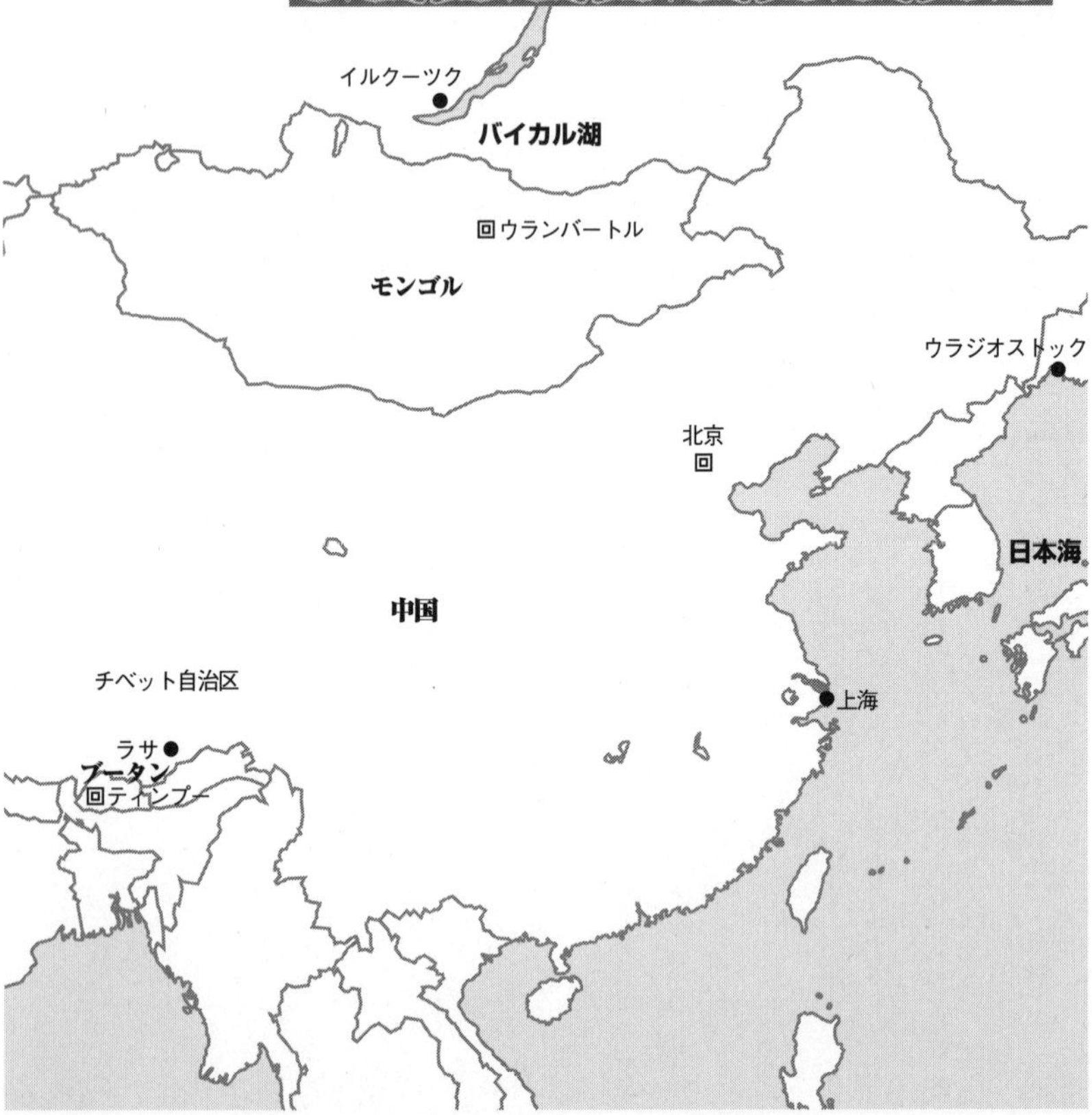

ウズベキスタン
タシケント
キルギスタン
ビシュケク
アルマトイ
イシク・クル湖
ブハラ
サマルカンド
アンディジャン
ジャラル・アバド
オシ
アクス
フェルガナ盆地
ドゥシャンベ
タジキスタン
カシュガル
テルメズ
新疆ウイグル自治区
マザーリシャリーフ
ワハーン回廊
クンジェラブ峠
アフガニスタン
インダス川
カブール
ジャララバード
ペシャワル
イスラマバード
カイバル峠
パキスタン
カシミール
ロシア
ノボシビルスク
ペトロパブロフスク
アスタナ
カザフスタン
アクトガイ
バルハシ
アラル海
バルハシ湖
ウルムチ
カスピ海
ヌクス
ウズベキスタン
トルクメンバシ
トルクメニスタン
タクラマカン砂漠
トルコ
アシュガバート
新疆ウイグル自治区
シリア
イラク
テヘラン
マシュハド
アフガニスタン
ヘラート
バグダッド
イラン
インダス川
クエッタ
デリー
ネパール
パキスタン
ニューデリー
カトマンズ
バーレーン
マナーマ
カタール
ハイデラバード
ドーハ
グワダール
リヤド
アブダビ
カラチ
アラブ首長国連邦
マスカット
インド
サウジアラビア
オマーン
アラビア海
イエメン

第7章 シルクロードと現代の〝グレートゲーム〟（＊1）

今から100年以上も前の1891年のこと、イギリスの若い偵察兵フランシス・ヤングハズバンドは、パミール山系（＊2）の高山でロシアの好敵手ヤノフ大佐とばったり出会った。その時、二人はともに、戦略的に重要な地域であるこの荒涼とした一帯を調査していたのだ。ヤノフが壮大な計画を抱いているとピンと来たヤングハズバンドが言った。

「ロシア人はずいぶん大きな口を開けているな。このあたりを食い尽くすつもりか」

するとヤノフも負けじと応じた。

「これはまだ序の口だぜ」

中央アジアは、東はモンゴル高原から西はカスピ海まで、北はシベリアから南はアラビア海までの、果てしなく広がる乾燥した地域だ。その中央部では、タジキスタンのパミール山系にある標高7500メートルのガルモ山を中心に、大山脈が3方向に向かって延びてこの広大な地域を分割している。まず天山山脈が北から東に向けて弧を描き、キルギスタンを貫いてカザフスタンをかすめ、中国の新疆《しんきょう》ウイグル地区まで達している。つぎにカラコルム山脈とそれに続くヒマラヤ山脈が、南東に向けて中国とインドの国境沿いにネパールまで延び、南西へはヒンドゥークシ山脈がアフガニスタンに向かって連なっている。荒涼とした自然が暗示するかのように、歴史的にこの地域の人たちは、四方から侵入して来る部外者の非情な扱いにさらされてきた。

過去何世紀にもわたり、中央アジアはスラブ人、アラブ人、ペルシャ人、インド人、中国人の文明にはさまれ、西のギリシャ帝国から東のモンゴル帝国に至る征服者たちが次々とやって来ては衝突し、イタリア人から朝鮮人に至るさまざまな商人たちがオアシスで出会う場所だった。今日のカザフスタンからアフガニスタンにかけての地域に住む人々の、人種的にははっきりわからない顔つきには、過去に訪れた民族、つまりテュルク(トルコ)系ヨーロッパ人、モンゴル系アジア人、そしてその中間にあるすべてが跡を残している。アジア人の10パーセントは、歴史上最も名高い征服者チンギス・ハンの末裔《まつえい》だとさえ言われている。

今日の中央アジアの国々にはみな「○○スタン」という名がついているが、この語尾の「スタン」というのは、ペルシャ語で「土地」を意味する接尾辞だ。これらの国、特にカザフスタンとトルクメニスタンには豊富な石油と天然ガスが眠っており、またアフガニスタンとパキスタンを通って武器と麻薬とイスラム武装集団が出入りし、いずれは石油もその2国を通って運ばれるだろうということも、この地方を理解するうえできわめて重要だ。多くの専門家は、この地域全体を、西アフリカから東南アジアに広がる〝不安定の弧〟の一部と見なしている。実際、アフガニスタンを除き、中央アジアに100年以上の歴史を持つ国は存在しない。

今、中央アジアでは、今後の世界秩序を形作るうえで最も重要な事柄は何かが明らかになりつつある。それは、①ユーラシアのリーダーとして、中国はどれくらい信用できるのか? ②ロシアはユーラシアの大国であり続けることができるか? ③アメリカとヨーロッパは、それぞれの地理的な直接の支配圏を越えて協力し合うことができるか? ④エネルギー資源の需要が供給を上回った時、大国は資源を分かち合うことができるか? ⑤豊富な天然資源が眠る貧しい国に、安定した民主主義を定着させることは可能か？　⑥国民を傷つけることなく、有害な指導者を排除するにはどうしたらよいか？　などだ。

過去の歴史において、中央アジアは西洋と東洋を結ぶシルクロードの通過地だったとともに、拡大する帝国の露骨な争いの場だった。そして21世紀の今、この地で発見された石油や天然ガスを確保しようと、世界中の大国が集まり、パイプライン、道路、通商ネットワークをめぐる競争が始まった。こうして、長い間外部に対して閉ざされてきたこの地域は、ようやく外に向けて扉を開き始めたのだ。

【訳注】　＊1：グレートゲーム＝中央アジアをめぐって19世紀に大英帝国とロシア帝国が争った一連の出来事。
＊2：パミール山系＝中央アジアのタジキスタンで天山山脈、カラコルム山脈、ヒンドゥークシ山脈が合流する高山地帯。世界の屋根と呼ばれる。

中央アジアの歴史

ここで、中央アジアの歴史を簡単にたどっておこう。歴史上、この地にやって来た帝国は、みな広大な空間を素早く移動して勢力を広げたが、来た時と同じように消える時もまた素早かった。古代マケドニアのアレキサンダー大王は、紀元前329年までにヒンドゥークシ山脈を通ってマラカンダ（現在のウズベキスタンのサマルカンド）を征服し、現在のタジキスタンのホジェンドのあたりに砦《とりで》を建設して、周囲の攻撃的な部族からギリシャ文明を守ったが、まもなく仏教徒の遊牧民であるクシャーナ朝に駆逐された。

その後もペルシャのササーン朝、中央アジアの遊牧民フン族、アラブ人（彼らは西暦714年に現在の中国の新疆ウイグル自治区カシュガルまで到達している)、ペルシャ系のサーマーン朝と続き、街道沿いには行き交う商隊を宿泊させるための、キャラバンサライと呼ばれる独特な造りの商隊宿が発達した。現在のウズベキスタン東部にあるオアシスの町ブハラは、イスラム教の東の拠点となり、各地から数千人の留学生が訪れて栄えた。

だがそのブハラも、大軍を率いたチンギス・ハンによって１２２１年に滅ぼされる。その時チンギス・ハンは、トルコ系のセルジューク朝に対する敵愾心《てきがいしん》もあらわに「私はお前たちの罪に神が与える処罰である」と言ったと言われている。イギリスの軍事史研究家ベイジル・リデル・ハート(＊3)は、「ローマ帝国もアレキサンダー大王も、モンゴル帝国の強大さに比べれば可愛いものだ」と述べている。モンゴル帝国がシルクロードをよく管理したことが、後のマルコ・ポーロの大旅行を助けることにもつながった。

だがモンゴル帝国は分裂をくり返して衰退し、14世紀になると疫病が流行って、この地域の人口は激減する。その後、アミール・ティムール(＊4)が登場し、西アジアから中央アジアの広大な土地を支配する帝国を打ち立て、最終的には現在の新疆ウイグルの西端の町カシュガルまで勢力を広げた。16世紀にインドのムガール帝国を築いた始祖バーブルはその曾孫《ひまご》だ。

19世紀になると、産業革命の後に工業化が進んだ西ヨーロッパの強国は、鉄道を建設して植民地の内陸部に向かって拡大を始める。フランスは北アフリカで、イギリスはスーダンで内陸へと進んで行ったが、少し遅れてロシアは中央アジアへ進出して行った。クリミア戦争(＊5)に敗北した帝政ロシアは、損失を補うために東に目を向け、１８６５年に現在のウズベキスタンの首都タシケントを滅ぼし、さらに東に進んで現在の新疆ウイグル北西部の町グルジャまで領有した。その時のロシアの将軍スコベレフはチンギス・ハンにも似た非情さで知られ、「強く打てば打つほど、やつらはその後長い間おとなしくしている」と言った。

〝ハートランド〟という言葉をはじめて使ったハルフォード・マッキンダー（＊6）が、「高速で移動できる中央アジアの草原地帯を支配すれば、そこから全ユーラシアの支配が可能になる」と述べ、帝政ロシアが鉄道と通信網を建設して大陸の端から端まで一気に制圧するのではないかと心配したのもその頃だ。もしそうなれば、海運と海軍力で世界を支配していた大英帝国は手も足も出なくなるからだ。

そこで、ロシアが南下するにつれ、イギリスはそれを阻止すべく、インドから北に向かって押して行った。これが19世紀の〝グレートゲーム〟の始まりだ（ロシア人はそれを〝陰のトーナメント〟と呼んだ）。イギリスとロシアは、カシミールやチベットからパミール高原に至るまで、チンギス・ハンの子孫である中央アジアのさまざまな遊牧民国家を吸収し、数回にわたるアングロ・アフガン戦争（＊7）という代理戦争を戦った。この章の冒頭に登場したヤングハズバンド、ヤノフ、それに仏教徒で共産主義者で画家で神秘主義者で（そしておそらく）3重スパイという怪人、ニコライ・リョーリフ（＊8）などの役者が暗躍し、さまざまな謀略戦を闘ったのもこの時代だ。

結局、〝グレートゲーム〟にははっきりした白黒がつかないまま、ロシアによる中央アジア北西部の征服と同化政策が進んだ。第一次世界大戦が始まると、ロシアはこの地域から徹底的に人馬の徴用を行い、服と食料の大量生産を強制し、それらは新たにできたカスピ海鉄道を経由してヨーロッパロシアに運ばれた。ロシア革命が起きてソ連の時代になるとこの地域は集団農場化され、それに伴う飢えと病気に苦しまされた。そして70年間をソ連の圧政のもとですごし、第二次世界大戦中は軍用物資の生産拠点にされ、戦後は環境に大打撃を与えて失敗した自然改造計画の綿花生産に使われたのだ。

【訳注】
＊3：ベイジル・リデル・ハート＝序章33ページの原注を参照。
＊4：アミール・ティムール＝14世紀末から16世紀はじめまで栄えたティムール帝国を建設し、かつてのモンゴル帝国の西半分の広大な地域を征服した。
＊5：クリミア戦争＝19世紀半ばに起きた、ロシア対トルコ、フランス、イギリス、サルディニア連合軍の戦争。主にバルカン半島と黒海が戦場となった。ロシアはこの戦争で敗北した結果、東欧での南下政策が挫折した。
＊6：ハルフォード・マッキンダー＝序章を参照。
＊7：アングロ・アフガン戦争＝19世紀前半から20世紀前半にかけて、80年近くの間に3回にわたって繰り広げられた、イギリスと中央アジア人の戦争。中央アジアに進出してきたロシアの南下を食い止めるために、イギリスがアフガニスタンを支配下に置こうとして始まった。第一次の戦争ではイギリスが大敗を喫して撤退し、第二次の戦争でアフガニスタンはイギリスの保護国になり、第三次の戦争の結果、1919年にアフガニスタンは独立した。
＊8：ニコライ・リョーリフ＝画家としてはかなり有名で、渡米してニューヨークに住んでいたこともあり、英語風にニコラス・レーリックと呼ばれた。今でもニューヨークとモスクワには彼の博物館がある。中央アジアからインドにかけて放浪し、インドで哲学や神秘思想を研究し、ニューヨークにヨーガ・センターを設立した。ノーベル平和賞に3回もノミネートされている。

新しい時代の始まり

1990年代はじめにソ連が崩壊すると、急速に移り変わるユーラシア大陸の幾何学模様が、中央アジアに象徴的に展開され始める。そして21世紀になった今、もと超大国のロシアは近隣諸国に対する影響力を維持しようと躍起になり、いま超大国のアメリカはこの地でいわゆる〝対テロ戦争〟を進めようと躍起になり、これから超大国になろうというEUと中国は、自分たちの法と信条を広めてエネルギー需要を満たそうと躍起になっている（#1）。

しかし、過去の中央アジアの闘いでは大軍が壮大なスケールで征服したり退却したりをくり返したが、最近のこまごまとした作戦は、たとえて言うなら、何人もの選手が入り乱れて同時にやっているフェンシングのようなものだ。選手たちは入れかわりたちかわり、休むことなく突いたりかわしたりしながらポイントを重ねたり失ったりしている。

ロシアはエネルギーのインフラを買収する一方で大量の武器を売り続け、アメリカは軍事的補給の前哨基地をあちこちにいくつも確保して石油メジャーをバックアップし、EUもエネルギー資源開発に巨額の投資を行って地域の経済と企業の近代化を進め、中国は安い商品を市場にあふれさせ、道路その他のインフラの建設では他に一歩先んじている。

【原注】 #1：トルコ、イラン、インドなどの周辺の強国も、この地域を自分たちが望むように作り変えようと、輪になって取り囲んでいる。この地域が独立してすぐ、サウジアラビアとイランのイスラム教宣教師がやって来たが、それぞれがスンニ派とシーア派のイデオロギーを広めようとした試みは、パキスタンの宗派間の暴力的な対立を拡大し、同時にイラン型の宗教政治に対する抵抗を引き起こした。トルコはテュルク系民族という共通点を活かして友愛主義で臨んだが、結局ひじ鉄を食わされた。その理由は、独立したばかりの中央アジアの国々は、ソ連という怖い兄貴分からやっと解放されたばかりで、またすぐ別の兄貴分は欲しくなかったからだ。インドはこの地域、特にアフガニスタンとは昔から文化的に深い結びつきがあるが、周辺国の地理的な壁と、パキスタンとの敵対関係のため、トルクメニスタンやイランの天然ガスに野心はあるものの近い将来それを具体化できる可能性は低い。

NATOと上海協力機構（SCO）

NATOは旧ソ連の脅威から西ヨーロッパを守る目的で作られたが、今ではヨーロッパとアジアの境界であるカスピ海を越えて中央アジアに進出し、上海協力機構（SCO）（＊9）と入り乱れた状態になっている。NATO（北大西洋条約機構）という名称に〝アメリカ〟の文字は入っていないが、それを主導しているのが誰なのかは、それを作るもとになった「ワシントン条約」（＊10）の名を見ればよくわかる。同様に、上海協力機構にはロシアも加入しているが、実質的に誰が主役なのかは〝上海〟という言葉に明確に表れている。アメリカ主導のＮＡＴＯと、中国主導の上海協力機構の間に働く力学は、理念ではなく力関係のみですべてが決まる現実政治の計算の極致であり、第二世界におけるアメリカと中国の外交の対照的な違いが最もよく見えるのが、ここ中央アジアだ。

　１９９０年代にアメリカは〝まずロシアが先〟政策を取ったため、中央アジアをないがしろにする結果になった。当時、この地域におけるアメリカの唯一の関心事は、カザフスタンから旧ソ連の核兵器を撤去させることだけだったのだ。そのためアメリカは中央アジア対策で出遅れ、現在行っている限定的な軍事支援や、限定的な民主主義と市場経済を作る改革は、ほとんど実質的な成果をあげていないように見える。

　それと対照的なのが、共同開発を中心に進める中国の外交だ。アメリカの国務省が、中央アジアの事案を、省内のヨーロッパ局に担当させるべきか、南アジア局に担当させるべきかと思案している間に、中国は独立直後の中央アジア諸国の国境画定争いを素早くまとめ、ロシアとの４０００キロに及ぶ国境を安定させた。その時に中国が掲げた「新安全保障コンセプト」は、信頼感を醸成して近隣諸国を束ねようというもので、まず中国、ロシア、カザフスタン、キルギスタン、タジキスタンの５ヵ国による「上海ファイブ」と呼ばれる連合を結成し、分裂主義、テロリズム、過激主義を「三悪」と呼んでその追放を主要テーマにした。

　この上海ファイブから発展して誕生したのが上海協力機構だ。上海協力機構は国境の税関と検問所に関する共通の規則と方策を定め、シルクロードの古い街道を近代化し、各国間の麻薬取り締まりを連携させた。そのやり方は、コーカサス地方におけるＮＡＴＯのやり方とよく似ている。こうして、はじめは反米的な集まりとしてスタートした上海協力機構は、今では〝東洋のＮＡＴＯ〟のような組織、あるいはエネルギー資源国の団体のようなものになった。それについて、ウズベキスタンの官僚はこう言っている。

「上海協力機構は、NATOが何かをやってくれるまで待ってはいませんよ。我々のもとで働きたいという労働者は十分いるし、軍も協力してくれています」

上海協力機構の団結力は、NATOの集団的安全保障体制（加盟国のどの1国が攻撃されてもすべての加盟国が反撃に参加する）にはまだほど遠いが、中国は新加盟国に微笑み攻勢をかけ、エネルギー資源への投資、加盟国の銀行間の通貨の交換、文化的な対話を義務づけている。だがここで注意しなくてはならないのは、上海協力機構のポリシーには〝民主化〟がまったく入っていないことだ。中国は助言や忠告を与える指導者のようなポーズをとりつつ、加盟国に10億ドル近い資金を貸し付けることで、中国のビジネスのやり方を加盟国全体に強いている。このようなやり方は、モンゴルが滅んだ後の、明朝のシルクロード管理法の現代版だと言える。明は、中央アジアの先住民族である遊牧民国家を支配しつつ、周辺国に貢ぎ物を要求した。今なお王朝体制的な内政が当たり前の中国で、外交だけやり方が違うということがあり得るだろうか？

中国が将来、経済力、人口、外交力をもって、この地域の主導者としてロシアと入れ替わることはまず間違いない。だが同時に、ロシアと中国は、ともに上海協力機構という枠組みを使ってNATOの中央アジア展開を抑え込みたいという、共通の目的を持っている。だが、長らくカザフスタンに滞在している、ヨーロッパのある国の外交官はこう分析する。

「もしロシアの策略がうまくいけば、中国もそれによって利益を得る。そしてそれがもしうまくいかなければ、ロシアに対する地元の不満がつのり、中国は地元の面倒をよくみた慈悲深い大国として株が上がる」

最近この地域で急に貿易が盛んになったのは、これらの国が経済活動の機会に自然に目覚めたからではない。中国が影響力を拡大し、巨額の投資と上海協力機構の指導によって大きなインセンティブを与えたからだ。上海協力機構のほとんどの業務はロシア語で行われているが、旧ソ連で教育を受けた人間たちは次第に舞台から消えつつある。ヨーロッパにおけるフランスと同じで、権力のシンボルとして国際関係で自国語を使わせたところで、それで真の影響力を築くことはほとんどないのだ。

ロシアが中央アジアでリーダーシップをとろうとして作った「集団安全保障条約機構」(＊11)は、失敗した「独立国家共同体」(＊12)ほどもうまくいっていない。それについて、カザフスタンの若い外交官が、

「実際に存在してもいない何かの将来についてなど、どうして語ることができますか」

と言ってせせら笑った。

【訳注】＊９：上海協力機構＝中国、ロシア、カザフスタン、キルギスタン、タジキスタン、ウズベキスタンの６ヵ国により２００１年に発足したが、実質的に中国がＮＡＴＯに対抗して石油・天然ガスの宝庫である中央アジアへの影響力を強化するために作ったもの。

＊10：ワシントン条約＝アメリカのワシントンで調印されたのでこの名があるが、この名は絶滅危惧種の動植物の取り扱いに関する「ワシントン条約」とまぎらわしいので、「ＮＡＴＯ条約」とも呼ばれる。

＊11：集団安全保障条約機構＝１９９２年に旧ソ連を構成していた国で作られた軍事同盟で、現在はロシア、アルメニア、ベラルーシ、カザフスタン、キルギスタン、タジキスタン、ウズベキスタンの７ヵ国が加盟している。

＊12：独立国家共同体＝第６章を参照。

第8章 縮むロシア
——中国がシベリアを乗っ取る日

アジアのロシアはシベリアと極東ロシアから成り、その面積はヨーロッパロシアの5倍もある。この広大な地域は、NATOと上海協力機構（SCO）のどちらが中央アジアの支配権をつかむかを決める時の最終的な〝浮動票地域〟だ。西欧は、ロシアなしにユーラシア支配のカギを握る名高い〝ハートランド〟（*1）へ到達する陸路を確保できない。その途中には、西側の同盟国ではあってもしょっちゅう気が変わるアフガニスタンやパキスタン、敵対するイラン、それにカスピ海という地理上の障害があるからだ。もし西側がロシアを取り込むことができなければ、新〝グレートゲーム〟の勝者は中国になる。

今日のロシアの田舎は、大部分が政府に見捨てられて自活している人たちが住んでいる混乱した世界だ。ロシアの長大な国境は歴史的に常に不安定で、過去数世紀の間に何千キロも伸びたり縮んだりしてきた。その広大な領土は外敵の攻撃にさらされやすく、常に独裁的な政治構造を必要としてきたが、それにもかかわらず、ロシアは国民の生活を直接コントロールできたことが一度もない。シベリアはヨーロッパロシアと道路や鉄道で結ばれているので市場へのアクセスはあるものの、それらの交通ルートがあることが、ソ連時代に悲惨な強制移住をさせられた人たちがヨーロッパロシアに戻る動きを加速させるという皮肉な結果を生んでいる。こうして、ソ連時代に外界から閉ざされていたロシア東部の町は、今ではまるで倒産して閉鎖された工場のように、復興されないまま終わりつつある。

【訳注】＊1：ハートランド＝序章、第7章を参照。

中国のひそかな侵略

世界にロシアと中国ほど、人口が著しく減少している国と人口が著しく過剰な国が国境を接している例はない。しかも、シベリアや極東に住むロシア人は、途切れることなく大量に西方に移住している。その一方で、毎年およそ60万人にのぼる中国人の不法移民が、人口が減少しつつあるロシアの極東地域に移り住んでいる。北京の北にある万里の長城は北方から外敵が侵入するのを防ぐために作られたが、今ではロシアの人口減少数にほぼ匹敵する数の中国人が、それを乗り越えて南から北に向かって侵入しているのだ。

今や極東地域に残っているロシア人はわずか700万人しかいないのに対し、国境の反対側には東北地区だけでも1億人もの中国人が住んでいる。このような人口の巨大なアンバランスは、中国で天然資源への需要が急増していることと相まって、いくつかの根本的な問いを生じさせざるを得ない。その問いとは、「ロシアは今の形をこのまま持続できるのか」「中露国境の静けさは、今後どれくらい持つのか」「国の主権は、大量の市民が移動する際に一緒に持って行けるのか」などだ。

これらの懸案は、理論よりはやく、現実的に答えを出しつつある。ロシアはいわばその地域の主権を中国に少しだけ〝リース〟することで、中国がシベリアと極東を全面的に乗っ取ることがないよう先手を打っている。しかし、〝リース〟はそのままなし崩し的に〝所有権〟に変わってゆくかもしれないし、〝リース〟されている側が勝手なことをやりださない保証はない。すでに中国は、巨大な外貨準備を使って、ロシアの石油企業ロスネフチと中国のシノペック（中国石油化工集団公司）の例に見られるような共同開発計画を増やしており、石油資源の流通に大きな影響を及ぼし始めている。極東ロシアには大量の亜鉛、ニッケル、スズ、ダイアモンド、金《きん》が埋蔵しているうえ、ほぼ無尽蔵の木材資源とオホーツク海の海産資源がある。これらはすべて、世界最大の原材料輸入国である中国にとって魅力にあふれている。かつて中央アジアの〝ハートランド〟がロシアの守備隊によって強固に守られていた時、それはマッキンダーが〝天然の要塞〟と呼んだのにふさわしかった。だが今日、レナ川（＊2）以東のロシアでは、中国人の非合法略奪者たちにとって機は熟している。中国の木材企業は極東ロシアのタイガ（亜寒帯北部に広がる針葉樹の広大な森林）を大量に乱伐しており、その痕跡を消すために火を放ち、太平洋岸から船で千数百キロ離れた中国の港まで運んでいる。巨大な人口を抱えた中国は、豊かな原生林に手をつけないではいられないのだ。

こうして極東は、ロシアにとって夢と悪夢の交錯するものとなった。中国はロシアが過去にしたことのないやり方で極東を開発しており、次第に極東ロシアを実質的に占拠しつつある。そこに住む中国人（それに、かつてスターリンによって強制退去になった朝鮮人も交じっている）は、中国人が経営する診療所に行き、中国人の男たちのなかには、夫が重度のアルコール依存症で廃人同様か死亡したシベリアの女と結婚する者さえいる。

冷戦時代ですら、ロシア人の間には「ソ連から出て行きたいやつは英語を勉強しろ。とどまりたければ中国語を習え」というジョークがあったほどだ。そしてそれには「中国からフィンランドまで、国境はフリーパスだ」というおまけがついていた。地球温暖化がシベリアの永久凍土を溶かしている間に、ロシアの極東地区を中国が人口統計的、経済的に、そしてそのうちに政治的にもコントロールするようになるのは、ほぼ間違いないように見える。１００年前、ロシアは満州を獲得すると、中国人の労働者を使って太平洋岸の町ウラジオストック（ロシア語で「東方の領主」を意味する）を築いた。だが今や、東方の領主は中国だ。

【訳注】＊2：レナ川＝バイカル湖西岸の山脈を水源に、東シベリアを北東に流れて北極海に注ぐ大河。

モンゴルは中国の一部か

中国はまた強引に、しかし静かな重商主義を用いて、清朝時代に領土だったモンゴルを奪い返そうとしている。ロシアと中国との間に不安定な状態で位置しているモンゴルは、かつては中国を支配した時代もあったが、今では人口わずか300万人に満たない不毛の地だ。今では独立国であることを確認させてくれるお飾りの主権を持つだけの国になり、ゴビ砂漠の反対側（南側）で中国の一地方になっている内モンゴル自治区と同じ道を進もうとしている。

モンゴル人のなかには、彼らの国はゴールドラッシュに沸いていると興奮してしゃべる人がいるが、ゴビ砂漠の各種鉱脈も、平原の農業地帯も、北部の森林も、所有権のほとんどは中国企業の手に落ちている。モンゴルの輸出総額の70パーセントは鉱物資源の輸出で占められているが、鉱山で働く鉱員は中国人で、首都ウランバートルのビル群を建設したのも中国人だ。産業の利益のほとんどが中国企業に吸い上げられるため、モンゴルの貧困はいっこうになくならない。モンゴル政府は金《きん》の輸出で得た収入に課税しようとしたが、中国への密輸が増えただけだった。モンゴルには米軍が駐留しており、モンゴル人はアメリカを「第三の隣人」と呼ぶほど親米的だが、軍事力で阻止できるのは武力による侵入だけだ。カネで国が買われてしまうのを軍事力では防げない。

中露の危険な関係

一方、上海協力機構や中露の〝特別な関係〟により、ロシアは中国と大規模な共同軍事演習を行い、世界最大の陸軍を持つ中国はロシア製兵器の最大の顧客となっている。だがこの欲得ずくの結婚は、非常に醜い離婚につながる可能性がある。もしそうなっても、それははじめてのことではない。

1969年に発生した中ソ国境紛争では、両軍の待ち伏せ攻撃や小競り合いがキルギスからウラジオストックまで拡大し、両国は本来共通の敵であるはずのアメリカを飛ばして、お互いを「最大の敵」と呼ぶようになった。最終的にKGBは中国を「最大の敵」から「主要な敵」に格下げにしたが、ソ連からロシアになった今でも、彼らがお互いを戦略的な敵対者と見なしていることに変わりはない。

西側勢力は、東ヨーロッパからロシアの影響力を排除しようとしていることを隠そうとしないが、はたしてシベリアと極東が中国に奪われることを望むだろうか。中国が究極的に描く東アジアの未来図はロシアを除外しており、ロシアは中国による侵食を、欧米を嫌う以上にはるかに恐れている。かくして、東シベリアと太平洋岸の石油積み出し港を結ぶトランスネフチ（＊3）のパイプラインは、中国が黒竜江省の大慶市まで直接引くようにとさかんにロビー活動をしたにもかかわらず、中国領をまったく通らずにバイカル湖の北を通って日本海に抜けるルートに建設されつつある。ロシアはこのパイプラインで日本と韓国の顧客に石油を直接供給することにより、石油の輸送と価格を中国がコントロールするのを阻止しようとしているのだ。

ロシアは1905年に日露戦争で屈辱の敗北を喫したが、それから1世紀たった今では、日本に共同軍事演習やサハリン島の石油共同開発をもちかけて、中国への警戒を怠らない。蒙古系アジア人による2度目の征服（＊4）を恐れるロシア人のなかには、中国人に対する黄禍論を唱える者もいる。極東ロシア軍は、中国がシベリア東部と、石油と天然ガスの宝庫であるサハリン島を占領したという想定のもとで、戦術核兵器（＊5）を使用するシナリオを描いている。

今のところ、中露はお互いを戦略的パートナーと呼んで親善関係を保っているが、冷戦時代の中ソ友好関係と同様、両国の関係は将来破綻《はたん》する可能性がある。なぜなら、この親善関係によって中国はロシアよりはるかに大きな利益を得ており、しかもそれはロシアの犠牲のうえに成り立っているからだ。1970年代はじめに、ニクソンとキッシンジャーはソ連から中国をもぎ取ったが、今日のアメリカとEUは、ロシアが〝ハートランド〟にとどまることができるように、そのうちにロシアを中国との自殺的な抱擁から救わなくてはならなくなるかもしれない。

昔、ロシア皇帝ニコライ2世は、ベーリング海峡に全長100キロ余りに及ぶ海底トンネルを建設して、ロシアの東端とアラスカを結ぶ構想を唱えたが、今日その計画を強く擁護しているのはニクソン政権時代の内務長官ウォルター・ヒッケルだ。

広大な国土に減少し続ける人口が拡散するロシアは、西の方ではかつて支配していた東欧諸国が次々とEUに吸収され、東の方は中国に食い尽くされている。次の数十年のうちに、ロシアの地図が描《か》き変えられる可能性は非常に高い。ロシアは現在の国のかたちを維持することが困難になっており、今のロシアは過去のものになりつつある。西側のロシア専門家は、今や歴史学科で教えている。

【訳注】＊3：トランスネフチ＝石油パイプラインを運営するロシアの国営企業。
＊4：蒙古系アジア人による2度目の征服＝1度目はチンギス・ハンのモンゴル帝国による征服をさす。
＊5：戦術核兵器＝限定された地域の戦闘に用いる小型で射程距離の短い核兵器。

第9章 チベットと新疆ウイグル
――現代の〝竹のカーテン〟(＊1)

西洋人のなかで、チベット解放を支持しない人はほとんどいないだろう。だが中国にとって、チベットを失うことはアメリカがテキサスやカリフォルニアを失うのにも等しい。中国にとって、19世紀の〝グレートゲーム〟は、イギリスやロシアのように結論が出ない不毛の争いではなかった。事実、中国はゲームの勝利者だったのだ。

そのいきさつを簡単に述べれば次のようになる。1895年と1907年の国境に関する合意により、ロシアはパミール山系を得て、イギリスに対する緩衝地帯としてワハーン回廊が設定された。ワハーン回廊というのは、アフガニスタンの東北部から東に向かって舌のように細長く突き出た部分で、その先端は現在の中国の新疆《しんきょう》に接している。だがイギリスは、東トルキスタン(ウイグルスタン)は譲らず、中国に資金援助を行って取り返させた。中国はそれを自国に組み入れ、これが新疆ウイグルとなったのだ。

その後、西トルキスタン(＊2)はソ連の自治共和国となって外界から閉ざされ、いくつもの「〇〇スタン」に分かれたが、中国は東トルキスタン(今の新疆ウイグル)とチベットを昔から支配してきたと主張し続けることになった。もし新疆とチベットがなければ、中国はロッキー山脈より西の州を持たないアメリカと同じになってしまう。もしそうなったら、アメリカは大陸国家としての威厳も、太平洋を支配することもできなくなる。中国もそれと同じで、チベットと新疆ウイグルを失えば、大国の威厳も、中央アジアへの覇権を追求することもできなくなってしまうのだ。

【訳注】＊1：竹のカーテン＝冷戦時代、ソ連の秘密主義を〝鉄のカーテン〟と呼んだのをもじって、中国の秘密主義は〝竹のカーテン〟と呼ばれた。
＊2：西トルキスタン＝現在の中央アジア諸国が占める地域。

中国の〝五つの戦略〟

こうして現代の〝新グレートゲーム〟と〝新シルクロード〟の建設は、中国が西域一帯を引き続き隷属させて開発することにより始まった。このプロセスは、中央アジア全域が今後どうなるかのカギを握っている。

19世紀の〝グレートゲーム〟は、中央アジアの陸路をめぐる闘いだった。古代より、陸路は常に帝国が領土を拡張するために必要な道具だったのだ。今の中国は、すでに新疆ウイグルとチベットを隷属させ、「五つの戦略」のもとでさらに西に向かって進んでいる。その五つとは、①ゆくゆくはロシアのシベリア横断鉄道と競争するユーラシア大陸横断鉄道を建設する、②カザフスタンを通ってカスピ海に通じる鉄道とパイプラインの回廊を建設する、③キルギスタンを通ってウズベキスタンのタシケントに至る、高山の峠を通る街道を改修・近代化する、④タジキスタンとアフガニスタンを突っ切って、イランとトルコに通じる近代的なハイウェイを建設する、⑤現存するカラコルムハイウェイを延長し、パキスタンの西端にあるアラビア海沿岸の港町グワダルに至るハイウェイを建設する（＊3）、の五つだ。これらにかかる経費は、中国がすべて負担することになっている。

【訳注】＊3：グワダルに至るハイウェイ＝第13章のパキスタンの項を参照。カラコルムハイウェイは現在パキスタン北部まで通じている。

アメリカの西部開拓時代に似た状況

今日のチベットと新疆の状況は、アメリカが200年前にフロンティアを西部に広げていった時代と非常によく似ている。西域を〝文明化〟するのだという中国人の考えも、当時のアメリカの植民者の考えによく似ている。そのため西域に住む人たちは、中国が西に支配を広げる政策を「未開の地を文明化する使命」だとして正当化するのではないかと不安を募《つの》らせている。

中国は1949年に国共内戦（＊4）が終了するやいなや、まだ国境が確定していなかった西域の山岳地帯と荒涼とした砂漠に向かって進んで行った。その狙いは、そこに眠る膨大な天然資源の開発であり、流刑植民地を築き、人民解放軍の訓練基地と兵器のテスト場を作り、人口が爆発しつつある中国人の生活圏を広げることだった。新疆とチベットの人たちにとって不運だったのは、彼らの土地が豊かな天然資源に恵まれていたことであり、さらに西方にある中国が必要とする資源を持つ国への通り道に位置していたことだった。

チベットには膨大な木材資源と大量のウランと金《きん》があり、新疆には中国最大の埋蔵量を持つ石油と天然ガス、石炭、ウラン、金《きん》が眠っている。そしてこれらの地域はともに、中央アジア諸国と地理的に接している。

中国は、陸軍兵士をはじめとする大量の人員を動員する人海戦術を数十年にわたって続け、現在の確固たる支配への道を作った（＃1）。2006年に開通した、上海とチベットのラサを結ぶ鉄道（＊5）

は、それによってこの地方における中国の支配が始まったことを示しているのではなく、支配が頂点に達したことを示しているのだ。

【原注】＃1：人民解放軍はチベットより新疆のほうにはるかにたくさん駐留しているが、1950年代に「南方軍用道路」が建設され、新疆からチベットに短時間で軍が移動できるようになったため、1959年のチベット騒乱の時には部隊を素早く送り込むことができた。

【訳注】＊4：国共内戦＝第二次世界大戦後の、中国国民党軍と中国共産党軍の内戦。最終的に毛沢東が率いる中国共産党軍が勝利して1949年に中華人民共和国が成立し、国民党の蔣介石は台湾に逃れた。

＊5：ラサに通じる鉄道＝チベット鉄道がラサまで達したことで、中国軍は大量の部隊と兵器を短時間でチベットまで送り込めるようになった。海抜5000メートルを超える高地を走る列車のディーゼル機関車はアメリカのジェネラル・エレクトリック社製である。

中国の同化政策

本人たちが望もうが望むまいが、チベット人とウイグル人は、中国人によって生活水準を第三世界から引き上げられつつある。道路ができ、電話が引かれ、病院が建てられ、仕事が与えられ、中国人として基礎教育を受けさせるために学費は減額または免除になる。キリスト教徒のヨーロッパ人と異なり、中国人はイスラム教徒の地域を自国に編入することにもまったく抵抗がない。ウイグル人もチベット人も、漢民族ではないのに中国人だと教えられる。

彼らに限らず、モンゴル自治区のモンゴル人も、中国最大の少数民族であるタイ系のチワン族も、唯一の共通語として北京語を習わされる。その一方で、チベット人と新疆のウイグル人は隣同士であるにもかかわらず、お互いの文化を理解し合っていない。そしてチベット人もウイグル人も、チワン族についてまったく知らないように見える。

上海で中央アジアを研究している中国人の知識人が言った。
「ソ連が崩壊したのは、グラスノスチ（情報公開）（＊6）が時期尚早だったからです。国民の連帯を固めないでやってしまったのがいけなかったのです。私たちは彼らのような失敗はしませんよ」

【訳注】＊6：グラスノスチ＝旧ソ連のゴルバチョフ元大統領が共産党書記長時代の1980年代に始めたペレストロイカ（改革）の一環として行われた情報公開。

チベット

帝国は軍事力と法で維持される。チベットや新疆も例外ではない。人民解放軍の歩兵小隊は、チベットの遥《はる》かへき地にも駐屯している。公共広場や、今にも壊れそうな古代の仏舎利塔のすぐ横で、彼らは毎日2回、住民を威嚇《いかく》するかのようにカンフーの練習をする。環境保護地に指定されて人が入れない森林ですら、軍はしばしば野営地に使っている。「チベット電力」と書かれた大看板が誇らしげに立っているが、これも百パーセント中国人の電力会社だ。

中国政府はこれまでに数十億ドルものカネをチベット開発に注ぎ込み、300万人に満たないチベット人をおとなしくさせて良い反応を引き出そうとしている。ラサでは多くの崩れかかった石造りの建物が取り壊され、住民は新しくできた鉄道の駅から町に通じる大通りに建てられた頑丈な一軒家に移動させられている。しかし、このような〝近代化〟は、チベット文化を象徴する由緒ある町を、人間より野生のヤクのほうがたくさんいるさらに奥地の山への入り口にすぎなくしてしまった。

「私の家族で中国に行ったことがある人は一人もいません」と若いチベット人のガイドが言った。

「でも、ここは中国人と警察だらけです。中国人は私たちと同じような帽子までかぶって、とけ込もうとしています」

新疆ウイグル

中国にとって、チベットよりはるかに大きな獲物は、人口もずっと多くて石油も出る、砂漠と山の新疆だ。大量の中国人が移住した結果、ウイグル人の比率は下がるばかりで、〝中国式のアパルトヘイト（人種隔離政策）〟と陰口をたたかれている。歴史的に、イスラム教徒のウイグル人は支配に対して従順ではなく、特に清朝の時代には大きな反乱が続いたほか、国共内戦の終わり頃には一時〝東トルキスタン共和国〟として独立を宣言したこともある。だが１９５０年代末に〝西域大開発計画〟が始まるとともに、〝新疆生産建設兵団〟（＊7）に守られて大量の漢族の植民が行われ、先住民であるウイグル人の小さな活動は隅に押しやられていった。

１９６０年代に文化大革命（＊8）が起きると、新疆は外部の目から見えないように完全に遮断された後、イスラム寺院の破壊とコーランを焼き払う大作戦が行われた。それから30年後の１９９６年に首都ウルムチ市で起きた暴動は、中国が支配する環境でイスラム教徒の文化が平和的に存在することはできないことを証明した。この時、中国政府はすべてのイスラム寺院の再建を停止し、「強打作戦」を開始して何百人ものウイグル人を分離主義者として処刑または投獄した。

その昔、毛沢東と鄧小平がそれぞれ着手し、しかし二人とも完成を見ることができなかった努力の蓄積を、今では見ることができる。タクラマカン砂漠（＊9）を東西に突っ切り、石炭や移住者やさまざまな物資を運び、すでにウイグル人が人口の半分しかいなくなったこの地をさらに〝中国化〟するための鉄道とハイウェイがそれだ。

一日中、ロバの背中に乗って暮らしている人たちは、たいてい自分たちの一番新しい政治的な主人が誰なのかを知る最後の人たちになる。過去何世紀にもわたり、新疆の遊牧民は、彼らよりさらに西方に住むテュルク人のイスラム教徒の仲間と交易をして暮らしてきた。現在、新疆は中国で最も成長の速い地方であるにもかかわらず、住民たちの意識のなかでは、中国は今でもはるかに遠い所にある。人々は今でもイスラムの風習に則って暮らしており、カシュガル地区のイスラム寺院はウズベキスタンのものと似ているし、バザール（*10）ではコーランやパクルと呼ばれるアフガン風の帽子を売っている。多くの女性は頭にスカーフをかぶっているが、なかにはブルカ（*11）を着て道端にうずくまり、物乞いをしている女性もいる。麻薬が蔓延し、ヘロインを打つ注射針の使い回しと売春のため、1990年代になってHIV感染者の数が急増した。中国人にとって、ここは西域のさらに西の果てであり、2階建て豪華バスで東部からやって来る漢族の観光客は、エキゾチックな人々や集落を目にして息を呑む。

新疆は北京から西に3000キロ近くも離れているにもかかわらず、すべての時計の針は北京時間に合わせてある。一つの帝国に時間帯は一つ、ということなのだろう。タリム盆地の南にあるホータン市では、中国人の警察が巡回するたびに人々が緊張する。この町は古代のシルクロードのオアシスの町として栄え、一時は仏教を広める中心地にもなって絹の生産が盛んになり、後にイスラム教の中心地となった。だが今のホータン市では、ロシアのカザン市（*12）と同様、すべての住民が中国政府の厳重な監視のもとに置かれている。アメリカが始めた〝テロとの戦い〟は、中国政府がそれに便乗してウイグル人の扇動者（実際には、ほとんどが不満をためた、ただの若者や学生だ）に〝イスラム過激派〟のレッテルを貼りつけ、自分たちの〝テロとの戦い〟を始めるまたとないチャンスになった。

ごく短期間、東トルキスタン共和国の首都になったグルジャも、有名なシルクロードの要衝カシュガルも、今では中国の近代的な都市になっている。1980年代末にカシュガルにやって来た漢族の開拓者は、中国が〝グレートゲーム〟に勝利したことを象徴するかのように、かつてイギリスとロシアの領事館だった二つの建物をともに観光ホテルに作り変えた。もとイギリス領事館だった建物は、今では「中国庭園」という名になっている。町の中央にある人民広場には、高さが30メートル以上もある毛沢東の像が、右手を北京の方角に伸ばしてそびえている。カシュガルは、ウイグル人、タジク人、キルギス人、漢人が混ざった人種のるつぼだが、青い制服を着て学校に通う子供たちの授業は、みな北京語で行われている。

新疆の首都ウルムチは、漢族が地元の住民、歴史、建築物を徹底的に滅ぼし、現代中国の資本主義をほめ称えるきらびやかな高層ビルに置き換えることにより、内陸の上海となった。チベットと同様、遠隔地であることや気候が厳しいことは、中国人にとって大した障害ではない。往復6車線のフリーウェイが市内を走り、今やこの地の多数民族となった漢族の移住者が真新しい日本車を乗り回し、シノペックやペトロチャイナ（＊13）の大きなガソリンスタンドで給油している。またこの町は、ロシアやパキスタンや中央アジア諸国から安い中国製商品を買いつけにやって来る商人たちであふれている。地元のウイグル人は少数者となって隅に押しやられ、夜の市場で香辛料の効いたウイグルスープとサーカスの切符を売る以外、これといって仕事もなければ、いる場所もない。洪水のように押し寄せる中国人観光客は、大自然のなかの数少ない観光スポットに群がっている。〝天池〟（天国の湖）と呼ばれるエメラルド色の有名な湖があるが、もはや天国のようには見えない。

【訳注】＊7：新疆生産建設兵団＝新疆ウイグル自治区を植民地化して開墾するために作られた屯田兵組織。現在では100万人を超える組織になっているとも言われる。

＊8：文化大革命＝大躍進政策が失敗して窮地に陥った毛沢東が、進歩派を打倒して権力を取り戻すために、〝革命〟の名のもとに起こした権力闘争。紅衛兵の暴走などで粛正の嵐が吹き荒れ、何年にもわたって中国全土が大混乱に陥った。第31章参照。
＊9：タクラマカン砂漠＝新疆ウイグル自治区の中央に横たわる巨大な砂漠。アフリカのサハラ砂漠に次ぐ世界第二の砂漠として知られる。
＊10：バザール＝イスラム圏やインドでよく見られる、屋外テントなどの公共市場。
＊11：ブルカ＝アフガニスタンなど一部のイスラム圏で見られる、女性が肌を見せないように頭からかぶって全身を覆う服。
＊12：ロシアのカザン市＝第6章のグルジアの項の、タタールスタン共和国の訳注を参照。
＊13：シノペックやペトロチャイナ＝ともに中国の石油企業。シノペック＝中国石油化工集団公司。ペトロチャイナ＝中国石油天然気集団公司。

消えゆくものと台頭するもの

仏教徒の理想郷の夢は、今ではチベット音楽と瞑想のCDに残っているだけだ。東トルキスタン共和国建設の夢は、シシカバブを焼く煙となって上空に漂い消えてゆく。皮肉なことに、これら二つの自治区の支配をほぼ完全に固めたという中国政府の意識は、中国版グラスノスチ（情報公開）の可能性への希望につながっている。中国はもはやこの二つの地区で、支配に影響を及ぼすほどの大きな抵抗に直面することはなく、したがって、彼らが締め付けをゆるめることができる日もいつか来るかもしれない。

スピリチュアルなチベット人は、もうかなり前から、彼らの文化的な支えをネパールとインドに見いだしている。チベットは18世紀に中国から、実際に機能できる自治権を与えられており、現在のダライ・ラマ14世が提案している、「独立は求めないが自治権を求める」というのは、このことを指しているのだ。だが、現在のダライ・ラマがひとたび舞台から消え去れば、中国は枕を高くしてチベットの封印を解き、インドとネパールの仏教徒と文化交流を行い、古代のシルクロードを復活させるかもしれない。

今後、チベットと新疆ウイグルは少しずつ、モンゴル、キルギスタン、タジキスタン、アフガニスタン、パキスタン、インド、ネパールなどの周囲の第三世界の国を抜いて発展してゆくだろう。そして中国はその発展を根拠に、「我々はすべての中央アジアの国々の慈悲深い盟主である」と主張し始めるかもしれない。だがそれを言う前に、中国はまず、それらの国への支配を固めようとするだろう。

100年前にマッキンダーは「ユーラシアを支配するものは世界を制するだろう」と述べた。今やユーラシアは、単に陸続きの巨大な土地というだけでなく、近い将来にはアジア横断鉄道が完成し、イギリスのスコットランドからシンガポールやソウルまで鉄道で旅行できるようになるかもしれない。部分的な建設はすでに各地で始まっている。

かつて、中央アジアの先住民は、彼らの土地に進出してきた帝国たちがその本拠地で滅んでゆくのを物陰から眺めていた。だが今では、中央アジアの空間を圧縮するべく、中国のインフラ建設は途絶えることなく進んでいる。

第10章 カザフスタン
――幸せは多方向パイプラインに

気候を楽しむためにこの国に来る人はいない。だが通商ルートを支配することがかつてこの地方の地政学的な価値を高めたのと同じように、今日ではパイプラインを流れる石油と天然ガスを支配することが、この国に莫大な利益と、他国との政治的な結びつきをもたらしている。カスピ海地方の石油埋蔵量は総計およそ2000億バレル（*1）以上と推定されており、ペルシャ湾岸のほぼ3分の1に匹敵する膨大な量だ。帝国たちがこれを放っておくはずがない。

かつてチンギス・ハンが馬で駆け抜けて征服した広大な草原地帯を占める世界最大の内陸国、カザフスタンでは、砂嵐の季節も、吹雪の冬も、現代の〝新グレートゲーム〟のプレーヤーたちによって、石油のシルクロード、パイプラインの建設が休みなく進められている。

【訳注】＊1：2000億バレル＝石油の1バレルを約159リットルとすると、単純計算でおよそ318億立方メートルとなり、東京ドーム2万5600杯分に相当する。

サクセスストーリーは〝全方向ベクトル戦略〟から生まれる

ウクライナ人と同様、カザフ人はこれまで長い間、自分たちの土地の地理的な位置を呪ってきた。

しかも豊かな天然資源が外部の干渉をますます招き、ソ連の一部になると〝南のシベリア〟として扱われて鉱山と工場に利用された。

だが、1991年末の独立がすべてを変えた。カザフスタンはその地理的な位置と天然資源をサクセスストーリーに結びつけたのだ。その成功は、南の近隣国がみな失敗しているのとは比較にならない。

東西を結ぶ重要な通路に位置しているという点で、カザフスタンはトルコによく似ている。そしてこの国も、トルコの〝全方位外交〟によく似た〝全方向ベクトル〟と呼ばれる戦略をとっている。1990年代に長らく外務大臣を務めたカシムジョマルト・トカエフは中国通で、アメリカのごう慢な態度を嫌い、現実的なEUといんぎんな中国を好んでいる。カザフスタンの〝カザフ〟とはテュルク語で〝自由〟を意味し、つまりカザフスタンとは〝自由の土地〟という意味だ。彼らはロシアの召使いに戻る気はもちろんないし、中国の覇権に従属する気もなければアメリカの過剰な干渉や軍事基地建設も望まない。

現代の〝新グレートゲーム〟は、領土の拡張合戦ではなく、油田や天然ガス田やパイプラインの権利獲得競争である。カザフスタン政府は、パイプラインのルートに関する各国のさまざまな思惑と要求を、果てしなく続く曲芸のようにたくみに操っている。なかにはほとんど実現性がない怪しげな計画を、怪しげな資金調達話とからめて持ち込んでくる連中もいる。光ケーブルと同様、パイプラインはグローバリゼーションのインフラとしては目につきにくい。友好のあかしは地図の上に引かれる線だけだ。

この国最大の油田であるテンジズ油田とカシャガン油田の権利の大半は、西側諸国の石油企業が買い取っており、それらの企業が西側の利権を代表しているパターンはアゼルバイジャンと同じだ。またコーカサスのBTCパイプライン（＊2）と同様、アメリカ、ヨーロッパ、中国はみな、カザフスタンに新しく建設されるパイプラインがすべてロシアを避けて通ることを望んでいる。クリントン政権時代、カザフスタン最大の都市アルマトイに住むアメリカ政府職員が配った車のステッカーに、「幸せは多方向パイプラインに」とプリントされてあったのが印象的だった。

カスピ海東岸にあるカザフスタンの町アクタウの港では、新造のタンカーが順番待ちをして並んでいる。カザフスタンの原油は、ここからタンカーでカスピ海を渡ってアゼルバイジャンのバクーまで運ばれ、そこからBTCパイプラインでヨーロッパに送られるのだ。カザフスタンは、カスピ海と黒海を運河で結ぶことも提案している。

【訳注】＊2：BTCパイプライン＝第6章を参照。

ロシアとの駆け引き

ロシアはこれまで長い間、カザフスタンの保護者を自認し、今でも旧ソ連の時代からある巨大なバイコヌール宇宙基地（＊3）の権利を維持している。だがカザフスタンにとって、ロシアは中央アジアというチェス盤にいるたくさんのプレーヤーの一人にすぎなくなりつつある。

「保護はいらないと、ロシアにはもう100年以上も前から言っているんです」

とカザフスタンの外交官がうんざりした顔で言った。

アクタウからバクーに石油をピストン輸送するタンカーを守るため、そしてカスピ海をロシアが支配するのを防ぐため、カザフスタンは「平和のためのパートナーシップ」（＊4）を通じてNATOに協力している。しかし軍事基地を作りたいというアメリカの要求には応じない。カザフスタンは経済的に豊かなので、カネでは動かない。それに、そんなものを受け入れて、ロシアや中国との関係を今以上に損ねるわけにはいかないのだ。カザフスタンとロシアは、ガスプロム（＊5）を通じて、天然ガスの新しいネットワークに関する協定に調印したが、すでにある石油パイプラインに関する両国の関係は悪化している。そのいきさつは、ウクライナとロシアの関係が悪化した時と同じだ。はっきり言えば、ロシアのトランスネフチ（＊6）が、ロシアのコントロールのもとでまずパイプラインを再国有化しなければ、その拡張をブロックすると言っているのだ。

【訳注】＊3：バイコヌール宇宙基地＝旧ソ連による世界最初の人工衛星スプートニクから、現在のロシアのソユーズ宇宙船に至る、旧ソ連とロシアのすべての宇宙ロケットを打ち上げてきた基地。
＊4：「平和のためのパートナーシップ」＝NATOと旧ソ連圏の国の信頼醸成のために1994年に作られた。ロシアも加盟している。
＊5：ガスプロム＝ロシアのエネルギー企業。第2章を参照。
＊6：トランスネフチ＝ロシアのパイプライン運営国営企業。管理するパイプラインは総延長5万キロに近く、世界最大。第8章を参照。

ロシアより中国

カザフスタンにとって、今やはるかに重要な顧客となった中国との取引を犠牲にして、ロシアとのエネルギー資源に関するかつての親密な結びつきを続けることは、もはやあり得ない。中国にとって、カスピ海のエネルギー資源に手を伸ばすことは、主権がややこしくからむ外交ほど難しくはないのだ。首都アスタナで、カザフスタンの政府関係者が解説してくれた。

「中国のエネルギー需要は巨大でかつ緊急だということです。彼らはかなり高めの値段でも払うと言っていますよ」

アメリカの石油企業と違い、中国の石油企業は、政府が公然と後ろ盾になることについて株主を気にする必要がない。パイプラインを通す国境を政府がコントロールしてくれて、マラッカ海峡（＊7）を通らずに石油を輸入できるのだから、こんないい話はない。

カザフスタン最大の町、アルマトイは、中国との国境に横たわる天山山脈の北側の麓にある。この町はかつてロシアのフロンティアだったが、今では中央アジアで最も現代的な都市に生まれ変わっている。ダウンタウンの中心部に、武装警備員に守られた中国のペトロチャイナ（＊8）のビルがあり、実質的に第二の中国大使館として機能している。その高いゲートの奥で、中国とカザフスタンはニュースになる何年も前から石油取引の交渉を続けていた。そして中国は、カザフスタンから中国西部までのおよそ1000キロに及ぶ石油パイプラインの建設に出資し、記録的なスピードで完成させた。2005年の完成式典でカザフスタンのナザルバエフ大統領は、「このパイプラインは中国との〝戦略的パートナーシップ〟を強固に固めるものだ」と述べた。またシノペック（＊9）も、テンジズ油田の近くで大きな試掘場をいくつか確保しているほか、天然ガスのパイプラインを中国まで引く交渉を始めている。中国はこのパイプラインを、新疆ウイグル自治区のタリム盆地から上海まで4000キロを結んでいる「西東パイプライン」に接続する計画だ。

しかし、中国にとってすべてがうまく行っているわけではない。カザフスタンはパイプラインの運営権を手放そうとしないからだ。そのため、さらに共同採掘権を買うことを狙って中国の融資外交がますます激しくなった。こうして、この地域のエネルギー供給国（ロシア、イラン、中央アジア諸国）と消費国（欧米と中国）の相互依存が進むとともに、それらの国が衝突する危険性も高まっている。カザフスタンが欧米と中国の利権のバランスを巧みに取っていられるのも、石油が続く間だけだ。そして摩擦は毎月のように起きている。たとえば、2005年にペトロチャイナがペトロカザフスタン（＊10）を相場よりかなり高い価格で買収した時、アメリカとロシアはともにカザフスタン側につき、カザフスタンが精製施設などの生産部門を〝国家の財産〟だと主張して移転し買収を遅らせるのに協力した。さらにもし将来、カザフスタン政府が油田を国有化すると言い出せば、かつてアラブ産油国が長年にわたって欧米を悩ませたのと同じように、中国は大きな問題を抱えることになるだろう。そのため中国は、カザフスタンにとって〝魅力的なパートナー〟として微笑み外交を続けざるを得ない。

【訳注】＊7：マラッカ海峡＝マレーシアのマレー半島とインドネシアのスマトラ島の間にある海峡で、南シナ海からインド洋に抜ける海の戦略的要衝。
＊8：ペトロチャイナ、＊9：シノペック＝ともに、第9章の新疆ウイグルの項を参照。
＊10：ペトロカザフスタン＝カルガリーに本拠地を置くカナダの石油会社で、カザフスタンではシェブロンのテンジズ油田に次ぐ埋蔵量を持つツルガイ油田の権利を持っていたが、精製施設などの生産部門を自社で所有していなかったため、1990年代末に石油価格が下落すると経営不振に陥った。

中国の侵食

台頭してくる帝国は、地図の上に権利が確定していない土地があれば、冬眠から目覚めて地上に出てきたクマが食べ物を見つけた時のような目でそれを見る。中国はここでも、このクマのように口をあんぐりと大きくあけているのだ。カザフスタンの人たちは、過去何世紀にもわたって中国の領土が広がったり縮んだりするのを見てきた。そのため、中国の精力的なインフラ建設外交がカザフスタンの石油収入を増やすことはわかっていても、それを心よく思っている人はほとんどいない。「中国はロシアとモンゴルに領土を取られたことがあるのだから、今の拡張主義も理解できる」という人もいるにはいるが、多くの人から尊敬を集めているカザフスタンの元在中国大使ムラット・アウゾフはこう断言する。

「中国は過去3世紀にわたり、領土を拡張したいという欲望で終始一貫している」

しかし、たとえ露骨な領土の侵略をしなくても、中国はすでにカザフスタンの資源を侵害し始めている。新疆ウイグルの油田を開発するために、中国はイリ川（＊11）とイルティシ川（＊12）の水を年間15億トン以上も汲み上げていると見られており、それがカザフスタンのバルハシ湖（＊13）の水位を下げているのだ。バルハシ湖はいずれアラル海（＊14）のように干上がってしまうことが心配されている。

カザフスタン人の大部分は、中国との国境に近い東南地域に住んでいる。一方、中国人とウイグル人の商人は国境を越えて往復しているが、半永住的にカザフスタン領内に不法に住みつく者が増えており、非公式な推定ではその数は30万人にも及ぶと言われている。カザフスタンの人口が1500万人であることを考えれば、これは相当な数だ。カザフスタン最大の都市アルマトイは中国国境に近く、日に日に中国語の看板が目につくようになった。最近、中国料理店が雨後の竹の子のように開店していることからも、中国人の人口が急増していることがわかる。カスピ海近くの油田でも、何千人もの中国人が働いている。

【訳注】＊11：イリ川＝中国の新疆ウイグル自治区東部からカザフスタンに流れ込んでいる川。
＊12：イルティシ川＝新疆ウイグル自治区のアルタイ山脈からカザフスタンを通ってロシアのオビ川に流れ込む川。
＊13：バルハシ湖＝カザフスタン東部の中国国境近くにある、中央アジア最大の湖。
＊14：アラル海＝カザフスタンとウズベキスタンの間をまたぐ大塩湖。旧ソ連の「自然改造計画」の失敗が原因で、干上がりつつある。第12章のウズベキスタンの項を参照。

進む民族主義

皮肉なことに、このような中国人の不法侵入は、まさにカザフスタンが純血のカザフ人による国家としてまとまり、他民族との民族的・言語的な溝を克服しようとしている時に起きている。カザフスタンはこの点でもウクライナによく似ていて、昔からカザフ人とロシア人に人口が大きく二分されてきた。以前はロシア人のほうが多かったが、ロシアに移住するロシア系住民が増えていることと、カザフ人の出生率のほうが高いことから、今ではカザフ人が安定多数を取り戻した。

「カザフ語を話すことは、今では出世のための不文律だよ」

と教えてくれたのは、野党の議員だ。アルマトイ市の道路の多くには、ロシア語ではなくトルコと同じテュルク語系のカザフ語の名前がついている。過去10年間でロシア系住民が占める比率は大きく減り、今では総人口の20パーセント以下になった。しかし、ロシアに引っ越してはみたものの、再びカザフスタンに舞い戻ってくるロシア人も多い。アルマトイで会った若いロシア人のジャーナリストはこう打ち明ける。

「ロシアでずっと暮らすつもりだったのですが、むこうに行ったら差別されたのです。私がカザフスタン国籍だというだけの理由でね。それでまたこちらに戻ってきたんです。でも戻ってみたら、こっちのほうがいい仕事があることがわかりましたよ」

涼しい空気が心地よい夏の夕方、屋外カフェやレストランでは、カザフ人とロシア人の若者同士が、カザフ語とロシア語をちゃんぽんに使って話に花を咲かせている。ここでは今でも、旧ソ連時代の心温まる遺品、サーカスもさかんだ。

可能性のある将来

この国には、ほかの第二世界の国なら夢で見ることしかできない自己実現への機会がある。社会的、政治的な安定ぶりはこの地域でほかに例を見ず、経済規模はすでにほかの中央アジアの国をすべて合計したより大きい。エネルギー資源の埋蔵量は総計推定9兆ドルと見積もられている。経済規模と同様、政府の腐敗の規模もまたすさまじいが、それにもかかわらず、この国は石油の生産による利益が最高潮に達している今のうちに国家経営の多角化を進めて、エネルギー市場が不確実になった時に備えようという知恵がある。たとえば、アジアのほかの半独裁国のために経済特区やIT団地を作ったり、旧ソ連の生物兵器工場だった施設を食品工場に衣替えしたりしている。また、大きな埋蔵量を持つウランを自国で活用すべきだとして、原子力発電所を作る計画もある。天山山脈にはスキーリゾートを建設中だ。もし地球温暖化でアルプスの雪が少なくなれば、ヨーロッパからのスキー客でにぎわうかもしれない。

自信をつけたカザフスタン政府は、エネルギー資源の支配権を守るため、最近では外国企業に対して接収や法人税の引き上げなどをちらつかせて、交渉に強気の姿勢を見せている。だが、この国の成功の秘密が外国企業との強いパートナーシップにあることに変わりはない。トルコの建設会社はここで大勢のカザフ人を雇っているし、アルマトイにあった旧ソ連のアカデミーを「カザフスタン経営経済戦略科大学」に作り変えたのも外国人の専門家だ。このビジネススクールには、周囲の国から優秀な留学生が集まって来る。ある教授の話では、この大学の創設者はナザルバエフ大統領自身で、政治的な野心のもとに作られたのだという。

「したがって、もし彼が失脚すれば、この大学が崩壊することも十分にあり得ます。しかし、ここは政治的に汚染されていませんし、ほとんどの授業は英語で行われています。それで、ここは中央アジアの次世代のリーダーを育てるセンターになっているのです」

ナザルバエフ大統領は、国の安全保障という最も肝心なことにおいても、実用主義を通している。ソ連が崩壊した時点で、カザフスタンにはフランスとイギリスと中国を合わせたよりたくさんの数のソ連の核兵器が配備されていた。しかし過去何十年にもわたってソ連の核実験場に使われて犠牲になっていたカザフスタンは（奇形の赤ん坊が死産した例がたくさん報告されている）、アメリカの協力を得て、すべての核物質をロシアに返却し、今では中央アジアを非核地帯にする運動を進めている。

民主化は可能か

こうしてカザフスタンは、統制経済から市場経済へ、そしてソ連の政治局員による支配からカザフ民族主義へ転換を果たしたが、はたして今の独裁体制から、真の選挙による民主主義へと変わることができるだろうか。この国には、民主主義を実践するに十分な経済的な豊かさはある。だがナザルバエフはソ連時代からの残留者であり、またテュルク系民族特有の権威主義的な人間だ。最近、彼は野党の「民主選択党」を解散させ、強力なライバルたちを国外追放し、野党メンバーを逮捕拘留し、3選を禁じた法律に例外をもうけて自ら永世大統領を名乗っている。

しかし彼はまた、昔から遊牧民として暮らしてきたカザフ人に、なんらかの形で民主主義を少しずつ定着させることの価値は認めているようだ。アルマトイのカザフ人政治アナリストがこう説明する。

「おそらく、彼だけは、クーデターや革命や暗殺で倒されることがないだろう。そしておそらく、引退する時には娘に継がせるのではなく、愛国的な技術畑出身の政治家を後継者に指名するのではない

か」（＊15）

ナザルバエフは、カザフスタンをどのような方向にも持っていける力がある。だが野心家ではあるが合理性も備えているので、外部の言うことを聞く耳は持っている。アメリカは民主化を説きつつも、ナザルバエフの戦略的な約束を取り付けることしか頭になく、野党を支援することなど考えていないが、EUはナザルバエフが切望する〝正統な指導者〟としての評価を下すかどうかというカギを握っており、それが否定される可能性は十分にある。ナザルバエフは欧州安全保障協力機構（＊16）の議長選に立候補する意思を見せているが、カザフスタンは人権問題を抱えているので当選する可能性はほとんどない。彼の流儀による〝民主主義〟では、ヨーロッパの一員となるのは難しいだろう。この国では、西洋に向けて出て行く石油の流れの管理も、西洋から価値観を取り入れる方法も、ともにカザフ流のやり方で進んでいる。

【訳注】＊15：ナザルバエフの娘＝三人の娘はみな有力政治家や事業家と結婚しているが、そのうちの一人は政治的に活発で、以前は政党を結成して議会に議員を送り込んでいた。その後その政党は父の党に合流して解散したが、ナザルバエフは彼女を後継者に指名するという観測が流れている。

＊16：欧州安全保障協力機構（OSCE）＝第6章のグルジアの項を参照。

〈コラム〉中央アジアはまとまれるか

2006年にカザフスタンの中央銀行が新しい紙幣を発行した時、そこに印刷された〝銀行〟という文字のスペルが間違っていた。この前代未聞の珍事が起きたのは、旧ソ連の支配から抜け出て自分たちのアイデンティティーを取り戻そうとしているこの国が、彼らのテュルク系の言語が使用する文字をキリル文字（＊17）からラテン文字に変更しようとしていたことが原因だった。

かつてソ連の一部として圧政に苦しめられた中央アジア諸国にとって、再び抑圧されて自分たちのアイデンティティーを失わないようにする努力は楽ではないに違いない。それらの国のなかには、独立することを恐れた国もいくつかある。ソ連というパトロンがなくなることを恐れた国のなかには、ゴルバチョフ政権を転覆させようとした1991年のクーデター（未遂）を支持したり、ソ連が崩壊して連邦が存在しなくなった後で連邦にとどまるというとんちんかんな決議を行ったりした国さえある。

これらの国は、ソ連に併合される前はみなハン（汗《かん》）と呼ばれる称号を持つ君主（首長）が統治したさまざまな遊牧民の部族連合にすぎなかった。そのため、独立はおろか、住民たちが国家というものに所属したのはソ連に組み入れられた時がはじめてだったのだ。したがって、ソ連時代からの遺産を拒否することは、現在の彼らの民族主義的国家建設を否定することにもつながる。すべての中央アジア諸国では、独立後、ドイツ系、ユダヤ系、それにロシア化したインテリ層などの頭脳流出が起き、そのため医療と教育の不在が深刻化し、エイズの蔓延に直面した。

これらの国では、いろいろな意味で、今でもレーニンやスターリンの教育が生きている。彼らはイスラム法のほかにも、モンゴル、ティムール朝、帝政ロシアの時代の法律の影響を受けているが、政治的な性格としてはモンゴル＝テュルク系の部族的な上下関係のしきたりが強く、それにソ連的な権威主義の強い専制政治を好む傾向が重なっている。そのため、アジア的な縁故主義に、あらゆるものに書類を必要とするソ連的な官僚主義が結びつき、あらゆることに許可や承認や賄賂《わいろ》が必要なシステムが作り上げられている。ここでは博物館に入るにも書類にサインをしなければならない。

中央アジアの国々はすべて強権を持った大統領による独裁制で、意図的に力を持たない議会を維持し、経済も部族長たちを中心とする少数独占支配が行われている。政治権力と経済権力は完全に重複し、その二つに区別はない。これらの国の指導者たちはみな、ヨーロッパ型の民主主義より東南アジア型のゆるやかな権威主義を好むが、実質的にはみな国に一時的に経済成長をさせることで盗みを正当化する〝盗賊政治家〟だ。彼らは政治を近代化させることを口にするが、年を取ったり弱さを見せたりすると、たちまち後継者選びの危機が訪れて政権が不安定になる。このパターンは、過去にこの地域に興ったすべての王朝と変わらない。ソ連時代に勝手に決められた国境の内部で、常に安心できないこれらのリーダーたちは、隣国の反対勢力をかくまい、石油や天然ガスを止めると脅しをかけ、お互いの足を引っ張り続けてきた。中央アジアの国の特技は、政党が突然消滅して指導者が亡命し、外国から国民を扇動することだ。

中央アジア諸国はみな海がない内陸国なので、貿易を行うには他国の領土（やその上空）を通過しなければならず、また外国の援助と投資がなければ生きていくことができない。豊かな天然資源に恵まれているカザフスタン、ウズベキスタン、トルクメニスタンも、資源の採掘、抽出、世界市場への販売、のすべての面でロシア、中国、アメリカ、ＥＵに頼らなくてはならない。それに、乾燥した荒れ野や草原の国は水が不足している。最近ようやく、石油と天然ガスの豊かなウズベキスタンとトルクメニスタンと、上流で水をコントロールしている山岳地帯のキルギスタンとタジキスタンが、争い合うのをやめてバーター取引の話し合いをするようになった。

しかし、彼らの独立を守る最もよい方法は、団結して大きな連合を作り、特定の大国に支配されずに現代の〝新グレートゲーム〟の直接のプレーヤーになることだ。ウズベキスタンとカザフスタンはＮＡＴＯと上海協力機構の両方をうまく天秤にかけて操っている。それについてカザフスタンの外交官が打ち明けた。

「これまでの経験から、私たちは学んだのです。大国はみな、私たちの利益のことなど何も考えていないということをね」

中央アジアのほかの国の指導者たちも、もしこのことをよく理解すれば、みな自分たちの国が簡単に崩れることのないように連合しようという気になると思うのだが。

【訳注】 ＊17：キリル文字＝現代ロシア文字のもとになった文字。第6章のアゼルバイジャンの項を参照。

第11章 キルギスタンとタジキスタン
——独立していることだけがすべて

中央アジア諸国が独立してすでに20年近くがたとうとしているが、外部のほとんどの人には、いくつもある「〇〇スタン」の区別がいまだにつかないかもしれない。だがキルギスタンとタジキスタンに限って言えば、それで別にどうということはないかもしれない。この二つの小さな第三世界の国は、帝国が日に日に広げつつあるカーペットの下に、そのうちに掃いて入れられてしまうことになりそうだ。国境が無情に引かれた中央アジアの片隅にあるこれらの国は、帝国のフロンティアというほどの広さもない。100年前と同じで、〝グレートゲーム〟は天山山脈とパミール山系で引き続き行われている。

キルギスタン

キルギスタンは、ロシアナイズされた北部と、人口が多くてイスラム色の強いフェルガナ盆地のある南部が、文字通り天山山脈で二分されている。北部にある首都のビシュケクから、フェルガナ盆地にあるキルギス第二の町オシに行くには、目を見張るほど美しい、しかし険しくて危険な山道を12時間もドライブしなければならない。これがもし統制のとれたまともな国なら、世界一きれいな空気と、高山と美しいイシク・クル湖と温泉がある素晴らしい観光地として発展するだろう。だが残念ながら、かつてソ連によって外界から閉ざされていたこの国は、〝新シルクロード〟のただの通り道に過ぎなくなる可能性のほうが高い。

貧しいキルギスタンは、常に周辺の大きな国が〝排除しない友情〟を差し伸べてくる対象になる。1990年代はじめには、中国が国境を画定すると言ってキルギス政府に山地数百平方マイルを売り渡させ、それを知って怒った民衆の暴動が起きた。ウズベキスタンともめて天然ガスを止められた時には、カザフスタンがガスを供給してくれた。だがカザフスタンは最も友好的な国ではあるが、風光明媚なイシク・クル湖に直行する自分たちの専用道路を独自に建設した。カザフスタンの観光客がキルギスのたちの悪い警察に嫌がらせをされずにイシク・クル湖に行けるようにすることが目的だった。

ロシアと中国の企業は、キルギスの冶金産業や食料品生産セクターを次々に買収しており、ほとんどのキルギス人を過去何世紀もそうであったのと同じ状態に置いている。つまり、古代と変わらぬ馬で農具を引く農業である。首都ビシュケクにある感じのいいレストランは、欧米諸国の外交官のためのカフェテリアのようになっていて、まともな仕事のない女たちが、マッサージの客を取ろうと、ホテルに泊まっている男性客にひっきりなしに電話をかけてくる。

外務大臣が怒りをぶちまけた。

「アカエフ前大統領は、わが国を中央アジアのスイスにすると言っておきながら、自分の家族のためのスイスにしてしまったのです」

だが2005年にこの国で起きたいわゆる〝チューリップ革命〟ほど、革命と呼ぶに値しない革命はなかった。それはただの支配階級のクーデターで、その後も状況は文字通り何一つ変わらなかったのだ。アメリカに資金援助された小企業やメディアがアカエフに対する反対運動を扇動し、アカエフはモスクワに逃亡したが、その結果は、バキエフ現大統領のマフィア政権にそのままバトンタッチしたにすぎなかった。ビシュケクのある政治アナリストはこう言う。

「アカエフよりはましだろうということで、多くの人は喜んで反対勢力を支持したわけです。しかしバキエフになっても腐敗は相変わらずで、失業率もまったく改善していません」

独立以来、できた政府はどれもみないかさまで、もちろん国を安定させるために何かをしたことはほとんどない。民主化革命という名のもとに、まがいものの民主主義をさらにわけのわからない何かで入れ替えても、無定見なリーダーたちを中国とロシアがさらに操ることになるだけだ。中国は自分たちがこの国を思うように動かせる限り、誰がリーダーだろうがかまわない。

新シルクロードの通過点

いま中国は、かつてこのあたりを通っていたシルクロードを甦《よみがえ》らせようとしている。キルギスのシルクロードは、西暦751年にアラブ人がタラス河畔の戦いで唐を破って天山山脈の反対側に押し返すまで栄えていた。キルギスと中国との国境、天山山脈を越える有名なトルガート峠は、今では大型トラックが通れるしっかりした道になり、その延長は西隣のウズベキスタンまで延びている。中国にとって中央アジア諸国との貿易は取るに足らないものだが、キルギスタンとタジキスタンにとって中国の存在は巨大だ。しかもそれは日に日にますます大きくなっている。

キルギスタンにとって中国は最大の輸出先であり、またビシュケクのバザールは中国から入ってくる安い生活物資であふれている。国境をまたいで行われる商売が国内に住み着く中国人の数を増やしているという点では、キルギスタンはカザフスタン以上で、あちこちに中国人街が出現している。ビシュケクの元「レーニン通り」は、今では「鄧小平通り」と名を変えている。

アメリカの情報収集基地の効果は

アメリカの中央アジア戦略は、アフガニスタンの作戦にとどまらず、パイプラインの安全確保と中国の動向を監視することにまで拡大している。それとともに、キルギスタンの役割も情報収集のために駐屯地を置く国に戻り、アメリカの策略も昔の大国をしのばせるものになった。大国はみな、まず守備隊を駐屯させ、次第に少しずつその数を増やしてゆく。ロシアは自分たちの聖域をけっして手放そうとしなかったが、ビシュケク近郊にあった旧ソ連のマナス基地からは撤収した。そこは今ではアメリカ軍が使っている。

1969年に中国とソ連が砲火を交えた境界のあたりでは、今では両国のスパイ合戦が行われている。アメリカがAWACS《エイワックス》機（＊1）を駐留させようとした時には、キルギス政府は中国から圧力をかけられてアメリカの申し出を断った。このことは、この国に点在するアメリカ軍の駐屯地はペンタゴンが望むほどうまく連携して機能しておらず、むしろ押し寄せる中国の商品とインフラ構築の波に水没しそうな孤島になっていることを示している。

開発途上国で真に影響力があるのは軍事基地ではなく、安い商品やインフラだ。ペンタゴンは輸送機でアメリカ人を基地に送り込むことができるかもしれないが、それが何になるというのだろう。軍事基地で中国の経済活動をひっくり返すことはできないのだ。だが中国は、この国にどんな政権が誕生しようが簡単に買収し、アメリカ人を基地内に閉じ込めておくことができる。もし民主化のための援助が、いつまでも独裁者を助けたり政治コンサルタントへの支払いに消えていくだけなら、欧米が排除したいと願っているまさにその政権が引き続き繁栄するだけだ。

【訳注】＊1：AWACS（エイワックス）＝早期警戒管制機。戦闘・警戒空域周辺を飛行し、あらゆる空中哨戒、偵察、味方機の誘導、管制などを行う軍用機。

タジキスタン

タジキスタンも、道路や地理に関するこまごました政治状況はキルギスタンと同じだが、唯一違う点は、ここはイスラム過激派の影響が強いということだ。この国の「イスラム復興党」は、旧ソ連時代に認められた唯一の宗教政党だったが、共産主義だったはずの政府指導者たちは、ソ連崩壊の引き金となった1980年代のアフガニスタン戦争における反ソ活動に見て見ぬふりをし、「イスラム復興党」は民族主義者が結集する中心となった。

1990年代はじめに起きた内戦では15万人近くが殺され、ほぼ同じ頃に起きたバルカン紛争と同様、元共産国のもろさを露呈した。1992年の総選挙でロシアに後押しされたエママリ・ラフモノフ（現大統領。2007年にラフモンと改名）のグループは、選挙に勝利したのにもかかわらず、首都ドゥシャンベに行くために反対派と戦わねばならなかった。

ラフモンの腐敗政権は、すべてをモスクワに担保に取られている。タジキスタンにはおよそ2万人のロシア軍が駐留しており、ロシア企業がほとんどの水力発電ダムを運営し、隣のウズベキスタンに電力を売って利益をあげている。第三世界の典型的なパターンがここでも見られ、ロシアで働くタジク人からの送金は国家予算を上回っている。この国はイスラム世界と世界銀行とEUの慈悲で保たれ、国民の80パーセントが依然として貧困状態にある。これではアフガニスタン国境付近の人たちが、生き延びるために麻薬の密輸に関わるのも無理はない。

しかし、タジキスタンはまた、中国が新疆《しんきょう》からイランに通じる通商ルートを再建するのに欠かせない位置にある。このルートは、キルギスのオシ、タジキスタンのドゥシャンベ、アフガニスタンのヘラートを通っている。イランはタジキスタンと人種的、言語的に近く、タジキスタンの二つの主要な町を結ぶ街道が山脈を越える部分にトンネルを建設する資金を出資している。このトンネルが完成すれば、それまで雪の深い冬に不通になっていた街道が一年中通行できるようになり、中国とイランがさらに近くなる。

今にも崩れそうな廃屋のような検問所で、国境地帯警備の若い兵士が言った。

「我々はもうロシアとは境界を接していません。我々が国境を接しているのはアフガニスタンと中国です。中国人が作ってくれている道路がなければ、我々は自分の国の中でも動き回れませんよ」

しかし、この新しいシルクロードが完成すれば、貿易に使われるばかりでなく、麻薬や伝染病や過激思想も今までより速い速度で伝わってくることになる。それで中国もロシアも、南部一帯を安定させてアフガニスタンとの緩衝地帯にしようというアメリカとEUの努力を歓迎している。

今では、アメリカとEU諸国の管理のもとで、アフガニスタンとの国境になっているパンジ川の物資の流れは効果的に監視されている。かつて、ソ連の兵士たちが現金収入のために麻薬密輸グループとグルになっていたのとは大違いだ。だが中国は素早く欧米のやり方を学び、ノウハウを上海協力機構の国境警備に取り入れているばかりか、さらに一歩進めて共同水源管理の戦略をあみ出している。これらの再建されたシルクロードの道路網を通って日に日に深まる、政治的、経済的、戦略的な結びつきが、その南に横たわる、ソ連の墓場となったアフガニスタンにアメリカを釘付けにしてしまう可能性は十分にある。

第12章 ウズベキスタンとトルクメニスタン
――まるでタイムトンネルに入ったような独裁国

ウズベキスタン

2001年9月11日に同時多発テロが起きてから数ヵ月後、ウズベキスタンを旅行するアメリカ人は、検問所を通るたびに「ブッシュの友達!」と声をかけられた。その頃のウズベキスタンは、アメリカがアフガニスタンで行っている作戦を支える最前線になっており、オサマ・ビン・ラーディンを暗殺する目的で持ち込まれた無人偵察攻撃機がアフガン国境近くから発進していたのだ。ウズベキスタンは、テロリスト容疑者の尋問と拷問《ごうもん》を行うCIAの企てにも積極的に加わった。こうしてこの国は、米軍に協力することで存在感を高め、中央アジアのきわめて重要な地位にあることを周囲に示していたのだ。

だがそれからわずか5年後、アメリカは基地はおろかすべての人間を引き揚げ、この国の政権はほとんど崩壊しそうになっていた。いったい何が起きたのか。

ウズベキスタンは、ユーラシアの中心である〝ハートランド〟の、さらに中心部に位置している。その人口は、旧ソ連から独立した中央アジアの諸国のなかで飛び抜けて多く、またそれらすべての国と国境を接している。都市がたくさんあり、ほかの中央アジアの国々よりインフラが整っていたため、1990年代はじめには中央アジアのリーダーになるだろうとさえ思われていた。金《きん》の産出量は世界第8位で、石油、天然ガス、ウランの埋蔵量も多く、綿花の生産に加えて軽工業の基盤もあるので繊維産業に適している。大統領のイスロム・カリモフは、テニスの国際トーナメント〝大統領カップ〟を首都タシケントで主催し、「軍用ロケットよりテニスラケットのほうがよい」とスピーチしたほどで、当初は進歩的な人物と思われていた。

第三世界に沈没

だが、カザフスタンのナザルバエフ大統領がテュルク人（＊1）の復興を考えて未来を見ていたのとは対照的に、ウズベキスタンのカリモフは過去に注目して、14世紀にティムール帝国を建設したアミール・ティムール（＊2）に国のアイデンティティーを見出した。そしてカリモフはタシケントの街のいたるところにあったソ連時代のマルクスの銅像をすべて廃棄し、馬に乗ったティムールの銅像に置き換えた。しかし、同じ独裁者でも、ティムールは四方に商隊を送って中国、アラビア地方、インドとの関係を深めたが、カリモフは国を閉ざして新シルクロード最大の障害を作ったばかりか国民を弾圧し始めたのだ。

ウズベキスタンは、ほぼすべての面でカザフスタンに後れを取っている。そのいい例が、両国にまたがる大塩湖のアラル海（＊3）だ。アラル海は旧ソ連時代の非現実的な自然改造計画により、綿花生産を目的に無謀な灌漑工事を行ったため、水位が極度に下がって湖が南北に分かれてしまったうえ、周囲に深刻な塩害を発生させている。カザフスタン側の小アラル海はダムが建設されて徐々に水位を回復させつつあるが、ウズベキスタン側の大アラル海のほうはますます干上がり続け、塩分と綿花栽培で大量に使った病虫害除去剤で汚染された大湿地帯が広がっている。こうして、カザフスタンが第二世界のなかでも上位に向かって上昇していく一方で、ウズベキスタンは第三世界に深く沈んでいった。

ウズベキスタンの東部に突き出ているフェルガナ盆地は、中央アジアの高山に囲まれた手の平のような小さな平地で、面積は中央アジア全体の5パーセントにすぎないが、その全人口の20パーセントが住んでいる。そして三方を取り囲む国境地帯にはさまざまな民族が入り組んでいるため、この地域は中央アジア版コーカサスのような様相を呈している。

かつてソ連のスターリンは、住民が団結して反乱を起こすのを防ぐため、コーカサスでもここでも、少数民族同士をいがみ合わせるような形で運命の国境線を引いた。1990年にウズベク人とキルギス人の間で民族紛争が発生した時、ロシア軍はそれを止めず、モスクワはイスラム過激派のせいにした。人口密度も貧困度も高いフェルガナ盆地では、紛争が起きれば大量の難民が発生する危険がある。アラブの貧しい若者たちと同様、ここでも若者たちが街角のカフェにもの憂げに座り込んで、仕事がくるのを待っている。彼らは麻薬密輸の増加と社会福祉政策の不在で破滅的な影響を受けた。

今日でも、サマルカンドやブハラ（＊4）に行くと、シルクロード時代から続くマドラサ（イスラム法学校）やバザールを目にすることができる。昔ながらの織り機でシルクの布を織る人、複雑に込み入ったイスラム文字のタイル張りを修理する男性、エキゾチックな楽器で民族音楽を奏でるミュージシャン……。しかしその音楽を聞いている人は一人もいない。イスラム法学校も空席が目立つ。サマルカンドを現代的なイスラム教の中心地にすることも、フェルガナ盆地で農業を育てることも、やろうと思えばできたはずだが、この国は、機会を無駄にすることと指導者が歪んだ野望をもつことが国をだめにする好例になってしまった。

【訳注】＊1：テュルク人＝トルコ系諸民族の祖先を持ち、同語族の言葉を使う人々。
＊2：アミール・ティムール＝第7章を参照。
＊3：アラル海＝カザフスタンとウズベキスタンにまたがる大塩湖。
＊4：サマルカンドとブハラ＝ともにウズベキスタン東部の古都。世界遺産に指定されている。

弾圧の口実に使われる〝テロとの戦い〟

カリモフは〝テロとの戦い〟を口実に、イスラム系政党と社会事業団体を解散させ、昔からあるイスラム法学校をはじめとする社会福祉団体や教育機関に〝過激派〟や〝原理主義者〟のレッテルを貼りつけた。これは中央アジアやアラブ諸国政府によく見られる手口だ。カリモフは自分自身、名目上はイスラム教徒でありながら、ソ連共産党の犯した間違いをくり返したのだ。スターリンは、中央アジアで蜂起したイスラム勢力を武力弾圧した際、イスラム教徒を〝盗賊〟と呼んで山岳地帯に追いやり、3万ヵ所近くあったイスラム寺院を1000ヵ所ほどだけ残してすべて焼き払い、残した寺院はすべて工場か博物館にしてしまった。しかしソ連はイスラム諸国に対する印象を良くするために、少なくとも政府が認めた〝正式な〟イスラムだけは認可し、タシケントにそのセンターを設立した。だがカリモフは、イスラム主義グループの脅威を大げさに宣伝して自分の独裁政権の強化に利用しただけだった。

南のパキスタンやアフガニスタンから暴力的なイスラム原理主義が伝わってくるのは、けっして避けようのないことではない。政府のやり方に意見が合わなくて辞職したウズベキスタンの元官僚が説明する。

「イスラム主義者のグループは、昔から大体においてその地域の政権に反対する一つの形態として存在してきたのであって、最初から過激派ではないのです」

カザフスタンでは、若い男がイスラム寺院の行事に日常的に参加していても迫害を受けることはないし、イスラム教徒であることと不満分子であることは無関係だ。ここウズベキスタンですら、過激派ははじめ、北アフガニスタンのウズベク人軍閥に対するごく小さな反動として生まれ、政府を転覆しようという意図はまったくなかった。ほとんどのウズベク人は、ほかのいたるところで起きている政治的なイスラム運動の騒ぎには関心がない。

「宗教が起こす問題に日々の生活が影響されたことは、今までなかったですよ。イスラムに対する扱い方がおかしくなってきたのは、ほんの最近のことです」

と、その元官僚は言う。

イスラム過激派と独裁政権の関係

風船を押さえつけてもしぼむことはない。押さえつけた手のすぐ横のところがはみ出て膨らみ、それをさらに押さえつけていけば、最後はそこが破裂する。カリモフは反対する政党を実質的にすべて禁じたため、残ったのは政府を標的にするイスラム過激派組織だけになってしまった。

カリモフのような独裁政権は、イスラム過激派が若者をリクルートする時の宣伝に使うのに最適だ。この国の武装グループの数千人は、ほんの数年前まではイスラム教の修行すらしていなかった都市の若者たちだ。だが政府が幅広い現代的な国家のアイデンティティーを何も与えなかったために、彼らは別の方向に行ってしまったのだ。夫を殺された未亡人たちのなかにも、亡き夫の遺志を継ごうとこれらのグループに参加する人がたくさんいる。世俗派の人たちですら、そういうことが起きる原因を作ったカリモフの弾圧を良く思ってはいない。２００４年にタシケントの公共広場で起きた、この地域ではじめての自爆攻撃は、多くの人の同情をかった。この国がアフガニスタンのようになるのではないかと心配する人は多い。

カリモフは独裁者だが、暴君というよりは猜疑心が強く、そのため農民の土地所有を禁じ、輸入品に高い関税をかけ、外国為替を厳重にコントロールした。それで外国からの投資がなくなると、フェルガナ盆地周辺国境とカザフスタン国境を閉鎖して、物資の流入を止めてしまった。これ以上、屋外バザール（*5）で生計を立てている貧しいウズベク人の反感を買うことはない。国境の反対側では、通関できない中国のコンテナが無数に2段積みにされ、まるで巨大な迷路のようになっている。カリモフはバザールを解散させ、国境付近の家を取り壊した。その後、フェルガナ盆地には、昔のソ連によくあったような闇市が雨後の竹の子のように出現したが、国境の検問所で多額の賄賂《わいろ》を払わねばならないため、商人の利益は激減した。

カリモフはフェルガナ盆地で商売をしている人たちへの見せしめのため、イスラム過激派のレッテルを貼り付けて二十数人を逮捕した。そして2005年5月、その人たちの釈放を求める平和的なデモ隊に警官隊が発砲し、アジアでは1989年に北京で起きた天安門事件以来の大虐殺となった。ある男性は、過激派である明らかな証拠が一つもないにもかかわらず逮捕され、2年間にわたって拷問された。

こうして首都タシケントは、今や警察国家のなかの警察都市となった。半径およそ230キロ以内には軍と警察の検問所が至るところにあり、反政府分子が首都に入らないようすべての車をチェックしている。政府の建物はフェンスで囲まれ、市内は〝街の美化〟を名目に、デモができそうな空間はすべて閉鎖されている。独裁者カリモフが国民を恐れているのは皮肉なことだ。内務省と治安警察はそれぞれの軍と利権を持ち、6万人の規模を持つ軍隊にこれらを加えれば、ウズベク人が多数を占める隣のタジキスタンのホジェンド地区をたやすく併合できる兵力になる。

【訳注】＊5：バザール＝第9章の訳注10を参照。

中露への接近

カリモフは虐殺事件を、アメリカの〝テロとの戦い〟に準拠したものだと主張して、アメリカを居心地の悪い立場に立たせたが、欧米から激しい批判が起きると、ロシアと中国にさらに接近した。ウズベキスタンはもともと上海協力機構のメンバーだが、カリモフは上海協力機構の要求という形を取り付けて、アメリカにアフガン国境近くの基地から撤収するよう要求した。

カリモフはまた、人権問題、司法の改革、独立系メディアの育成などに取り組んでいたアメリカのNGOを追い払った。民主化運動を支援するアメリカのNGOは、時としてアメリカ政府が支持する政権と対立することがあるが、それでも民主化支援はアメリカ政府の重要な対外政策の一環だ。アメリカは支配する側とされる側の両方にアドバイスしようとするが、たいてい、アドバイスを受け入れるのは支配される側だけだ。そしてたとえアメリカ政府がその政権を支持していようと、民主化支援のNGOはその国の人たちが立ち上がるのを支援する。

しかし、この一貫性をひどく欠くアメリカの政策が、結局それ自身の終焉をもたらすことになった。〝テロとの戦い〟がからんでくると、人権を抑圧しているという理由で国務省が援助を減らしても、ペンタゴンが軍事支援を増加させてしまう。ウズベキスタンに与えられた5億ドルのうち、民主化のための活動に使われたのはほんの少しだった。海外援助というのは、常にその国の発展のための援助であるのと同時に政治的なもの（それによって自国の国益になるように誘導する）だが、ウズベキスタンでは結局、経済的変化もアメリカに対する忠誠心も生まなかった。

援助を与える条件として政治改革を要求しなければ、独裁国の指導者はますます大胆になって国内の反対派を弾圧するようになる。ほかの世界権力が似たようなオファーをすることができる時、そのような安物の政権に軍事援助を与えても、政治的な利益をもたらすことはほとんどないのだ。民主的な政治改革をやらない国への援助をＮＡＴＯが打ち切れば、すぐ上海協力機構がやって来て、独裁者に居心地の良い援助を与えてしまう。これらの独裁者たちは、欧米の口うるさい指導監督を受けるより、何も言わないで援助してくれる中国やロシアをパトロンにするほうを好むように見える。

ウズベキスタンは中国と国境を接してすらいないが、カリモフは自分の国が中国の影響圏に入ることを望み、大虐殺事件の少し後、北京に行ってフェルガナ盆地の石油・天然ガス田の開発と、パイプラインを中国西部まで引く10億ドル近い内容の合意書にサインした。こうして中国は、カリモフ政権の腐敗や国民の弾圧も気に留めず、その地区のエネルギー資源のほとんどを手に入れた。またウズベキスタンは２００５年にロシアとも共同防衛計画の合意書にサインし、この地域におけるアメリカの立場をさらに小さくしている。

だが、カザフスタンがすべての大国と良い関係を保つことで安全保障を強化しているのに対し、カリモフは西側諸国の支持を断ったことで、将来、中国とロシアに侵食される危険性を自ら招いている。この国の大多数の国民の間では、アメリカとＥＵの人気は依然高い。大虐殺事件の後、アメリカはカリモフの抵抗を押し切って、キルギスに住む何百人ものウズベク難民をヨーロッパに空輸した。ＥＵはウズベキスタン政府職員のヨーロッパ諸国への入国を禁じ、西側情報部は亡命ウズベク人を訓練している。西側はカリモフと絶縁するに際して、カリモフの反政府勢力であるイスラム主義者グループとは関わっていない。一方、中国とロシアはそのうちに、カリモフのような不安定な独裁者たちと手を組んでいることの反動を受けるかもしれない。国民はカリモフを憎んでいる。

ブハラで乗ったタクシー運転手が怒りもあらわに言った。

「独立しても何も変わっちゃいない。カリモフを縛り首にして街路灯から吊すまで、同じだ」

トルクメニスタン

トルクメニスタンは、ウズベキスタンの南西に広がる、大部分が不毛の荒れ地の国だ。国民の大部分は遊牧民で、11世紀のセルジューク朝の時代（*6）以来ほとんど変わらない生活をしている。ソ連の領土拡大には最も強く抵抗し、1930年代にはソビエト化に対する反乱が何年も続いた。世界有数の天然ガスの埋蔵量を持つが、独裁政権の指導者たちが好き勝手に生産を増やしたり減らしたりしている。

2006年に死亡した独裁者ニヤゾフ元大統領は、ウズベキスタンのカリモフのように歴史上の人物の銅像を建てるほど慎み深くはなく、国の英雄として自分の銅像を建てた。ニヤゾフは自分を〝すべてのトルクメンの父〟と呼び、国中の歴史の本を『魂の書』と題した自分の本に入れ替え、その本に自分を称える歌を載せてコーランと同じステータスを与えた（それはイスラム教徒から見てコーランの冒瀆になるはずだ）。指導者個人のアイデンティティーを国のアイデンティティーに同一化させ、反対派を弾圧して民衆を洗脳し、知識階級をパージし、国家経済を強奪する手口は、カンボジアのポル・ポトや北朝鮮のキム・ジョンイルと同じだ。首都アシュガバート以外の病院と図書館を閉鎖する一方で、豪華マンションや往復8車線のハイウェイ、豪華な噴水を建設した。彼の銅像は高さ約40メートルもある巨大なもので、常に太陽の方向を向くように回転するようになっている。国の権力構造は血縁集団が牛耳り、憲法などといったものの概念すら存在しなかった。慈悲深いところを見せるため、毎年数千人の囚人に恩赦を与えて刑務所から解放し、気まぐれで政策を決めていた。

そのニヤゾフが死ぬと、新政権は国民が金《きん》を持って逃亡しないように国境を封鎖し、自分たちの支配を維持するために、間に合わせの憲法を急いで作った。

「もう少し現実的でまともな変化が起きることを期待したのですが、そういうことは新政権の頭にないようです」

と西側の援助機関に勤める人が言った。その人は、タイムトンネルに入ったようなこの国にやって来て、ぼう然となっていた。

ニヤゾフは、エネルギーセクターへの海外からの投資が政治的な侵略につながるのではないかという恐れに取り憑かれていた。そのためこの国の石油と天然ガスの埋蔵量を一度も専門機関に調査させたことがなく、西側からの投資が行われなかったため、いまだにロシアのガスプロムがこの国の北部パイプラインを支配して価格を自由に決めている。イランとロシアを避けて、アフガニスタンとパキスタンを通ってインドに天然ガスを送るパイプラインの計画があったが、この国の不透明さとアフガニスタンの政情不安が原因で頓挫《とんざ》した。

とはいえ、最近の急激な需要の高まりから、この国で新たな石油・天然ガス田の開発が始まるのは時間の問題だ。ロシアはヨーロッパへの石油の流れを依然支配しているが、この国もカザフスタンのように、カスピ海をタンカーでアゼルバイジャンまで運べば、バクーからパイプラインでハンガリーまで自動的に送ることができるので、ロシアの支配を避けてヨーロッパ諸国と契約することができる。ロシアの支配から逃れたいトルクメニスタンは、カザフスタンを通って中国まで延びる天然ガスパイプラインも計画している。一方、アメリカは、この国のメルブという所にある旧ソ連の基地が手に入らないものかと狙っている。そこはアフガニスタンとイラン国境に近く、アメリカはウズベキスタンの基地を失った今、これがどうしても欲しいところだ。

現代の〝新グレートゲーム〟が、いかに複雑なねじれ現象を伴うかは、この国が近い将来、西側に急接近するかもしれないことにもよく現れている。だがそれは、中央アジアのすべての国々に対する欧米の影響力が、いかにはかないものであるかを思い起こさせてくれるものでもある。

【訳注】＊6：セルジューク朝＝11世紀から13世紀にかけて西南アジアの広い地域を支配したテュルク系・ペルシャ系の帝国。一時は中央アジアから地中海に至るまでの広大な地域を支配し、11世紀末にはアナトリア半島（現在のトルコ）の東ローマ帝国（ビザンチン帝国）を破ってエルサレムを占領したことからヨーロッパ人の十字軍の派遣が始まった。

第13章
アフガニスタンとパキスタン
――アジアの危険地帯の行方

アフガニスタンのカルザイ大統領とパキスタンのムシャラフ大統領は、外交の世界では世界的な有名人だ。戦乱で荒れ果てた危険な二つの国の指導者として、彼らの行く先々で大きな群衆ができる。この二つの国は、貿易ルートと侵略ルートとは重複するものであることを歴史的に示す最もよい例であり、厳密に言えば国として存在することの正当性がはっきりしない第三世界の国だ。というのは、これらの国が生まれたのには、かつての大国の戦略的な大失敗と、変則的な植民地支配のいきさつがあるからだ。

アフガニスタンはある意味で、中央アジア全体の縮図だ。その北部は歴史的にハン（汗《かん》）部族（*1）が支配した中央アジアの大平原につながり、国民の大部分をパシュトゥーン人、ウズベク人、トルクメン人、ペルシャ人（ハザラ人）が占めるが、そのいずれもこの国の3000万人の人口の過半数を占めるには至らない。

パキスタンも部族社会の連合によってできている国で、エリート階級はレベルが高く洗練されているが、全体としては統一国家としての組織が弱く、国全体が武器、麻薬、イスラム武装集団に蝕まれている。

両国ともに自爆テロが無益な高まりを見せ、そのことにどのようなメッセージがあるのか、もはや誰も尋ねることすらないように見える。政府高官たちは生き延びるために常に身構えている。アフガニスタンのカルザイも、パキスタンのムシャラフも、それほど長くは続かないかもしれない(*2)。だが彼らがいてもいなくても、両国は〝新シルクロード〟と〝新グレートゲーム〟の東西南北が交差する決定的に重要な十字路であり続ける。

【訳注】*1:ハン(汗)=第10章のコラム「中央アジアはまとまれるか」を参照。
*2:パキスタンのムシャラフ大統領=著者の予想通り、2008年8月に辞任に追い込まれた。

アフガニスタン

2001年にアメリカ軍が侵攻したことで、突然アフガニスタンは西側にとって戦略的に重要な場所になった。だがその侵攻でタリバンが駆逐されてから5年たった今でも、カルザイは大統領というよりはカブールの市長といった程度の存在でしかない。国のリーダーとしての対外的な信用も、将来避けることができないであろう追放(あるいは自主的な辞任)が起きる前に消えてしまいそうだ。北部のウズベク軍閥と南部のタリバン武装集団は、それぞれのグループや麻薬密輸組織からすべての周辺国を通じて支援を受け、彼の政権を脅《おびや》かし続けている。

一般のアフガニスタン人は、タリバンですら与えてくれた秩序を欧米が与えられないことに幻滅している。アフガニスタンの国家予算はほぼすべてが西側の援助によって成り立っているが、その大部分が政治家や役人の給料、経費、警備、軍隊に使われ、残りのほとんどは腐敗のなかに消えてしまう。かつてはイギリスとソ連の影響で、学校、病院、道路が作られたが、30年以上にわたって戦争が続いた結果、国内は荒れ果てている。以前は葡萄《ぶどう》やワインが作られていたが、今では生活のためにアヘンの原料となるケシを栽培する農民が、タリバンが支配した時代より増えている。高地の粗末な小屋に住む何万人もの人たちが、厳しい冬に凍死しないのは奇跡というしかない。

マスコミをはじめ西側のほとんどの関係者は、アフガニスタンをNATOの東の果ての保護国と思っているが、事実を言うなら、この国はすでに上海協力機構がからんだ〝新グレートゲーム〟の一部に組み込まれている。現在NATOが占拠しているのは、19世紀にイギリスが、そして20世紀にソ連が占拠していたのと同じ、カブールのごく小さな地域にすぎない。すでにあった反タリバン連合にアメリカが2001年に加わった後、NATOはイランと中国の中央アジアへの影響を食い止めることを視野に入れつつ、次第にバグラム（＊3）とカンダハール（＊4）にある強固に要塞化された基地に頼るようになった。だがアメリカ主導による再建のペースはのろく、敵対勢力に状況をひっくり返す機会を与えてしまった。アフガニスタン北東部から東に細長く突き出ているワハーン回廊（＊5）は、19世紀に〝グレートゲーム〟を終わらせるためにこのような不自然な形に国境線を引いて作られたものだが、今では中国がおびただしいパイプラインと道路を建設して古代のシルクロードの支線を甦《よみがえ》らせるのに利しているだけだ。だがその地区の将来も、アフガニスタンの安定化にかかっている。

【訳注】＊3：バグラム＝アフガニスタン東部の町で、アメリカ空軍の大規模な基地がある。この空軍基地は、1980年代にソ連が侵攻した時のソ連軍の基地だった。

＊4：カンダハール＝アフガニスタン南東部にある、首都カブールに次ぐアフガニスタン第二の町。軍と民間が共同使用している国際空港にNATO軍が駐留している。

＊5：ワハーン回廊＝第9章を参照。

中国はNATOが息切れするのを待っている

今から50年以上も前の1956年に、アメリカは当時のアフガニスタン首相ムハンムド・ダーウードに、「ソ連に援助を求めていると、そのうちに道路などの兵站《へいたん》用インフラを建設されて侵略を招くことになる」と警告していた。そして1980年代にはその通りのことが起きた。1990年代になると、中国は密かにタリバン支配下にあるアフガニスタンと取引を始め、今ではNATOの展開にタダ乗りして、カブールからヘラート（＊6）に至る政治的にデリケートなルートの道路建設や、大型の建設契約を安く上げている（＊7）。ヘラートは最近、派手な造りの町に復興されつつあるが、中国がこのルートを開発する最終的な狙いは、イランに到達する安全な陸路を確保することにある。イランはアフガン難民の流れを陰で操り、タリバンを戦術的に支援し、インフラ建設に出資することを通じて、東から西に向かって進んでくる中国とこのルートの途中で出会いつつある。

アフガニスタンとパキスタンは〝テロとの戦争〟でアメリカの同盟国と見なされているが、その一方で上海協力機構のオブザーバーの地位をすでに手に入れている。近い将来、正式な加盟国になるのは間違いない。

あるアフガン問題アナリストが私に言った。

「中国は、NATOが息切れするのを待っているのかもしれない。アフガン軍が十分機能するようになって、アメリカをはじめNATO諸国が駐留軍を縮小すれば、ただちに中国があらゆる面で介入を始めるということは十分考えられる」

1980年代の対ソ戦争では、アフガン難民がヒンドゥークシ山脈の南にある国境を越えてパキスタンに流れ込み、逆にパキスタン側からは武器がアフガニスタンに流れ込んだ。この二つの国を結ぶ交通の要衝であるカイバル峠は、紀元前のアレキサンダー大王の遠征以来、数々の征服者の侵入路となり、またシルクロードの支線として重要な交易路でもあった。ここを通過する物資に貿易と密輸の区別はほとんどない。今では曲がりくねった山道を登り下りするトラックの車列が延々と続いている。

【訳注】＊6：ヘラート＝イランとの国境に近いアフガニスタン北西部の都市。インド、中央アジア、西アジアを結ぶ古代の交易の要衝。
＊7：NATOにタダ乗り＝NATO軍が展開しているので、自国のプロジェクトを守るために軍を派遣しないですむ。

パキスタン

パキスタンにはおよそ200万人のアフガン難民が住んでおり、かつて緑の葉が生い茂っていたペシャワル（＊8）はこの30年の間に過密化し、騒然としたゴミ溜めのような町になった。だが地元の人たちは、今でもイギリス人に対しては非常に友好的だ。一部部族との戦いはあったものの、イギリスは鉄道を建設し、友人として去ったからだ。それと対照的に、アメリカ人はヒンドゥークシ山脈の南側（パキスタン側）では安全ではいられない。

【訳注】＊8：ペシャワル＝パキスタン北西部にある、アフガニスタン国境近くの町。カイバル峠の東50キロほどのところに位置している。

パキスタンの〝テロとの戦い〟

パキスタンはインダス川によって東西に分かれている。インダス川の西側は、広大だが人口の少ない北西フロンティア（辺境）地方と、南西のバローチスタン州に分かれ、アフガニスタンとイランと国境を接している。この地方は、かつて英領インドのフロンティアだったところだ。パキスタンは1970年代に、戦略上の必要性からアフガニスタンのいくつかの勢力を支援し、1980年代にはアフガニスタンのソ連に対するムジャヒディーン（イスラム戦士）の後方支援基地となり、1990年代にはタリバンの誕生に関与した。これらすべての動きは、北西フロンティア地方が現在タリバンの補給支援センターになっていることにつながっている。

パシュトゥーン人は、総延長2500キロ近くにもわたって実質的に出入り自由なアフガニスタンとの国境地帯を昔から好み、その一帯を自分たちの国と見なしてきた。今ではタリバンに加わり、マドラサ（イスラム法学校）から練度の低い戦闘員をアフガニスタンに送り込んでNATO軍と戦わせている。アメリカ、アフガニスタン、パキスタンの政府は、国境の両側に住むこの部族を〝テロとの戦い〟の名のもとに連合させようとしたが、どれほど彼らを手なずけようと努力しても効果がないことを明らかにしただけだった。この地域を平定させようとする欧米の強いプレッシャーのもとで、パキスタンは自分自身と戦争をしている。

ペシャワルと首都イスラマバードの間に広がる部族地域では、部族の長老評議会が決める掟が尊重され、何世代にもわたる氏族間の不和が社会を支配している。

この二つの町の間を往復して20年になるというハイヤーの運転手が説明してくれた。

「このあたりでは、我々の政府よりサウジアラビアのほうが影響力があります。なんと言っても、彼らはマドラサに資金援助をしていますからね。それにひきかえ、我々の政府は家も学校も崩壊させてしまった」

タリバンの影響は、首都イスラマバードですら浸透している。アルカイダは、もともとメンバーが一人もいなかったアフガニスタンを活動の本拠地として使っていた。それと同じように、タリバンも受け入れて支援してくれるところさえあれば、どこにでもとけ込んで変身することができる。現在、それがパキスタンの北西フロンティア地方なのだ。

パキスタンは、昔からカシミール地方の帰属をめぐってインドと争ってきたし、今でも時おり争いが燃え上がることがある。だがこの地域の将来をよりよく示しているのはカシミールではなく、終わりのないアフガニスタンとの関わりであり、またアメリカ中央軍（＊9）と中国の戦略である。

【訳注】＊9：アメリカ中央軍＝アメリカが世界に展開する実戦部隊を地域別に統合する統合軍の一つで、エジプト及びアラビア半島から中央アジアに至る地域に展開する部隊の作戦を指揮する。

中国との取引

冷戦時代の初期、アメリカはインド側に傾いたりパキスタン側に傾いたりという具合に、両国の間を行ったり来たりしていた。だが1965年に印パ紛争が起きると、両国に対する武器の売却をともに停止した。するとパキスタンは中国に急接近し、中国も喜んで武器を供給し始めた。その理由は、その少し前まで中国はインドとの国境紛争を抱え、小競り合いを続けてきたからだ。

それ以来、パキスタンは中国にとって、この地域における外交的策略、道路建設のルート計画、軍事的野心の中心になった。中国は北カシミールの領土問題でパキスタン側につき、そうすることでインドを心理的に追い込むとともに、インドのアフガニスタンへのアクセスを阻止した（＊10）。次にパキスタンは中国に、カラコルムハイウェイを新疆《しんきょう》ウイグルの西端からパキスタン北部まで延長するよう、しつこく求めた。それで中国は、海抜4700メートル近いクンジェラブ峠（＊11）（その名は〝血の谷〟を意味する）を越える近代的なハイウェイを建設した。この部分は戦車が4台並んで通れると言われ、その完成で中国からパキスタンに武器を送ることが容易になった。

【訳注】＊10：北カシミール＝この地方がインド領なら、インドはアフガニスタンと国境を接するが、パキスタン領になればアフガニスタンに直接アクセスできなくなる。

＊11：クンジェラブ峠＝新疆ウイグル自治区と北パキスタンの国境にあるカラコルム山脈を越える戦略的な要衝で、世界一標高の高い国境の峠でもある。

アメリカとの歪んだ関係

世界権力が市場に出ている限り、パキスタンは今後も、手の届くどのような相手とも同盟を組むだろう。すでにアメリカをうまく操り、アメリカから得るものだけは得て見返りはほとんど与えていない。パキスタンにとって、アメリカは都合良く武器を与えてくれるパトロンであり、パキスタンはアメリカが世界で3番目にたくさん軍事援助をしている国だ。だがアメリカが与える武器は、広い地域に散らばっているタリバンの戦闘員に対してはほとんど効果がなく、むしろインドに対して使用される危険性のほうが高い。

その一方で、パキスタンは核拡散事件の背後にいるカーン博士（＊12）にアメリカが直接尋問することを拒否し続け、アルカイダの容疑者を逮捕するようにという圧力にも、国内の部族社会を敵に回すことを恐れて、大体において抵抗している。実際、ムシャラフはアメリカの圧力をかわすため、部族民の男を適当に誘拐し、テロリストだということにしてアメリカに引き渡していると言われている。

【訳注】＊12：カーン博士＝1998年にパキスタン最初の核爆発実験を成功させ、パキスタン核開発の父と呼ばれている。核技術の闇市場構築に関与したことを認めているほか、リビアや北朝鮮に核兵器製造技術を密売したとされている。

中国の影響力

そうこうしている間に、パキスタンはますます中国の忠実なクライアントになりつつある。中国の意を受けて国内のウイグル人活動家を激しく弾圧し、戦闘員を処刑し、マドラサ（イスラム法学校）

からウイグル人学生を追放した。2006年にアメリカ議会が人権弾圧への憂慮からパキスタンへの援助を減額すると、その同じ月にムシャラフは上海協力機構のサミットに出席して経済援助の確約を取り付けた。

さらに中国の奥の手は、南西部のバローチスタン州の天然ガス田への資金援助だ。この地域の住民の多くはクルド系で、その天然ガス田はパキスタンが必要とするエネルギーの3分の1以上を産出する。中国は、カラコルムハイウェイをインダス川沿いに延長して、遥《はる》かアラビア海沿岸まで到達させ、イランとの国境に近い港町グワダルにつなげる計画に、すでに3億5千万ドルを出資している。そのグワダルでは、大型船が接岸できる港と石油精製施設が中国の手ですでに建設中だ。これが完成すれば、パキスタンに大きな力を与えるとともに、中国はマラッカ海峡を通らずにペルシャ湾岸の石油に手が届く。

「10年ほど前までは、グワダルはただの小さな貧しい村でしたよ」

と回顧するのは、そこで不動産業をしているパキスタン人だ。

「美しい景色以外、特にこれといって何もないところでした。そこに中国人は巨大な港を作っているのです。あれならタイタニック号でも接岸できますよ！　これでパキスタン政府は、イランやアラブ諸国にも大きな顔ができるでしょう」

パキスタンは、アメリカのためにパシュトゥーン人の戦闘員を捕まえるより、北西部に展開している兵力の一部を南西部に移動させて、バローチスタンの分離独立運動を抑え込み、中国の港を守るほうが国益にかなうと考えている。中国のある軍幹部は最近、パキスタンを〝中国のイスラエル〟(*13)と呼んだが、それは中国がパキスタンをアラビア海の拠点にしようとしていることを意味している。両国の関係を最もよく物語っているのが、最近イスラマバードで起きた中国人マッサージパーラー従業員誘拐事件だ。中国政府の圧力を受けたムシャラフは、ただちに治安部隊を過激派が立てこもるイスラム寺院に突入させた。

最近パキスタンでウケているジョークに、「ほとんどの国は軍隊を持っているが、パキスタンでは軍隊が国を持っている」というのがある。軍部が経済を支配し、贅沢品を輸入したり不動産を底値で大量に売り払うなどやりたい放題をしている。それらのなかには、アラブ人が出資したイスラマバードの最高級物件も含まれている。

カラチはこの国の最も豊かで、かつ最も貧しい都市だ。産業の中心であるとともに、急進派のマドラサ（イスラム法学校）が過激派をアフガニスタンやカシミールに送り込む拠点でもあり、ムシャラフの支持派と反対派がデモで衝突して何人も死人がでている。この国で最近盛んになったのは自爆テロだけだ。国中に失業者があふれ、貧富の差が広がり、治安はますます悪化し、主張の異なるグループの暴力的な衝突が混乱に拍車をかけている。そしてこの国は、今後20年以内に人口が実に2億人近くに達すると予測されている。この巨大な人口と混乱は、おそらく軍部でもコントロールできないだろう。

この状況は、ムシャラフが退陣した後も変わらず続いてゆくだろう。カルザイもムシャラフも、西側諸国からは有名人のような扱いを受けているが、究極的にはそれぞれの国を安定させる力がないのだ。アフガニスタンもパキスタンも、大英帝国が引き揚げてから確実に分解し続けてきた。これまでの欧米の努力は、まったくといってよいほど効果をあげていない。はたして中国は、この二つの国をなんとかすることができるだろうか？

【訳注】＊13：中国のイスラエル＝イスラエルがアメリカの中東における拠点であることをもじったもの。

〈パートⅡのまとめ〉

歴史を通じて、シルクロードが適切に機能したのは国境が解き放たれている時であり、その時にはみなが繁栄できた。しかし、さまざまなルートのどこかがブロックされると、その周辺の安定が乱れ、混乱が拡大して戦乱になった。だが近年の、天然資源の宝庫である中央アジアの連盟を作ろうという崇高な願いは、それぞれの国が主権を譲らないために潰れ、それが帝国の介入を許した。中国は、19世紀の〝グレートゲーム〟におけるイギリスとロシアの戦略の良いところを取って、イギリスがやったように緩衝地帯となる国や同盟国を作りつつ、ロシアのように他国を虐待的なやり方で征服したりはせず、〝新グレートゲーム〟の勝者になりつつある。

一方、ＥＵとアメリカの重要な利害である「テロとの戦い」「エネルギー資源の確保」「民主化」の三つは、依然としてこの二つの帝国の能力の及ばないところにある。過去20年近く、西側は旧ソ連の一部だった中央アジア諸国に本物の民主主義を根付かせることにあまり本気でなく、またその能力もなく、これまでに民主化できた国はひとつもない。

この地域にもっと建設的で相互依存的な国を作らない限り、西欧の影響力は引き続き縮んでゆくだろう。特に、これらの国の次世代の指導者たちが国民から支持されず、指導者であることの正統性が怪しげだった場合、そうなる可能性が非常に高い。だがＥＵは少なくとも「押しつけがましくはあるが正直な調停者で、イスラムを攻撃しないパトロン」と見なされている。もし中央アジア諸国政府にＥＵの基準を守らせることができれば、ＥＵは大きな力になることができる。

さらに、もし東洋と西洋を結ぶ交通路が甦り、フランクフルトと上海が光ケーブルで結ばれれば、

EUは中国と同じくらい恩恵を得るかもしれない。ここで思い出すべきは、シルクロードができたのは東方の財宝に対するローマ帝国の欲望がきっかけだったことであり、また〝シルクロード〟という名をつけたのは、19世紀のドイツの地理学者で探検家のフェルディナンド・フォン・リヒトホーフェンだったということだ。〝シルクロード〟という言葉には非常に東洋的な響きがあるが、その概念は西洋人がイメージしたものである。

EUは中央アジアを、今再び東洋と西洋の間の貿易で成長する〝大ユーラシア経済圏〟の一部にしたいと望んでいる。中央アジア諸国で人気のあるベンツ、フォルクスワーゲン、アウディなどの車の多くは、ヨーロッパで盗まれて密輸されてきた盗難車だ。もしドイツがそれらの車をキルギスタンで組み立てて、カザフスタンと中国で販売すれば、コストダウンと地元の雇用促進と販売促進の三つの面でメリットがある。トルクメニスタンとウズベキスタンで軽工業を育てれば、中国の安い商品に対抗することもできる。一方、中国のターゲットは中央アジアだけではない。すでに中国は、南米やアフリカにも手を広げている。

ジョージタウン
パラマリボ
カラカス
フランス領ギアナ
ガイアナ
スリナム
ヴェネズエラ
ボゴタ
コロンビア
ブラジル
ブラジリア
キト
リオ・デ・ジャネイロ
サンパウロ
ペルー
チチカカ湖
ボリビア
リマ
ラ・パス
パラグアイ
アスンシオン
チリ
アルゼンチン
ウルグアイ
モンテビデオ
ブエノス・アイレス
サンチャゴ
大西洋
アルゼンチン
フォークランド諸島
リオ・ガジェゴス
プンタ・アレナス
ホーン岬

パートⅢ
モンロー主義の終焉

第14章 新しいルールの誕生

アメリカは20世紀に世界的な規模で台頭したが、それに先立つおよそ100年間にわたり中南米全域で覇権の追求を行い、ラテンアメリカでは引き続き20世紀末まで〝アメリカの裏庭〟と呼ばれる状態が続いていた。

だが21世紀の今、この地域におけるアメリカの支配は、過去に予見できなかったような形で徐々に失われつつある。南米の豊富な天然資源は今や世界中の市場にアクセスできるようになり、特にアジア市場への輸出が急増している。グローバリゼーションが地球規模で国と国の距離が縮むことを意味するなら、隣接していることが支配の柱だったアメリカの中南米への覇権は、もはや存在しない。だが、アメリカが中南米を取り仕切らなければ、いったい誰がその役をするのだろうか。

ラテンアメリカ諸国は、世界の動きの主要な舞台であるヨーロッパやアジアから海をへだてて遠く離れているため、これまで長い間、地政学的に重要な地域とは見なされていなかった。だが今日、彼らはアメリカを避けるため、ヨーロッパやアジアに目を向け始めている。

けれども南北アメリカの結びつきには、全員の存亡がかかっている。もしアメリカとラテンアメリカが固く結びつけば、南北アメリカ大陸全域におけるエネルギー需要の大半が自給され、南北アメリカがヨーロッパやアジアのゴタゴタに影響されないことも可能になる。カナダの北極圏やアルバータ州からメキシコ湾とヴェネズエラにかけて広がる大油田地帯の石油に、新しいエネルギー資源であるブラジルのエタノール（バイオ燃料）の生産を加えれば、南北アメリカを統合する世界最大の経済ブロックができあがる。

アメリカはこれまでずっと、南の国々が自分のために存在していると当然のことのように考えてきたが、ラテンアメリカの自意識は日に日に高まっている。ラテンアメリカの人口はメキシコとブラジルとアルゼンチンの3国で3分の2を占め、残りのほとんどをヴェネズエラとコロンビアが占めている。したがって、もしこれらの五つの国が内部の争いを乗り越えて大同盟を組むことができれば、ラテンアメリカはこれら5ヵ国を中核に、世界の辺境から世界的な一大勢力に台頭することができるだろう。グローバリゼーションとアメリカのライバルたちが、彼らにそのチャンスを与えている。だが、はたしてそれは可能だろうか。

支配と隷属の歴史

ラテンアメリカは常にヨーロッパの帝国が支配を拡大するたびに呑み込まれ、自分たちの帝国を確立することは一度もできなかった。実際、その豊富な天然資源は常に先進国のために使われてきたため、ラテンアメリカが未開発であることは、世界に資本主義が発達するために不可欠な要素になっていた。

コロンブスの到達以来、新大陸の広大な空間を隷属させようとするヨーロッパ列強の競争は苛酷をきわめた。スペインとポルトガルの王国はカトリックを広める目的のみで連合し、新世界はすべてこの2国によって分割され植民地化された。スペインの征服者エルナン・コルテスはメキシコのアステカ帝国を1521年に滅ぼし、1580年から1640年にかけてはスペインがポルトガルを支配したため、その間は実質的にスペイン一国が中南米のすべてを支配したことになる。先住民は苛酷な強制労働とスペイン人がもたらした伝染病が原因で人口が激減し、一方でカトリック教会は金銀財宝を得るために新世界の破壊を正当化した。1551年、スペインのカトリック司祭ラス・カサスは、スペイン王室の手下たちが新世界で先住民を奴隷にして不正と残虐行為を働いていることを批判する本を書き上げたが、今日これは歴史上初の人権レポートだったとも言われている。

その後、ヨーロッパで宗教改革が進むとともに、プロテスタントのフランスとオランダが、カナダから南米北部沿岸にかけて領土を広げてカトリックのスペインの野望をくじき、新大陸は再び力のバランスの時代に入った。だがカトリックとプロテスタントのどちらが勢力を増そうが、ヨーロッパ列強による重商主義や植民地の収奪と支配に変わりはなかった。

アメリカの関わり方

ラテンアメリカに対するアメリカの外交政策は、何世紀にもわたって驚くほど常に一貫している。アメリカはメキシコやコロンビアの独立運動を支持したが、奴隷制度廃止を主張した議会議員ルーファス・キングですら、1799年に「南米とその天然資源が我々のためにあるのでなければ、それらはすみやかに我々に敵対するようになる」と力説した。アメリカの独立宣言を起草したことで有名な第3代大統領トーマス・ジェファーソン（任期1801〜1809年）も、「アメリカは南米を支配下に置くべきだ」と考えた。

アメリカは1790年代から徐々に、そして1812年の米英戦争（*1）以降もずっと、南北アメリカ全域の覇権を主張し続けたが、アメリカのやり方は、新しい土地と労働力を求める昔の帝国主義のやり方とは少し違っていた。というのは、その時すでにラテンアメリカはヨーロッパの列強が支配しており、アメリカは財力と軍事力を用いてそれらの国に入れ替わっていったのだ。1823年に第5代大統領モンロー（任期1817～1825年）が唱えたモンロー主義（＊2）は、南北アメリカ大陸に対するヨーロッパ列強の干渉を拒否し、中南米におけるアメリカの支配をヨーロッパに邪魔されることなく永続させようとしたものだった。

当時のアメリカ人が「明白なる運命」と呼んだ考え、つまり自分たちは野蛮な地域を文明化する天命を負っているとする考えが、西部を開拓し、先住民を抑圧・隷属させる政策を正当化するために使われ、ひいてはさらに西に向けて太平洋へ覇権を拡大するために使われたことはよく知られているが、実はこの考えは、西方への拡大だけでなく、南北への覇権の拡大にも使われた。第11代大統領ジェームズ・ポーク（任期1845～1849年）は、メキシコがスペインとの長い独立戦争で疲弊していたのを好機ととらえ、1845年にテキサスを併合した。第16代大統領リンカーン（任期1861～1865年）に任命されて国務長官になったウィリアム・スワード（在職1861～1869年）は、1867年にアラスカをロシアから買い取った時、アメリカ帝国がグリーンランドから南米のガイアナまで広がることを夢見て、メキシコシティーを第二の首都にすることを考えていた。

第25代大統領ウィリアム・マッキンリー（任期1897～1901年）政権の国務長官ジョン・ヘイは、輸出市場を拡大することで国内の不況を防ぎ、社会の調和を促進することができると主張した。だが彼らが行った20世紀初頭の〝門戸開放政策〟（＊3）は、アメリカの支配力を中国に広めることが目的だった。

マッキンリーの後を継いだセオドア・ルーズベルト（第26代大統領。任期1901～1909年）は、「常に穏やかに話し、手には大きなこん棒を携えていよ」という言葉を残したことで知られている。だがアメリカは常に大きなこん棒を携えていたが、常に穏やかに話したわけではなかった。それが最もよく現れているのがキューバの例だ。アメリカは1898年にスペインに宣戦布告をしている。その表向きの理由は、キューバをスペインから解放して民主主義を進めるためとされたが、当時海軍次官だったルーズベルトの狙いは、スペインを打ち破るだけでなく、その植民地だったフィリピンを手に入れることにもあった。

モンロー主義の主張からおよそ80年後、ルーズベルトは大統領になると、「中南米諸国が内政不安定のためにヨーロッパ列強の干渉を招きそうになったら、アメリカはそれを防ぐために介入することができる」と主張した。これは「ヨーロッパ列強による植民地化を防ぐ」という名目で、アメリカが中南米諸国に帝国主義的な干渉をすることを正当化したものだった。

さらにパナマの例をあげれば、パナマは農産物をアメリカに輸出することに経済が依存し、アメリカは戦略的に重要なパナマ運河を支配する必要があったため、アメリカが覇権を追求したのはごく当然だったように思える（＊4）。第28代大統領ウッドロウ・ウィルソン（任期1913〜1921年）の世界観は人間的でセオドア・ルーズベルトとは違っているとよく言われるが、それは実質的にではなくスタイルの違いにすぎない。ウィルソンは無私の倫理観を説いたが、それに隠れて見えにくいのは、彼が〝南米人に良い人間になることを教える〟ことを自分の責任だと感じていたことだ。その一方で、彼はアメリカの経済的な利権を追求している。しかしアメリカは1898年から今日に至るまでに、ラテンアメリカの40の政府を転覆させたが、そのなかで民主的な政府になったものはひとつもない。その理由はいたって簡単だ。アメリカの計画は、形式上だけの民主主義を植えつけることだったからだ。

セオドア・ルーズベルトとは対照的に、その遠い親戚にあたるフランクリン・ルーズベルト（第32代大統領。任期1933〜1945年）は、直接的な干渉は効果がないばかりか有害であることを理解して

〝善隣外交政策〟をかかげた。だがそれは、彼の在任中に第二次世界大戦が始まったため、ラテンアメリカ諸国に枢軸国とのつながりを断つよう強要する必要があったためだった。

【訳注】＊1：米英戦争＝1812年から1815年にかけて起きた、アメリカ対イギリス、カナダ、一部アメリカインディアン連合軍の戦争。
＊2：モンロー主義＝1823年にアメリカ大統領モンローが主張した、ヨーロッパとアメリカ大陸の相互不干渉の原則。その意味は、中南米はアメリカの裏庭だから、ヨーロッパ諸国は手出しをするな、ということ。
＊3：ジョン・ヘイの門戸開放政策＝第31章を参照。
＊4：アメリカのパナマにおける覇権の追求＝パナマという国は昔から存在していたわけではなく、19世紀末にフランス人がパナマ運河の建設を始めた時には、その地域は南米のコロンビアの一部だった。フランス人が大事故や資金難で運河の建設に挫折した後、20世紀初めにセオドア・ルーズベルトは戦艦を派遣して軍事力でその地域をコロンビアから独立させ、傀儡政権を作って運河を完成させるとその権利を独占した。その後アメリカは運河の利権を守るため、半世紀にわたって傀儡政権に独裁を行わせ、運河の実効支配を続けた。

戦後と米ソ冷戦

アメリカは第二次世界大戦が終わった時点で超大国になっていたが、それにもかかわらず、南北アメリカ大陸の集団安全保障体制を作る、またとない機会を無駄にしてしまった。まもなくソ連との冷戦が始まったため、疑い深い帝国主義的な心理が復活したのだ。フランクリン・ルーズベルトの後を継いだトルーマン（第33代大統領。任期1945～1953年）政権の国務長官ディーン・アチソン（任期1949～1953年）は次のように矛盾することを述べている。

「我々は、我々と信条を同じにする人たちが、彼ら自身が望むように生きるのを援助することをいとわない」（#1）

この時期の中南米諸国に対するアメリカの政策は、独裁政権に反対したかと思うと全面的に支持するという具合にコロコロ変わった。たとえば、国務省のある高官が中南米諸国に独裁政権がいつまでも絶えないことを非難した少し後、ダレス国務長官（＊5）はあからさまにこう述べている。「独裁者たちの気分を害するようなことは何もするな。彼らは我々があてにできる唯一の人たちだ」

米ソ冷戦の時代、ラテンアメリカでは、30年に及ぶ右翼と左翼の〝ダーティーウォー〟（汚い戦争）と呼ばれる凄惨な殺し合いが続いた。右翼勢力はだいたいにおいてアメリカの支援を受けており、力で左翼を凌いでいた。アメリカはソ連の影響を受けた共産主義が中南米に広まるのを防ぐため、中南米諸国に対して共産党を非合法化し、共産党以外の左翼勢力を抑圧して、おとなしい労働運動以外のすべてをつぶし、ソ連との関係を断つことを要求した。そして1961年4月、ケネディ政権はカストロ政権を転覆するため、亡命キューバ人部隊によるキューバ侵攻を企《くわだ》てたが失敗した（ピッグス湾事件）（＊6）。

だがケネディは中南米諸国との経済的なつながりを重視し、民主主義、経済発展、反共産主義を促進するための「進歩のための同盟」と呼ばれる援助計画を発足させた。そしてメキシコからアルゼンチンに至るまでの各地に産業を興したが、結局、アメリカが推し進めた「安定と民主主義と資本主義」を併せて定着させようとする計画は、フランクリン・ルーズベルトの善隣外交政策から半世紀以上たった1990年代になっても、何一つ実を結ばなかった。ブラジルの元大統領フェルナンド・カルドーゾ（在任1995〜2002年）の言葉を借りれば、この地で民主主義は〝まったく異質なもの〟だったのだ。

ラテンアメリカには、右翼的な軍国主義と、やはり力で支配する左翼のカリスマ指導者による統治が交互にくり返されてきた歴史と文化がある。冷戦時代、ラテンアメリカのほとんどの指導者は、左寄りの政策を唱えて右寄りの統治を行った。彼らにとって〝近代化〟とは、アメリカへの依存を意味する、矛盾に満ちた言葉だったのだ。

１９７０年代になると、ようやくラテンアメリカ諸国のリーダーたちが〝新国際経済体制〟の名のもとに集まるようになる。それは原料を輸出して利益を上げ、また海外からの援助をよりたくさん引きだそうという動きだった。だが現実は、メキシコ、ヴェネズエラ、ブラジル、アルゼンチンの各国は、負債の返済のためにさらにたくさん借金をしなければならない状態に陥っていた。そしてその結果が１９８０年代の、危機が危機を呼ぶいわゆる〝南米の失われた10年〟になった。さらに悪いことに、ＩＭＦはただちにアメリカに同調し、ラテンアメリカ諸国政府に対して〝ワシントン・コンセンサス〟(＊7)に基づいて財政を立て直し、経済自由化をすみやかに行うことを強要した。

全米州連盟(＊8)ができてから１００年以上たった現在も、アメリカの不平等貿易と、ラテンアメリカ諸国にわき起こっている将来への期待にどう応えたらよいか、という白熱した議論は続いている。

【原注】＃1：歴史学者のウィリアム・A・ウィリアムズによれば、アメリカの外交政策は三つの矛盾する原則を含んでいるという。彼によれば、その一つは「寛大で物惜しみしない人道主義」、その次が「海外の諸国に自らの道を自ら決めるよう求める啓蒙主義」、だが三つ目はその二つと根本的に矛盾する「世界の国々は、問題をアメリカのやり方で解決しなくてはならない」だという。

【訳注】＊5：ジョン・ダレス＝アイゼンハワー政権の国務長官。任期1953〜1959年。
＊6：ピッグス湾事件＝この作戦はアイゼンハワー政権時代にCIAによって立てられ、アイゼンハワーの任期が切れたためにケネディ政権に引き継がれたもので、ケネディはもともと反対だったと言われている。そのためケネディは、亡命キューバ人部隊の上陸作戦が始まった後にアメリカ正規軍の投入の中止を命じ、中途半端な作戦となったことが失敗の原因となった。だがそのことが亡命キューバ人部隊を見殺しにする結果となり、ケネディが亡命キューバ人グループから恨みを買ったことは十分考えられる。なお、この事件の後、ケネディはCIAのカストロ暗殺計画を承認したが、キューバ人マフィアを使ったCIAの作戦は失敗し、激怒したカストロがアメリカのマフィアを使って復讐したのがケネディ暗殺の真相だという説が有力とされている。ケネディ家は酒類販売で財を成し、禁酒法の時代には密

造酒の販売を手広く行ってマフィアとの強いつながりがあったことが知られている。

＊7：ワシントン・コンセンサス＝1980年代以降アメリカがラテンアメリカ諸国に強いた経済改革で、ワシントンでアメリカ財務省、IMF、世界銀行の意見が一致したとされることから、ある経済学者が名付けた（コンセンサスとは「合意」の意味）。その後この呼び名は、アメリカの対外経済戦略や新自由主義を示す言葉としても用いられるようになった。

＊8：全米州連盟＝1890年に南北アメリカの21ヵ国の親善のために作られた機構。1970年に「米州機構」に吸収されたが、現在ではその米州機構そのものが機能せず、開店休業状態。

21世紀の到来

しかし最近の中南米には、中国の進出もまた著しい。だが中国のやり方は純粋に商業的で、過去の帝国のように植民地を作ることによる進出ではない。中国のラテンアメリカ諸国との貿易高は、1975年には2億ドル程度だったが、2004年には500億ドル近くにまで増えている。中国は大豆や鉄鉱石をはじめとする原料を他国より高い値で買うので、それを拒否する輸出国はない。ブラジルやアルゼンチンは、最近の経済成長のほとんどを中国への原料の輸出に負っている。

1997年にアメリカがパナマ運河の支配権をようやく手放すと、パナマ政府はただちに運河の両端にある港の運営権を中国企業に売り渡した。今や中国は、運河の運営を事実上握っているのも同然だ。2006年にパナマは運河の幅を広げることを決定したが、それは中国の大型タンカーを通すためだった。中国はまたアメリカへの輸出を促進するため、中米諸国の港や工場の近代化工事を行った。さらに中国はカナダにも手を伸ばし、中部のアルバータ州の原油を太平洋岸に送る20億ドルにのぼるパイプラインの建設をカナダ政府と共同で行っている。今やカナダにとって、中国はアメリカに次ぐ第二の貿易相手になった。

中南米諸国にとって、中国はアメリカの込み入った法や規則にとらわれずにビジネスができる新しい存在だ。中国は中南米諸国に対して、台湾の承認を取り消すこと以外、政治的な条件を何もつけていない（＊9）。もしラテンアメリカ諸国の指導者たちがアメリカに反旗を翻《ひるがえ》したとしても、それは中国のせいではない。彼らが天然資源に依存しているのは、おもに原油の値上がりと政府の腐敗のためであり、中国の需要が急増したためではないからだ。それに、中国との貿易が増えたといっても、ラテンアメリカ諸国の貿易に占める中国の割合はまだ10パーセント以下にすぎない。さらに、中国の経済利権は、福音でもあるとともに呪いにもなる。なぜなら、中国との貿易はラテンアメリカ諸国の国際収支に過去何十年もの間で初めて黒字をもたらしたが、低品質製品の生産者にとっては、中国はラテンアメリカ諸国内部においても、第一世界に対する輸出においても、手ごわい競争相手になっているからだ。

もしアメリカが、ラテンアメリカ諸国の民主化を本気で望むなら、アメリカは中国の存在を機会と見るべきだ。中国への輸出による収益の増加は、ラテンアメリカ諸国の財政状態を好転させ、民主化やアメリカからの輸入を増やすことを可能にする。だがアメリカは、ラテンアメリカ諸国の指導者たちに「中国はアメリカの代わりにはならない」ということを理解させなければならない。それにもかかわらず、アメリカのラテンアメリカ政策は、相変わらず何もしないか高圧的に振る舞うかの両極端を行ったり来たりしてばかりいる。１９９０年代以降にいくつもの反米的な左翼政権が誕生したのもそれが原因だ。彼らはアメリカの侵食に抵抗し、民主化の要求にも応じていない。

同じことは熱意のない米州機構にも言える。「個々の国の個性を尊重する」と高らかにうたった設立の宣言は空しく響くばかりだ。アメリカは米州機構を通じてラテンアメリカ諸国に、東ヨーロッパの第二世界諸国並みのクラスメート方式を導入することができなかった。そればかりか、米州機構のこれまでの総長たちは、みな実質的にアメリカの利権を代弁するスポークスマンばかりだったにもかかわらず、2005年の総長選ではアメリカが推す候補者がすべて落選した。この一件は、この地域に民主主義を広めようとするアメリカの努力が失敗したことを示すとともに、アメリカの帝国主義がラテンアメリカで力を失ったことを示す明らかなしるしとなった。

【訳注】＊9：台湾は過去何年にもわたり、特に中米諸国と外交関係を結び、貿易を行ってきた。

ラテンアメリカはまとまれるか

とはいえ、ラテンアメリカ諸国は〝北の巨人〟アメリカとどう向き合ったらよいかについて、これまでになく分裂している。一方アメリカも、年間10億ドル以上もの援助を注ぎ込み、貿易でも圧倒的な役を演じているにもかかわらず、もはや昔のように独断的に命令して支配することができなくなった。アメリカの帝国主義的な心理状態が変わらない限り、ウィリアム・スワード（＊10）が夢見た南北アメリカを統合する夢は実現しそうにない。

もっとも、反米の憎悪に満ちている中東と違い、ラテンアメリカは、アメリカが自分だけを例外にするのをやめて、他国に説いている自由貿易と民主主義のレトリックに恥じない生き方をすること以上は求めていない。民主化とグローバル化がうまく結びついた時、ラテンアメリカ諸国、特にメキシコ、ブラジル、チリは大きな利益をあげている。これらの国は中南米諸国のなかで最もよく海外と経済的に結びついている国であり、またアメリカへの対応でも非常に実際的なアプローチ法をとっている。また、アメリカのソフトパワーはこれらの国に対して大きく影響しているが、それはこれらの国の重要な省庁の高官の多くが、アメリカの東部名門大学を卒業していることと関係している。彼らは

１９９０年代末までに、すでに自由貿易の最も強い擁護者となっているのだ。

カナダの北極圏のエネルギー資源からアルゼンチンの広大な草原の牛の生産に至るまでの、南北アメリカ大陸の34ヵ国を結ぶ自由貿易地域がもしできれば、その経済規模は実に14兆ドルにのぼり、世界のどの地域より大きなものになる（＊11）。さらに、アジアや東欧諸国の労働者の賃金が上昇しつつある今、アメリカはアジアの製造業と競争するうえで、ラテンアメリカが戦略的に重要な労働市場であることを認識しつつある。将来、ラテンアメリカがアメリカの〝裏庭〟としてではなく、〝隣人〟として扱われる日も来るかもしれない。

だが今のところ、アメリカの努力は依然として市場を管理することにばかり集中し、新しい市場を築くことにはほとんど注意が払われていない。ラテンアメリカ諸国を経済的に統合するのは、ヨーロッパの統合より本来たやすいはずだが（＊12）、これらの国は個々の地域ですらスムーズに深い経済的結びつきを築くことができない状態にある。彼らを苦しめている社会的・政治的な混乱を防ぐには、EUが東欧で行ったような社会制度の変革が必要だ。東欧では、一国ずつ、丹念に、政治形態を経済的な機能に合わせる努力がなされた。

さらに、アメリカも害毒に対して免疫があるわけではない。大量の未熟練労働者、麻薬の蔓延《まんえん》、若者の暴力犯罪集団の増加などの社会現象が、メキシコを通ってアメリカにじわじわと浸透してきている。

【訳注】＊10：ウィリアム・スワード＝リンカーン大統領政権の国務長官。この章189ページを参照。
＊11：汎米州自由貿易地域＝これまでのところ、北米自由貿易地域（アメリカ、カナダ、メキシコ）と南米共同市場（ブラジル、アルゼンチン、ウルグアイ、パラグアイ、ヴェネズエラ）に分かれたままで、南北アメリカの市場統合は実現していない。
＊12：ラテンアメリカ諸国の経済的統合はヨーロッパよりたやすいはず＝ラテンアメリカ諸国は使用する言語が二つしかな

く、しかもブラジル以外はすべて同じスペイン語であること、人種的にも先住民とスペイン人の血が混ざった人たちが過半数を占めていること、宗教がみなカトリックであることなど、本質的な共通点が多い。

〈コラム〉アフリカと東アジアの間

南米では、国と国との間に深刻な戦争がもう何十年も起きていない。南米は、国対国の戦争という概念がもはや古いものとなった大陸だ。だがその反面、ラテンアメリカのほぼすべての国は、国内に深刻な社会不安と内乱を常に抱えている。アメリカとの国境近くのメキシコの小さな町から、ブラジルのサンパウロのスラムに至るまで、戦慄すべき残虐な暴力が広がり、一部富裕層の贅沢な高級住宅街や植民地時代の豪華な建築物とくっきりした対比を見せている。この不安定な状況をひとことで言い表せば、「アフリカの第三世界と、東アジアの潜在的な第一世界との中間」と言えばよいかもしれない。

アフリカとラテンアメリカは、ともに欧米列強の重商主義に何世紀にもわたって支配され続け、ともに北に横たわる大国から大体において粗末に扱われてきたという共通点がある。だが彼らは、自分たち同士は血のつながりのある仲間だというポーズを取ること以外、これといってほとんど何もしてこなかった。

ラテンアメリカの成長が遅く、社会活動のレベルが低い主な原因は、経済改革ができないことにある。人々は自尊心が高いが、手のほどこしようのない犯罪と町のきたならしさが示すように、彼らはお互いを尊重しあわない。ラテンアメリカには、政治家が「尊敬」や「目的」や「決意」などといった言葉を散りばめる〝きれい事〟を好む文化があるが、ラテンアメリカの政治を理解するには行間を読むことが必要で、時には言ったことと正反対の意味であることさえある。もちろん例外はあるが、ラテンアメリカの政治家にとって、誇張はコミュニケーションの一部であり、実際に起こる現実より表現のほうが重要なのだ。つまり、言外に「嘘をつける時になんで本当のことを言う必要があるのか?」と言っているのを、暗黙のうちに了承する文化がラテン文化だ。

ラテンアメリカ諸国では、植民地支配を転覆させたことが、自分たち自身の政府が転覆してばかりいることの正当化に使われる。ここではアジア諸国に見られるような、社会的に法や制度を守る態度はほとんど見られない。リーダーを信頼し、リーダーに対する自分の務めを果たすという態度も存在しない。そのため、大統領が最初の任期をまっとうした政府はきわめてまれだ。ラテン文化は〝良い腐敗〟(交渉を滑らかにし、物事をスムーズに進めるためのもの)に余りに寛容すぎるため、それが〝悪い腐敗〟(血縁や縁故に支配された資本主義が蔓延する構造)から派生していることにも、それを永続化してしまうことにも気づかない。この文化に根ざした利権の門番や、陰の実力者たちが国のすべてを取り仕切っており、そのような社会構造のもとでは、民主主義はリーダーたちに、取れる物だけ取って逃げようという気を起こさせるばかりだ。

このように問題の根は深いが、それでもなお、ブラジルやメキシコの経済力、石油や天然ガスの天然資源、アメリカという輸入大国がすぐ近くにあることなどにより、ラテンアメリカが強固な第二世界になれる可能性は十分ある。最近発表された、EUをモデルにした「南米諸国連合」(＊13)が実現すれば、南米が一つにまとまって第一世界の国々と交渉できるようになる日も来るだろう。

【訳注】 ＊13：南米諸国連合＝2008年5月に開かれた南米サミットで条約が署名された。加盟国はアルゼンチン、ボリビア、ブラジル、チリ、コロンビア、エクアドル、ガイアナ、パラグアイ、ペルー、スリナム、ウルグアイ、ヴェネズエラの12ヵ国で、南米銀行がすでに設立され、全加盟国による共通市場、域内の共通パスポート、南米縦横断ハイウェイなどのインフラの建設などが決まっているが、まだ条約を批准した国はない。

第15章 メキシコと中米諸国
――南米とアメリカを結ぶへその緒

メキシコ

北米自由貿易協定(＊1)はメキシコを第一世界に押し上げるはずだったが、発効した初日の1994年1月1日に、反政府ゲリラ組織〝サパティスタ民族解放軍〟(＊2)が全面的な武力闘争をいっせいに開始した。その目的は貧困にあえぐ先住民の農民の苦境を外部の人々に訴えることであり、彼らは南部の四つの自治体を支配下に収め、与党の高官二人を殺害した。それに対して、メキシコ大統領カルロス・サリナス(当時)は軍隊による激しい鎮圧で応じ、サパティスタ活動家と支持者の貧しい農民を弾圧した。その模様をレポートしたある記者は、

「メキシコは第一世界に発展するどころか、第三世界であることを暴露した」

と報じた。

メキシコにとって、北米自由貿易協定に加わったことは、もはやそれまでのように〝自立したラテンアメリカのリーダー〟のフリはできないことを意味する。メキシコはこれで永遠にアメリカの傘の下に入ったのだ。メキシコの元外交官が説明してくれた。

「わが国にとって、安全保障は大きな問題ではないのです。この国を侵略しようなどという国はあり

ませんからね。わが国の存在がかかっている危機は、グローバリゼーションなのです。グローバリゼーションのおかげで、わが国は世界との激しい競争にさらされ、貧富の差がさらに広がり、そのため中南米からわが国を通ってアメリカに流入する麻薬と不法移民がますます増えることになるのです」

北米自由貿易協定が発効した1994年以来、海外からのメキシコへの投資は4倍近くに増えた。カザフスタンと同様、メキシコは単一の産品への依存から脱却するため、輸出品目の分散を図っている。かつてはおもに石油の輸出国だったが、今では製造業の製品が輸出の80パーセントを占めるまでになった。だが、メキシコの製造業の近代化は、製品を組み立てて輸出するために部品を無関税で輸入することが認められている組み立て工場に限られている。

それと対照的に、中国は労働者のレベル向上を大規模に進め、2001年にWTO（世界貿易機関）に加入して以来、繊維や製造品のアメリカへの輸出でメキシコを追い抜いた。メキシコの有利な点は地理的にアメリカに隣接していることだが、それにもかかわらず300ヵ所の輸出製品組み立て工場が中国に移転してしまい、30万人の職が失われた。このことは、アメリカに流入する不法移民がこの時期に急増したことに直接結びついているとみられている。メキシコが抱える問題は、今後ますますアメリカの問題となって現れてくるかもしれない。

不平等と不安定はペアになってやって来る。2000万人の人口を持つ首都メキシコシティーの中でも外でも、植民地時代の面影をしのばせる風情ある建造物と隣り合わせに、今にも崩れそうなスラムが至るところに見られる。高齢者への福祉政策などで絶対的な人気を集めた前市長のアンドレス・オブラドールは、2006年の大統領選でほとんど勝ったと見られていたが、フェリペ・カルデロンに僅差で破れた。他の第二世界の国と同じく、ここでも首都の市長であることはほとんど国のトップであるに等しい。オブラドールは次々にデモを組織し、反カルデロン大統領キャンペーンを行った。

メキシコでは普段から、食料品の値上がりに抗議する何万人ものデモが日常的に行われている。

政治が都市と地方で大きく分かれていることで、この国は四つに分かれていることがよくわかる。アメリカと長い国境を接する、日常生活でドルが使える広大な北部、次に首都と穀倉地帯がある中部、それから先住民であるインディオの貧しい農民が住む美しい自然と極貧の地峡地帯、そして所々に近代化している地区がある以外は圧倒的に貧しいユカタン半島だ。地峡地帯に通じる、かつての植民地時代に栄えた美しい南部のオアハカ州では、2006年に武装集団と警察の治安部隊と先住民の活動家が入り乱れた流血の内乱が何ヵ月にもわたって続き、観光産業に大打撃を与えた。

【訳注】＊1：北米自由貿易協定＝アメリカ、カナダ、メキシコの3国間の自由貿易協定。
＊2：サパティスタ民族解放軍＝メキシコ南部のグアテマラと国境が入り組む貧困地帯から起こった先住民族解放運動のゲリラ組織で、その後、非暴力の政治活動路線に転換した。

アメリカに押し寄せるメキシコ人

より良い生活を求めてロサンゼルスを目指し、アメリカの国境警備隊がパトロールする国境の侵入防止フェンスを乗り越え、3000キロも旅をしてメキシコ人がやって来るのは、おもにこのオアハカ州のようなところからだ。不法移民が国境を越えるのに手を貸す商売をしているのが〝コヨーテ〟と呼ばれる犯罪組織で、彼らが密入国させているメキシコ人の数は、摘発される数の何倍になるのか想像もつかない。また、アメリカで出回っている麻薬類はおもにコロンビアやボリビアで生産されているが、それらは大体においてメキシコを通って、国境地帯の地元の犯罪組織の手で密輸される。一部の国境の町では縄張り争いから強奪、誘拐、凄惨な殺し合いが繰り広げられている。

アメリカにとって、メキシコ人移民は両刃の剣だ。彼らはアメリカ人が働きたがらない建設現場やレストランで長時間働いているが、また同時にアメリカの公立学校や医療機関は彼らやその子供たちであふれ、予算が足りなくて窮地に陥っている。アメリカに住むメキシコ人が収入の中から故郷に送金している額は年間160億ドルにも及び、メキシコのおもな収入源となっている。おかげでメキシコの一人あたりGDPは9000ドル台にまで上昇したが、移民が減れば半分近くになってしまうと見られている。だが貧富の差が激しく、国民の半数近くが貧困層という状態では、不法移民が減るきざしはない。

メキシコをひとつの統一された国にするには、自由放任主義の北米自由貿易協定による経済政策だけでは十分ではない。アメリカは1994年のメキシコ通貨危機の時に、ペソ（メキシコの通貨）を救済して度量の大きいところを見せたが、それ以後、北米自由貿易協定がメキシコのために行ったことは、EUがトルコのために行ったことに遠く及ばない。メキシコは、EUがトルコに与えたのと同じことをアメリカがメキシコにも与えるよう要求しているが、そのようなことをメキシコに提示するなど、アメリカ国内では口にも出せないだろう。

EUはトルコ人移民に市民権、議会議員になるための被選挙権、開かれた移民制度、多額の補助金、労働組合で母国語を使う権利などを与えた。しかもEUはずいぶん前からトルコの経済的・政治的レベルを高める努力をしてきたが、アメリカは才能あるメキシコ人がメキシコにとどまれるように、メキシコの零細企業や教育関係に投資するということがほとんどなかった。だがラテンアメリカ諸国から移民と犯罪が押し寄せてこないようにするには、アメリカはEU並みの膨大な開発資金を支出することが必要だ。アメリカはメキシコを買い取る以外に道はない。

北米自由貿易協定があってもなくても、それよりはるかに深い人間と文化の混合が南北アメリカ大陸全域にわたってすでに起きている。そしてそのことは、アメリカのラテンアメリカ諸国とのかかわり方を大きく変えつつある。メキシコ人移民は、アメリカの国土を歴史的に自分たちの領土だと主張する唯一の移民グループである。メキシコからアメリカへとヒスパニック移民が押し寄せている状況を、メキシコ人は〝ヒスパニックによるアメリカの再征服〟と呼んでいる。今やアメリカ的価値観が北から南に広がるよりはるかに速い速度で、ラテンアメリカ人の連帯感が南から北へと広まっている。

カリフォルニア、アリゾナ、テキサス、ニューメキシコなどの、アメリカ南西部の州で大きな人口を持つヒスパニック系アメリカ人は、たいていアメリカとメキシコの両方に忠誠心を持っている。スペイン語は急速にアメリカの第二公用語となりつつあり、アメリカ議会に二十数名のヒスパニック系議員が誕生しているのも、国政に移民の影響力が増していることの表れだ。引退したアメリカ人が安い生活費と医療費を求めてメキシコに引っ越すケースが増えている一方で、何百万人ものメキシコ人の不法移民がアメリカに住みつき、アメリカ人の納税者が払っている税金でまかなわれる社会福祉の恩恵を受けている。そのためアメリカの保守派は、アメリカがかつてのローマ帝国のように異なる人種の複合体になってしまうのではないかと心配している。

中米諸国

中米はアメリカのカリフォルニア州とほぼ同じ面積があり、人口もまたカリフォルニアとほぼ同じでおよそ3500万人が住む。現在グアテマラ、ベリーズ、ホンジュラス、エルサルバドル、ニカラグア、コスタリカ、パナマの七つの国に分かれているこの地域が、20世紀初めに〝バナナ・リパブリック〟（バナナ共和国）と呼ばれていたことは有名だ。いずれの国もかつては軍事政権が支配していたが、今は社会保障がないことが最大の弱点である。これらの国はみな貧困と高い失業率に蝕まれた第三世界で、有名なのは美しい花と麻薬と銃だけというのが実状だ。

1980年代、アメリカのレーガン政権はソ連を〝悪の帝国〟と呼び、その影響下に入りそうなエルサルバドルやニカラグアの共産主義者と闘ったが、今のアメリカは、たとえ共産ゲリラがいなくても、中米が南北アメリカ大陸にとって真の脅威となることを苦労して学びつつある。アメリカがこれらの国の出身の犯罪受刑者を強制送還した結果、中米諸国で若者の暴力犯罪グループが急増し、メキシコを含めればそのメンバーが推定およそ10万人にも膨れ上がってしまったのだ。

グアテマラでは経済活動の70パーセントが違法な活動で、グアテマラとメキシコの間に存在する真の競争は、麻薬類や非合法労働者をアメリカに送り込む犯罪組織同士の縄張り争いだけだという。エルサルバドルに本拠を置く通称MS－13と呼ばれる暴力犯罪組織は、欧米各地で犯罪活動をくり広げている。アメリカには1万人のメンバーがいると言われ、最近ではアメリカにいるメンバーがサンサルバドル（エルサルバドルの首都）のメンバーと連携して行動するようになっている。中米はかつてアメリカの戦場だったが、今ではアメリカの都市が、中米出身者による暴力犯罪組織の戦場になっているのだ。

しかし中米は、将来の南北アメリカ統合の実験場でもある。中米自由貿易協定ができてアメリカの関税が引き下げられ、北米自由貿易協定がメキシコにしたのと同じように、中米諸国の失業率が改善されて輸出が増加することが期待されている。ニューヨーク・タイムズは、「自由貿易協定によって中米が21世紀のレベルに引き上げられることは考えられないが、少なくとも20世紀のレベルにはなるかもしれない」と書いている。

だが、アメリカがこれまで大体において中米やカリブ海諸国の小さな市場をないがしろにしてきたことが、他国に入り込む隙《すき》を与える結果となった。アメリカの投資家の多くは中国に投資しているが、その中国は中米に進出して、アメリカ向けに輸出する製品を作る工場を建てている。またアメリカはキューバに対して禁輸措置をとっているが、そのキューバは中国に向けて大きくドアを開いている。今や中国はキューバにとって、カナダを抜いてヴェネズエラに次ぐ第二の投資国になっている。さらに中国は旧ソ連の情報員のいなくなった情報収集駐屯地に要員を置き、また油田も開発している。今やキューバの石油採掘塔の上には五星紅旗がはためいている。

とりわけアメリカの面目を失わせたのがハイチの例だ。アメリカはハイチの政情を安定させるため、20世紀の100年間に何度も軍隊を送って占領したが、それでもなお、西半球で最も貧しい、アメリカ本土から1000キロしか離れていないこの国の状況を好転させることはできなかった。ハイチが無政府状態に陥るのを防いだのは、国連の決定で中国、ブラジル、チリから派遣された平和維持軍だったのだ。

グローバリゼーションのあまり強調されていない利点は、どのような小さな国も、大きくて豊かな隣国から不当な扱いを受けていると感じたら、権力の世界市場から注意を引くことができるということだ。もしアメリカが、その〝裏庭〟である中米やカリブ海諸国に対して深い思いやりを示すことができなければ、これらの地域をまとめる指導力は南米からわき起こって、北に向かって上がってくることになるかもしれない。

第16章 ヴェネズエラ
――ボリヴァル（＊1）の復讐

スペインの支配から南米を解放しようと闘った19世紀はじめの反植民地革命の英雄、ボリヴァルは、常に南米大陸の統合を夢見ていた。だが彼が築いた大コロンビア（＊2）はいくつにも分裂してしまい、ラテンアメリカは中心となる一つの大きな柱を持つことがないまま、その後のアメリカの長期にわたる覇権を許した。

だが今日、ヴェネズエラの首都カラカスの目抜き通りには、この国に生まれたボリヴァルを意味する〝解放者〟の名がついている。アメリカのモンロー主義の終焉を最もよく物語っているのは、ＥＵでも中国でもない。それは膨大な石油の埋蔵量を持ち、ＯＰＥＣ（石油輸出機構）の創始メンバーであるヴェネズエラだ。本来なら、この国は世界の主要なエネルギー供給国となって発展し、ボリヴァルの夢を実現させて南米のサクセスストーリーとなることもできるはずだ。だが残念ながら、そうなる可能性は少ない。

第二次世界大戦が終了すると、スペイン、イタリア、ポルトガルの中流貿易商や労働者はこの国を将来の可能性に満ちた希望の土地と考え、大量の移民が行われた。そして１９５０年代には国内の少数独占資本に外国の石油メジャーが結びついて油田開発が進み、ヴェネズエラは第一世界へとのし上がる。当時、カラカスは世界でも最も安全で最も文化が発達した都市の一つだった。

だが南米の歴史には、常に政治の不確実さのために発展が阻害されてきたという特徴がある。民政に移管した後、1960年代に選挙で選ばれた大統領はみな独裁化し、後の時代に流血の争乱と壊滅的な自然破壊、大量の負債と労働意欲のない労働者という遺産を残した。1970年代初めには他のOPEC加盟国と同様、石油ショックによる原油の高騰で膨大な富をかき集めたが、農業を切り捨てて放蕩《ほうとう》財政を行ったあげく産業が衰退してしまった。そして1980年代に原油価格が急落すると、貿易赤字と対外債務が急増して生産性が失速、資本が海外に流出し、インフレが加速し、それを切り抜けるために外国からの借り入れがさらに増加するというスパイラルに陥った。OPECの事実上の創始者であるファン・パブロ・ペレス（＊3）は晩年、「ヴェネズエラは悪魔のクソにまみれて溺れている」という言葉を残している。

現在のヴェネズエラも、この時と同じサイクルがくり返される危険性は十分にある。政治家の個人的な個性が国を動かすラテンアメリカの政治では、強い指導者は常に政治組織の弱さを踏み台にして登場し、その国は自由のない政治と指導者の態度の悪さのために苦しむ。そのきわめつけが、現在のヴェネズエラ大統領、ウーゴ・チャベスだ。何度失脚してもそのたびに復活してきたチャベスは、ナルシシスト的レーニン主義者とでも呼ぶのがふさわしい人格を身につけた。軍人だった1992年に2度にわたってクーデターを起こそうとして失敗、投獄されたが、民族主義的社会主義の主張が貧困層の圧倒的支持を受けて急速にのし上がり、1998年末の大統領選で当選した。国のエリートたちに対する怒りと、疑いに満ちた激しい言葉をエスカレートさせる名物男、チャベスの台頭を許したのは、貧困層への政府の無関心だった。

「政府？　政府はどこかこの町のむこうか、月の上にでもあるんだろう」

と貧民街で出会った男が言った。

「俺たちはカネを払ってくれと言っているだけだ」

【訳注】＊1：シモン・ボリヴァル＝1783年生、1830年没。ヴェネズエラの政治家・軍人で、南米の植民地をスペイン支配から独立させた英雄。大コロンビア共和国大統領（1819〜1830年）、ペルー大統領（1824〜1827年）、ボリビア共和国建国（1825年）の父。
＊2：大コロンビア共和国＝1819年にスペインと戦うためにボリヴァルが築いた共和国で、現在のヴェネズエラ、パナマ、コロンビア、エクアドルの全域と、ブラジル、ペルーの北部を含んでいた。1930年に分裂し、ボリヴァルの死後1831年に崩壊。
＊3：ファン・パブロ・ペレス＝ヴェネズエラの政治家で外交官。1903年生、1979年没。

チャベスの衆愚政治的独裁

魅力的だが無責任なチャベスは、この男に代表される貧しい大衆を巧みに操っている。大衆は国の資産が国民のものであることに気づかず、政策や石油収入の使い道について説明責任を追及することもない。カラカスの政治アナリストが説明する。

「大衆はチャベスが何をしようが支持します。なぜかって？　チャベスは大衆に希望を与えたからです。支持者たちは彼のためなら命さえ投げだしますよ」

この国では、石油は水よりも安い。ノルウェーやカザフスタンで成功している例があるように、もし石油による富を国民に再配分する恒久的なシステムを作っていれば、ヴェネズエラの人口の大半を占める1日2ドルで生活している人たちの暮らしも向上したはずだ。だが、カザフスタンでは国民が土地を所有できるようになり、石油収入が民間の起業を促進するためにも使われているのと対照的に、チャベスの〝ボリヴァル主義的社会主義〟では政府がすべてを支配している。金持ちの地主から没収した土地は貧農の共同組合のものになったが、農民が個人で所有することはできない。労働組合は解散させられた。援助金の貸し付け、農業への援助、食料の分配ネットワーク、キューバ人医師による医療など、チャベスは自分の〝使命〟にとって正しいと思うすべてのことを実行しているが、国民はこの国の唯一の消費者である政府（役人と軍人を合わせると300万人にのぼる）のために働かされている。つまりチャベスは、石油収入による資金を国民の不平等を軽減するためにではなく、他のすべてのラテンアメリカ諸国がしてきたのと同じように、自分の政治的な目的を達成するために用いている。この国では石油による利益が年間200億ドルにもなりながら、国民一人あたりのGDPは1954年の半分のレベルだ。

国営のヴェネズエラ石油公社は、かつて非常に優れた技術系経営陣を擁していたが、チャベスはこれを解体し、自分の息のかかった軍部に運営を任せている。そのため生産性が落ち、今の生産量は最大生産能力より100万バレルも低くなっている。またヴェネズエラ石油公社は政府から独立してチャベスの意のままに動かされ、チャベスは銀行を私物化して、そこからヨーロッパの自分の銀行口座に送金している。さらに、チャベスの委員会がヴェネズエラ企業の取締役会をすべて支配し、利益を差し押さえている。

現在アメリカ在住で、〝自称亡命中〟という元ヴェネズエラ石油公社の職員が言う。

「チャベスが専門家階級を潰してしまったため、いくら石油があっても国の運営はどうにもなりません。今のヴェネズエラには、カネを正しく管理できる有能な人間が残っていないのです」

カラカスのスペイン領事館にビザを求めて並ぶ人を見れば、この国に頭脳流出が起きていることがよくわかる。

チャベスは確かに民主的な選挙でくり返し選ばれているが、彼の民主主義は衆愚政治に等しい。今のヴェネズエラはムシャラフ時代のパキスタンに似ており、チャベスがすべての知事と市長を任命し、自分の一存で元官僚に土地邸宅を与えている。これらの取り巻きたちは、新たに手に入れた地位を守ることに汲々《きゅうきゅう》としている。またチャベスは国の議会と選挙委員会を握っているので、今のヴェネズエラに彼を阻止できる反対勢力は存在しない。そのため、憲法を再び改正しなくても、チャベスは２０１３年まで大統領にとどまることができる。

ヴェネズエラにはチャベスに忠実な民兵組織が少なくとも六つあり、戦闘服を着た民兵が肩から自動小銃を無造作に提げて、徒歩やジープやオートバイで威嚇するようにカラカスの街を巡回している。犯罪が野放し状態のため、反対勢力は街頭で活動することができない。国民は、接収したテレビ局からチャベスが独演会のような演説を延々と続けるのを、家で見ているだけだ。

カラカスではいくつかの高級ホテルや高級ナイトクラブが所々で営業しているが、それを除けば、国防省の元高官の権力者たちが支配する第三世界の首都に転落してしまった。ヴェネズエラは銃による殺人の件数が世界一であることでも知られ、身代金目当ての誘拐事件も増加の一途をたどっている。最近では銀行のＡＴＭを使って素早く身代金を奪う手口が増えている。

アメリカ敵視政策

チャベスはカストロの反覇権主義を受け継いでその信条を中南米全域に広め、アメリカが自由の名のもとに中南米を永遠に蝕み続けるという考えを宣伝している。だがヴェネズエラとアメリカの間には、石油開発や自動車の生産や野球好きなど、本来たくさんの強い結びつきがあり、このような敵対関係が生じているのはとても残念なことだ。イランやウズベキスタンでもそうだが、一般国民の多くは特に反米感情を持っているわけではないのだが、指導者にとっては反米主義が重要な支えになっているのだ。

２００２年に、アメリカのブッシュ政権はクーデターを起こしてチャベスを転覆しようと企《くわだ》てたが失敗した。チャベスはアメリカがそれを認めたことを最大限に利用し、アメリカが支持する反対勢力を「ボリヴァルの革命を潰そうとする悪魔」と呼んで攻撃を始めた。チャベスのアメリカ敵視政策はあらゆる面に及んでいる。たとえば、①核兵器を含む核開発をする意思があると宣言、②アメリカへの石油輸出を停止するという脅し、③ロシアから10万丁のＡＫ-47（カラシニコフ）自動小銃を購入して汎南米警備軍を編成する計画を発表、④アメリカの麻薬密輸阻止作戦、自由貿易の促進政策、キューバのカストロ政権を孤立させる政策のすべてを妨害、⑤アメリカの敵イランとの石油・天然ガス共同開発協定に署名、⑥イスラム原理主義グループを保護して訓練を施している（らしい）、⑦アメリカの低所得層に安価な暖房用石油を直接供給する、などだ。

噴き出る汗が止まらない蒸し暑い夏のある日、カラカスの街を一緒に散策したチャベス支持者のインテリが言った。

「チャベスのやることはすべて正当化できます。彼は選挙で民主的に大統領に選ばれたのです。アメリカに彼を転覆する権利はありません。我々は、アメリカのような強国になりたいなどとは言っていないのです。我々を公平に扱ってもらいたいと言っているだけですよ」

チャベスの夢

19世紀のはじめ、ボリヴァルはアンデス一帯をスペインから解放したが、それがいくつもの国に分裂していくのを防ぐことはできなかった。21世紀のチャベスの〝新ボリヴァル主義〟は、それらの国々を、イデオロギー的・経済的に再統合することを目指している。

ブラジルのアナリストが心配顔で言った。

「具体的な裏付けなしに、思いつきでものを言う政治家は笑いものになるだけですが、もしそれに50億ドルもの裏付けがあれば、みんな真剣に受けとめますよ」

彼によれば、多くのブラジル人も彼と同じように、チャベスが世界の人々に南米の過激なイメージを与えていることを心配しているという。

チャベスは外交官をほとんど使わず自ら南米や世界を飛び回り、各国の指導者たちをカネで味方につけ、彼らが選挙で勝つようにカネを出し、「イギリスはフォークランド諸島（＊4）をアルゼンチンに返還すべきだ」というような演説をして聴衆を煽《あお》っている。そしてキューバやアルゼンチンを含む南米・カリブ海諸国の間で石油、セメント、牛、医師、技術者などを等価交換するシステムを作る計画を宣伝している。さらに、南米の自助努力をうながすため、国債の買い取り、借金の肩代わり、石油の援助などで、アメリカの5倍ものカネを使っている。カリブ海地域では、キューバとジャマイカの石油精製施設の近代化工事の費用を負担したうえ、30億ドル相当の石油をタダ同然で分配した。きわめつけは、ヴェネズエラからブラジルのアマゾンを通ってアルゼンチンまで延びる、世界最長のパイプラインの建設を開始したことだ。これは実際に南米大陸のエネルギー供給網を作り上げ、エネルギーの自給自足を達成する潜在力がある。チャベスはこれらのプロジェクトによって、政治的・経済的・社会的な力を持つ一大ブロックを構築し、世界に力のバランスをもたらすと主張している。

【訳注】＊4：フォークランド諸島＝第19章のアルゼンチンの項を参照。

中国カードとEUカード

だがそんなチャベスも、アメリカにケンカを売るには、力のある第三者の助けが必要なことがよくわかっている。そこで彼は〝中国カード〟を大々的に使っている。彼はアメリカに対して、現在アメリカに輸出している石油を止め（実際、中国に振り向けられる石油の量が徐々に増えている）、アメリカ国内にヴェネズエラが所有する石油精製施設を売却してアジアの精製施設に投資すると言って脅《おど》しをかけている。中国もそれに呼応して、チャベスのゼロサムゲーム（＊5）に無言の励ましを与えている。たとえば、現在ヴェネズエラに投下されている全海外投資の半分は中国からで、ヴェネズエラの石油を中国まで運ぶための大型石油タンカーをチャベスに売り、新しい油田を発見するための試掘を行っている。中国は石油の輸入で完全にアメリカに取って代わることはできないかもしれないが（ヴェネズエラから中国までは地球を半周する距離がある。一方のアメリカは、目と鼻の距離だ）、輸入量は確実に増えている。また中国は、ヴェネズエラに建築労働者を送って、住宅や光ケーブルの建設や灌漑《かんがい》工事を行うことも提案している。

チャベスは〝EUカード〟も使っている。ヨーロッパは依然として、ヴェネズエラのエネルギー産業とサービス産業への最大の投資元なのだ。EUはヴェネズエラの2005年の選挙を監視して不正を批判する厳しい声明を出したものの、ヨーロッパ諸国、特にスペインは、アメリカの干渉を拒否して自治を進めるチャベスの計画に大体において理解を示しており、彼の〝貧困の救済〟というレトリックを受け入れている。

アメリカは、スペインがヴェネズエラに30隻以上の高速哨戒艇《しょうかいてい》を売るのを阻止しようとした。ヴェネズエラはサウジアラビアを凌ぐ3億バレルを生産する潜在力があるが、アメリカの石油企業の最先端技術があるにもかかわらず、チャベスはそれを凍結して第二世界の新しい〝エネルギー枢軸国〟である中国、ロシア、イラン、インドネシア、ブラジルの国営石油公社だけを開発に招いている。これらの企業は、たとえ割高の税金を払わなくてはならなくても、喜んで共同生産に参加してくる。チャベスはそれを利用して、すでにヴェネズエラで活動しているヨーロッパの石油企業に少しずつ圧力をかけている。

アメリカはすでにチャベスの手綱を引くことをギブアップした。はたしてEUにそれができるだろうか?

チャベスのヴェネズエラは、アメリカの支配を排除した後のラテンアメリカ諸国の協力関係に、なお長続きする貢献ができる可能性もある。だが究極的には、過去の歴史がくり返される可能性も大きい。つまり、国の経済が石油の輸出に依存し、他の産業が育たず、経済が石油価格の変動に翻弄される、というパターンだ。今のヴェネズエラは、石油による巨大な富、激しい不平等、一部の人たちに対する公民権の剝奪など、パーレヴィ国王を追放したイスラム革命前のイランに状況が似ている(*6)。

だが、もしチャベスのボリヴァル革命が失敗したとしても、彼が南米のすべての指導者たちの心の中に(たとえ彼を道化師《ピエロ》だと思っている人にすら)一つの意識を目覚めさせたことは間違いない。それは、彼らは南米が沈没しないために、そして主権ある第二世界として繁栄するために、今よりもっと努力して団結しなければならないということだ。ボリヴァルの夢は、チャベス個人にとどまらず、今後もずっと生き続けることだろう。そしてチャベスはそれを確認するためにも、できる限り長く政権にとどまろうとするだろう。

【訳注】 *5:ゼロサムゲーム=競技者の損得の総和がゼロになるゲーム。転じて、全体の総和が一定で、誰かが多く取れば他の誰かの取り分がその分だけ少なくなる状況、あるいは誰かが損をすれば他の誰かがその分だけ得をする状況をいう。
*6:イランのイスラム革命=第25章を参照。

第17章 コロンビア
――アメリカの浮沈空母？

コロンビアは南米で唯一、太平洋とカリブ海の両方に海岸線を持つ国だ。約４４００万人の人口を持ち、フランスとスペインを合わせたのとほぼ同じくらいの面積がある。パナマ、ヴェネズエラ、ブラジル、エクアドル、ペルーと国境を接し、19世紀の一時期にはボリヴァルの〝大コロンビア〟(*1) の中心だった。21世紀の今、ヴェネズエラのチャベス大統領が唱えている南米の大連合は、コロンビアなしに実現することはできない。

だが、分裂したアンデス諸国の将来がコロンビアにかかっているとはいえ、そのコロンビア自身、内部が大きく分裂している国だ。地理的にもアンデスの山々はコロンビア内で二股に分かれ、この国を文化の違いがはっきりとわかる三つの地域に分けている。太平洋岸と内陸側のアマゾン地方の二つの平野部は最も経済的に貧窮している地帯で、人口の60パーセントを占める貧困層が住んでいる。国土の大部分を少数の封建地主が支配し、まるで政府の監督官のように住民を統治している。このように地理的・歴史的に分かれた国土に、１００万人以上の人口を持つ八つの大都市が散らばり、それぞれにクモの巣のように張りめぐらされた利権と有力者のグループがあって、人口の80パーセントを占める都市部の住民を支配している（１９３０年代には今とまったく逆で、人口の80パーセントがへき地に住んでいた）。

さらに状況を複雑にしているのが、この国には都市でもへき地でも、三つの権力が存在するという事実だ。一つ目がコロンビア政府とその軍隊、二つ目が麻薬の密造・密輸組織、三つ目が反政府左翼ゲリラ組織である。これらのグループが入り乱れて何十年にも及ぶ内戦が続いた結果、350万人が国内難民となり（その数は世界で3番目に大きい）、その多くが首都ボゴタのスラムに住んでいる。

コロンビアの名を世界的に有名にしたのは、麻薬の密造・密輸組織だ。アメリカはこれまで、南米に強固な同盟国が一つあればそれ以上無理しないできたため、アルゼンチンのカルロス・メネム大統領（在任1989〜1999年）が辞任して以来、南米でアメリカの〝ドラッグ戦争〟（＊2）を支持しているのはコロンビアのアルヴァロ・ウリベ大統領だけになっている。しかし、ドラッグ戦争はアンデス諸国の政府の支配が及ばない地域での闘いが主なので、アメリカにとって同盟者がウリベ政権だけでは十分ではない。

【訳注】＊1：ボリヴァルの大コロンビア＝第16章を参照。
＊2：ドラッグ戦争＝ドラッグ類の蔓延を防ぐため、アメリカが1980年代から進めている政策で、アメリカ国内ばかりでなく、メキシコや中南米でも軍隊を投入して麻薬組織の討伐が行われている。コロンビアやボリビアに数万人の米軍が派遣されたこともある。ドラッグ戦争は1989年のパナマ侵攻の大義名分にも使われた。

コロンビア革命軍とアメリカの〝ドラッグ戦争〟

1990年代のはじめ、アメリカの強い圧力によりボリビアとペルーで麻薬生産の撲滅作戦が繰り広げられた結果、それらの国でできなくなったコカの栽培とコカインの生産がコロンビアで急増した。現在、アメリカが後ろ盾になって〝コロンビア計画〟と呼ばれる麻薬組織撲滅作戦が進められており、コカインの密造・密輸で資金を調達して勢力を拡大した反政府組織〝コロンビア革命軍〟を周辺国との国境地帯に追いやっている。

だが、風船の真ん中を押さえつければ周辺部がふくらむのと同じ理屈で、最近ではコロンビアでの密造が減少したかわりに、周辺国との国境周辺のジャングルで増加している。各国の麻薬組織はそれらの国の政府同士よりはるかに素早く連携する能力があり、ヴェネズエラとの２０００キロ近い国境線をまたいで行われる密輸が増加しているほか、最近ブラジルでもコカイン消費量が急増しており、ここ数年ブラジルを経由してヨーロッパに密輸される量が増えている。２００５年にはブラジルの格安航空会社の便を使ってヨーロッパに大量のコカインが密輸されていたことが発覚し、この航空会社は運行停止になった。

アメリカは〝ドラッグ戦争〟に軍隊を投入しているが、効果は限定的だ。アメリカ南方軍（＊3）は任務を主に海上での密輸摘発の支援、国境の監視、人道支援に限定しているが、コロンビアだけは例外で、数百名の軍事顧問団が駐留し、コロンビア軍特殊部隊の対ゲリラ作戦訓練に当たっている。だがアメリカは２００５年までの10年間に、〝コロンビア計画〟に50億ドル近くを注ぎ込んでいるが、その大部分は軍事作戦に使われ、貧しい農民の救済などには十分充てられていないのが実状だ。アンデス地方のコカの栽培はピークに達しており、アメリカで売られているコカインのほぼすべて、ヘロインの約半分がコロンビアから来ると言われている。

アフガニスタンでも同様だが、麻薬は最も収益率の高い輸出用農作物であるばかりでなく、政治力ももたらす。ほんの数年前、ウリベ政権はコロンビア革命軍に大攻勢をかけた。守勢に回ったコロンビア革命軍は、潤沢《じゅんたく》な資金を使って主要な武装民兵集団の買収を加速し、そのため民兵集団の大連合組織である〝コロンビア自衛軍連合〟との区別がはっきりしなくなってしまった。これらの武装民兵組織もコカとケシの生産と販売のネットワークを持っており、海外の密輸組織とのつながりはコロンビア革命軍より強い。武装集団のなかには軍事組織の解体を宣言したものもあるが、そのかわりに麻薬で儲けた資金で高級不動産を買ったり、他の組織に指令を出したりしている。単に麻薬組織のボスを捕まえても、テロリストを捕まえるのと同じくらい効果は薄い。武力で討伐するだけでなく、問題の根源を解決しない限り、コロンビアの麻薬とゲリラの問題がなくなることはない。この国は反政府ゲリラが老齢で死ぬことのできる世界唯一の国だと言われている。ゲリラになることが貧民のライフスタイルだと言われるのも無理はない。

【訳注】＊3：アメリカ南方軍＝アメリカ統合軍の一つで、中南米と西インド諸島を管轄する。第13章のアメリカ中央軍を参照。

ラテンアメリカ型資本主義の典型

この国のエリートたちの国際的な上流生活を見ていると、国中に争いが充満して慢性病のように病んでいる現実が見えなくなる。社会は分裂しているばかりでなく、広く私物化されており、それはラテンアメリカ諸国全体に見られる傾向をよく表している。

たとえば、地域の土地を所有する有力な会社が有料道路を所有して運営している。首都ボゴタでは、ほとんどの住宅地区の街角に民間の武装警備員が立っている。住居の周りは、侵入者に登られないようにギザギザの尖ったガラス片が埋め込まれた高い壁に囲まれ、まるで砦《とりで》のようだ。暗くなってから車を運転する人は、カージャック（＊4）を恐れて赤信号を無視して突っ走って行く。身代金目当てにビジネスマンを誘拐する事件が頻繁に起きる。政府の支配が及ばない地域がたくさんあり、そこでは武装集団が取り仕切っている。エリートたちは派閥争いに明け暮れ、警察が信用できないので民間の警備会社を雇う。これらはすべて、外部にではなく国内に脅威を抱えた国の姿を象徴している。

とはいえ、ヴェネズエラでは何十年にもわたって不安定が続いているのに対し、コロンビアはまがりなりにも1930年代のどん底から近代国家にはい上がってきた。左翼ゲリラ、麻薬組織、秘密警察などによる誘拐や暗殺などの社会不安は続いたものの、1940年代半ばから1950年代末にかけての争乱の時代を除けば、最高権力の移譲は基本的に民主的に行われてきた。2006年に再選されたウリベ大統領は、ボリヴァルの時代以来、初めて2期目を務める大統領となった。

コロンビアはアイルランドによく似て、世界中に散らばる同胞が資金と知識を持って戻ってくる。資本や頭脳の流出はヴェネズエラやアルゼンチンより少ない。犯罪は多いものの、他の南米諸国に見られるような超インフレや巨大債務を経験したことはなく、株式市場もアンデス地域では最もよく機能している。今日のボゴタ市は喧騒《けんそう》にわく国際都市で、よく修理して保存された植民地時代の歴史的建物と、現代的なオフィスビルが美しくマッチしている。スラムですら一定の秩序と威厳があり、ヴェネズエラのカラカスより安全だ。

ヴェネズエラが石油ブームの時代の繁栄を取り戻すのに失敗しているのと対照的に、最近のコロンビアは麻薬ブームのダメージから回復することに成功しつつあるように見える。1990年代の麻薬組織に対する対処の仕方には、あきらめにも似た雰囲気があった。当時のエルネスト・サンペール大統領は、この国に麻薬組織が存在することが許容されていたことを認めていた。彼の選挙資金が麻薬組織から出ていたことが発覚したのも、おそらく不思議ではないだろう。前大統領アンドレス・パストラーナ（任期1998〜2002年）がコロンビア革命軍との〝悪魔との取引〟と言われた和平対話を行った後（その取引でコロンビア政府は広大な土地をコロンビア革命軍に譲った。だが後に対話は中止された）、2002年に就任した現大統領のウリベは国家の権威を立て直し、治安回復を最重点政策に据え、国民の大きな支持を得て内戦状態を終結させた。

【訳注】＊4：カージャック＝飛行機を奪う〝ハイジャック〟から出た造語で、運転者を脅して車を奪う行為のこと。赤信号などで停まっている車を襲う場合もあれば、走っている車を警察や道路工事を装って停車させて襲う手口もある。被害者はたいていその場に放り出されて置き去りにされるが、時にはそのまま誘拐されてしまうこともある。

反政府ゲリラの衰退

コロンビアでは、国の建設と〝ドラッグ〟戦争の勝利は同時に進む。山岳地帯の道路やトンネルを改善したことが政府と国軍の支配力を増し、警察と裁判所が法の執行を強化することにつながった。ウリベ政権が発足した当時、警察はまだ全国のおよそ半分の町にしかなかったが、現在ではすべての町にできた。

アメリカ人の記者が言う。

「麻薬組織や民兵組織は、取引に応じたり逃亡したりしています。今ではコロンビア軍が優勢です」

コロンビア革命軍が、独立国家を作るどころか、麻薬取引や身代金目当ての誘拐ばかりやっている時に大統領になったウリベは、ラッキーだった。彼らは麻薬ビジネスをやっていることで国民の信用を失い、今では革命勢力とは名ばかりになっている。最近では、国境近くの地域で疑似国家的な縄張りを運営しているだけで満足しているように見える。ボゴタの東北100キロほどのところにある町を制圧しようと大動員をかけたが、1週間ももたなかった。このところ、誘拐作戦もほとんどが内陸の開拓地と沿岸部の密輸地帯に限られている。都市の人たちは彼らと関わり合うのを避けるようになった。コロンビア警察の麻薬組織の専門家は、今ではアフガニスタンの警察を訓練しているという。

こうして国がまとまってくるに従い、パナマに続く太平洋側の、先住民が多く住む熱帯雨林に覆われた貧しい地区にも、パンアメリカン・ハイウェイ（＊5）への入り口となる地域として開発される日がいつか来るかもしれない。アジアやアメリカ向けのコーヒーの輸出が増えれば、生活のためにコカの栽培を請け負ったり、武装勢力に参加したりしていた貧しい農民の生活が改善される。

ＥＵは、武装勢力を解散させてメンバーを社会復帰させるプログラムに出資しているほか、この国の最も貧しい地域への援助も行っている。もしこの計画が、現在立ち入り禁止になっているカリブ海側のパナマとの国境に近いジャングルにも適用されれば、パンアメリカン・ハイウェイの分断部分がつなげられて、中南米を結ぶ大動脈として使用できるようになるかもしれない。

【訳注】＊5：パンアメリカン・ハイウェイ＝アラスカからアルゼンチンの南端まで南北アメリカを縦断するハイウェイ。かつてアメリカ主導で、中南米で建設が進められた。各国の既存のハイウェイを使っている区間も多く、特にパンアメリカン・ハイウェイという名の貫通したハイウェイがあるわけではない。パナマとコロンビアの間は現在も途切れている。

ボリビア

ボリビアの貧しい農家にとって、コカの栽培は生活のための唯一の手段だ。２００５年末の大統領選で、そのような貧しい農家出身の先住民、エヴォ・モラレスが当選したのは特筆すべき出来事だった。

ボリビアはこれまで数限りないクーデターをくり返してきた第三世界だが、モラレスは利己的な目的で大衆に迎合しているのではない。彼がグローバリゼーションに懐疑的なのは、国民を虐《しいた》げる外国企業と政府の腐敗高官の癒着に対する警鐘だ。外国企業と腐敗官僚があらゆるものを私物化しているため、この国では最も基本的な公共事業、たとえば水道すらまともに機能していない。

かつてボリビアは豊かな銀の鉱山で有名だったが、最近、ヴェネズエラに次ぐと言われる膨大な埋蔵量を持つ天然ガス田が発見された。だがボリビアには、ブラジルやマレーシアのような、優秀な経営陣と高度な技術を持った近代的な国営石油企業がない。モラレスが外国の石油企業に接収や法人税の引き上げなどをちらつかせたり、先住民の事業のための基金を創設したりしているのも、それが彼らの国の財産を自分たちの手でコントロールし、社会福祉を充実させるための唯一の方法だからだ。外国のエネルギー企業は、それでもなお巨大な利益が保たれているのだから嘆くことはない(#1)。

【原注】#1：それにひきかえ、モラレスが大統領に選ばれた同じ週に、アフリカ中部の国チャドの大統領は、「石油収入を安全保障にではなく教育と医療に向ける」という世界銀行との協定を破棄した。こういう場合の〝安全保障〟とは通常、大統領のための自家用ジェット機、戦車をはじめとする兵器、防弾装備仕様のベンツを意味する。こんなことをいつまでもやっているようでは、チャドは永遠に第三世界にとどまるだろう。モラレスが率いるボリビアは、それよりずっと成功する可能性が高い。

アンデス諸国の将来

中央アジアと同様、アンデス山脈にかかる国々にとっては、国境を超えて各国が連帯して麻薬組織の取り締まりやエネルギー開発や貿易に協力することが、この地方特有のさまざまな問題を乗り越える唯一の方法かもしれない。けわしい山々や荒れ地に取り囲まれたこの地方では、太平洋岸へのアクセスが経済の生命線になる。

アフリカの内陸国は周辺国を侵略して戦争をくり返しているが、南米の内陸国ボリビアはペルーとの協定により太平洋岸の港にアクセスがあり、ヴェネズエラやコロンビアとの貿易も増えている。ヴェネズエラのチャベス大統領はパイプラインをコロンビアの太平洋岸まで引こうとしている。アンデス諸国は、各国を結ぶ天然ガスや電気の供給網を共同で建設することも計画している。

EUは小規模農家や零細企業を援助し、原料の輸出だけに依存しているこの地域の経済の形態が次第に変わるよう協力している。南米の銀行と電話のほとんどは実質的にスペインの企業群が運営しているが、彼らは将来の競争相手になるであろう地元の人たちを教育している。

　中国はエクアドルで石油採掘権を得ようと躍起になっており、その一方で繊維製品から携帯電話までのあらゆる商品をダンピング価格で売っている。中国は、鉱物資源が豊かなアマゾン地方からペルーの太平洋岸まで横断するハイウェイの建設に大きな関心を示している。

　コロンビアは、アメリカの〝浮沈空母〟のまま残るかもしれない。中国は、アンデス地方を南米進出の足がかりにしようとするかもしれない。EUの地域重点主義はさらに発展するかもしれない。それらの結果が将来どうなるかは、まだはっきりしない。

　だが少なくとも、一つだけ確実に言えるのは、これからのアンデス諸国の指導者たちは、もう自分たちの国を〝ワシントン・コンセンサス〟（＊6）の言いなりになってわけもなく私物化することはないだろうということだ。そのほうが彼らの国にとっては良いに違いない。

【訳注】＊6：ワシントン・コンセンサス＝第14章194ページの訳注7を参照。

第18章 ブラジル
——南の巨人

ブラジルは、まさに南米のアメリカ合衆国だ。チリとエクアドルを除く南米のすべての国と国境を接し、南米大陸のほぼ半分を占めている。その大きさだけをとってみても南米大陸のリーダーと呼ぶにふさわしい。だが、サンパウロに住むブラジルの元外交官にそう水を向けると、彼はこう答えた。「私たちはまさしく南米を代表する国だと思っていますが、アメリカに取って代わろうとは思っていません。ヴェネズエラみたいにね。そうではなくて、アメリカとともに一緒にやっていこうということです」

ブラジルは南米の求心力の中心だ。世界中から労働力と投資を惹きつけている。軍事大国になることなど考えていないブラジルは、環境問題に貢献する膨大な森林資源と大規模な経済を持っている。ラテンアメリカの夢は、ほぼすべてブラジルにかかっていると言っても言い過ぎではない。だがその夢を実現するには、ブラジルがリーダーとなって各国の間に横たわる亀裂を埋めることができなくてはならない。

ブラジル中部と南部は、肥沃な土地と恵まれた気候のおかげで牛肉、オレンジ、砂糖、コーヒー、鶏肉、豚肉、大豆の世界最大の輸出地帯になっている。農産物の輸出総額は1000億ドル近くにもなるが、ブラジル経済全体から見ればわずか10パーセントほどでしかない。ブラジルの経済規模は世界の10位以内に入り、南米大陸の上位500企業のうち80パーセント以上がブラジル企業だ。サンパウロには世界有数の航空機製造企業があり、民間機製造会社としてはアメリカのボーイング社とヨーロッパのエアバス社に次ぐ規模を持っている。さらにブラジルは、大西洋岸に大規模な油田と天然ガス田が発見されたことで、世界のエネルギー市場での存在感を高めている。

三つの革命を経験

ブラジルは大国に成長するまでに三つの革命を必要とした。長らく続いたポルトガルの植民地時代を経て、19世紀に帝政に移行したが、各地で続く反乱が収まらず、19世紀末近くに起きた革命で帝政が崩壊して共和国となった。その結果、各地の豪族が砂糖やコーヒーなどの重要な産物を支配するようになったが、価格の急落から社会が混乱して再び反乱が広がり、1930年に軍事クーデターによる革命が起きて、今度は中央集権化が進んだ。

第二次世界大戦後、1950年代になると海外からの投資が増え、鉄鋼と自動車の生産が進んで経済成長が訪れる。だが産業が発展するとともに、新たに生まれた産業界の特権階級と守旧派の大地主たちの対立が深まり、混乱が頂点に達した1964年に、アメリカが支持する軍部によるクーデターが再び起きて、親米反共路線の軍事政権が誕生した。

その後は官僚主義的な独裁体制が20年続き、外資を導入して工業化を進めるとともに、国産品愛用政策により、はじめのうちは毎年10パーセントの経済成長を10年近く維持して〝奇跡の成長〟と呼ばれた。だが1970年代の石油ショックで経済が失速、加えて所得格差が世界一のレベルに達し、1980年代半ばに軍事政権も経済も崩壊して民政に移管した。

混乱が続いた経済

1994年末の大統領選挙で当選したフェルナンド・エンリケ・カルドーゾは、1964年のクーデターの時にチリに亡命し、さらにフランスに渡った後、1970年代に帰国して政界に進出した左派の社会学者だ。大統領選では「たとえグローバリゼーションが国の力を弱めても、なお国は民主化、人権、環境問題に関する義務を果たさなければならない」と主張した。

彼が言ったように、グローバリゼーションは中産階級の力を弱めるので、資本家、労働組合、貧困層の間をうまく調整できる強い民主主義が必要になる。だが大統領になったカルドーゾが引き継いだブラジルは財政がでたらめで、予算を取り扱う省庁すらなかった。規制緩和を行って地域内の貿易を育てたものの(*1)、膨らむ財政赤字と通貨の切り下げでブラジルは巨大な負債に埋もれてしまった。経済の停滞とともに1990年代になると、サンパウロでは街の外周部にあるスラム街が拡大し、中心部は活気を失い、さらに殺人や身代金目当ての誘拐などの凶悪犯罪が急増して、都市として機能しなくなった。

カルドーゾが2期を務めた後、2002年末の大統領選挙で当選した労働者党のルラ・ダ・シルヴァは、ブラジルを社会格差をなくす方向に向けるはずだったが、この国の政治機構は、地方の力が強すぎて壁に突き当たった20世紀はじめの状態が相変わらず続いていた。重要な都市はみなそれぞれの街の産業界のボスたちと多国籍企業による少数グループによって運営されており、中央政府による富の再配分のコントロールがきかない状態のままだったのだ。税法の不備のため、企業の税金逃れやその他の手口が常態化しており、政府が把握できない非公式な経済の規模が、公式の国家経済の規模とほぼ同じ、推定およそ8000億ドルにまでふくれ上がっていた。

シルヴァ大統領が率いる労働者党がからんだスキャンダルは数知れず、「ヴェネズエラのチャベスは、腐敗のすべてをシルヴァから学んだのに違いない」という陰口もたたかれた。シルヴァは2006年の大統領選で再選されたが、彼に肉薄して次点となったのは、彼と同じ支持者基盤を持つ、他ならぬサンパウロの市長だった。

【訳注】＊1：地域内の貿易を育てた＝カルドーゾが大統領に就任した1995年1月1日に、南米共同市場（メルコスール）が発足した。

第二世界のリーダーを目指す

アメリカと対等のステータスを持つべきだという意識が強いブラジルは、ポルトガル語を使う国であるにもかかわらず、ラテンアメリカ外交の中心になる努力を続けている（＊2）。高度のプロ集団であるブラジル外務省は、南米一の洗練された官僚機構だ。冷戦時代、〝南の巨人〟ブラジルは、ゆるぐことなく〝北の巨人〟アメリカの側についていた。そして1960年代の高度成長以来、ブラジル外務省は常に開発と環境問題の討論の中心にあり、1992年にはリオ・デ・ジャネイロで有名な〝地球サミット〟を開催した。

しかし、国連常任理事国の座席を獲得しようとする最近の試みは、1920年に国際連盟の理事国になれなかった時と同様、地元のラテンアメリカ諸国からさえ、ほとんど支持を得られなかった。ラテンアメリカ諸国は、ブラジルが彼らを置き去りにしようとしていると疑ったのだ。

とはいえ、ブラジルは最近好調の経済をもとに、世界中の開発途上国との絆を築きつつある。この国が外交面で成熟していることは、世界の貿易の最も重要な地域で示されている。

第二次世界大戦中、ブラジルの鉄鋼産業はアメリカの兵器生産を助けたが、それから半世紀たった今日、アメリカは国内の鉄鋼産業を守るために、ブラジルからの鉄鋼の輸入を阻止している。2003年にメキシコのカンクーンで開かれたWTOの会議で、ブラジルは中国、南アフリカ、インドと組んで〝途上国G－20〟(＊3)を作ることに奔走した。アメリカはブラジルから途上国を引き離そうとしたが、ほとんどの途上国は世界の貿易改革を目指す原案(特に、先進国の自国農業への補助金による保護を非難する案)のもとに集まり、アメリカとEUに対立する立場で固まった。

さらにブラジルは、先進国が自国の農業に補助金を与えて保護しているために起きている不平等に対して、自由貿易協定の公式の協議の場で補償を要求した。このブラジルの行動は、第二世界の国が第一世界の国に対して立ち上がるという、第三世界の国にはできないことを第二世界の国が行った、力強い例となった。

またブラジルは、ブラジル人がアメリカに入国するのにビザを要求されることへの対抗措置として、ラテンアメリカ諸国のなかで唯一、アメリカ人が入国するのにビザを要求している。だがヨーロッパ人はビザなしでブラジルに入国できる。

【訳注】＊2：他のラテンアメリカ諸国はすべてスペイン語を使う。
＊3：途上国G－20＝もともとはブラジル、南アフリカ、インドが中心になり、主に農産物の貿易における先進国の保護主義を撤廃させることを目的として作られた途上国の集まりで、中核はこの3国に中国を加えたいわゆるG－4ブロックと呼ばれる国々。加盟国の数は変動し、21になったり23になったりしている。世界の経済大国の財務大臣・長官・中央銀行総裁の集まりであるG－20とは別。

中国との関係

このようなブラジルの変化は、中国のそれと似ている。両国はともに、第三世界から抜け出るとともに、新しい集団のリーダーになりつつあると見られている点で共通している。ブラジルの輸出の半分近くは発展途上国に向けられており、最近では中国やアラブ諸国との大きな経済サミットを主催している。

1990年代に中国がブラジルから大量の原料を輸入し始めて以来、〝アジアの巨人〟と〝南米の巨人〟の経済は、驚くほどお互いを補完しあっている。ブラジルは中国に鉄鉱石、木材、亜鉛、牛肉、ミルク、穀物、大豆を輸出し、中国はブラジルの水力発電ダム、製鉄所、石油精製所などに投資している。両国の双方向貿易は急増し、ブラジルに大きな黒字をもたらしている。だがまた同時に、中国の安い商品のお陰でブラジルの代表的な輸出品だった玩具と靴の生産者は一掃されてしまい、繊維産業も中国の〝繊維の津波〟によってメキシコと同様、大打撃を被っている。

サンパウロのオフィスで、中国人のビジネスマンがポルトガル語で忙しそうに電話に応対しながら言った。

「通商条約の条項はじきに書き換えられるかもしれませんが、ブラジルが中国製品に対してセーフガードを発動することはないと思います。なぜなら、もし中国が報復措置をとれば、中国よりブラジルのほうが傷が大きくなりますから」

南半球の人種のるつぼ

2億人近い人口を持つブラジルは人種のるつぼだ。ブラジルはナイジェリアに次いでアフリカ人が多く、レバノンに次いでレバノン人が多く、イタリアに次いでイタリア人が多く、日本に次いで日本人が多い国だ。さまざまな民族と宗教がうまく混ざり合い、この国独特の雰囲気をかもし出している。

アメリカでは、少数民族は〝○○系アメリカ人〟と呼ばれるが、ここではみな単に〝ブラジル人〟だ。表面的には、ブラジルの人たちは人種ごとに分かれていて40年前のアメリカのように見えるが、それは人種差別によるものというよりは、ヨーロッパ系とアフリカ系と先住民との間の経済的な格差が大きいことによるものだ。この国は、実際には全人口の7割が、これら3種類の人たちのなんらかの形の混血であるため、社会の分離は人種よりも階級間の格差によるところが大きい。

グローバリゼーションが国民の格差を広げた結果、ブラジルは第一世界と第三世界が最もはっきり共存している国となった。アフリカ系と先住民が大部分を占める巨大な貧困層があり、上流階級の人口も多く、中産階級が非常に少ない。その中産階級の所得は今でも1993年と同じレベルを漂っている。熱帯アマゾンを含む北部に住む人の平均寿命は、温帯の南部に住む人より17年も短い。人身売買を撲滅できないのも、巨大な経済格差が原因だ。へき地の女性が都市の性産業で搾取《さくしゅ》され、都市の貧しい若者がアマゾンの金鉱で働かされて搾取されている。ほとんどの学校に電話がなく、したがってインターネットなどあるはずがない。

だが、ブラジルで最も心配されているのは、心理的な恐怖感だ。社会が極度に分かれているため、国民は最も基本的なニーズも価値観もほとんど共有できない。多くのブラジル人は、スラム街は危険なので足を踏み入れないし、それが存在すること自体をできる限り無視しようとする。実際、2003年にはピストルを使った殺人が4万件を超え、ヴェネズエラを抜いて世界一を記録した。これはその頃、ブラジルからコロンビア革命軍（＊4）に売られたピストルが逆流してきたことが原因だった。

ブラジルの元大統領イタマール・フランコ（在任1992〜1995年）は「この国で、すべての国民に平等に分け与えられているのは恐怖感だ」と述べている。ブラジルはいまだに武装ギャング団が警官隊と銃撃戦を演じることができ、刑務所で大規模な暴動が起きる国なのだ。

【訳注】＊4：コロンビア革命軍＝第17章を参照。

始まった改革

ブラジルは今、国内の広大な第三世界地域の改革を行っている。貧困撲滅に他のラテンアメリカ諸国を合計したより大きな資金を投入し、4000万人以上の貧困層を対象にさまざまなプログラムを進めている。リオでは、スラム街の観光ツアーなるものすら登場した。一般の観光客にスラムの異種文化を見せて、その収入をスラムの改善に使おうというアイデアだ。また、アマゾンのジャングルに住む先住民に医療や社会福祉を施すため、船を使った移動診療所や移動オフィスをアマゾン川の奥地に派遣している。

エネルギー産業にも力を入れている。最新式の石油抽出技術に投資してきた結果、最近の石油生産量はヴェネズエラに迫っている。また石油の埋蔵量は十分あるにもかかわらず、原子力発電のためのウラン濃縮も行っている。さらに、バイオ燃料の生産では先駆者だ。ここではエタノールをサトウキビから生産している。だがエタノールの生産はすべて財閥や大企業が独占し、貧しい農民は相変わらずマチェーテと呼ばれる中南米独特のナタを使って、手作業でキビを刈り取っている。

南部地方には、北欧並みの環境への取り組みをしてリサイクルも進んでいる都市もあるが（南米では南部のほうが寒い）、アマゾンの熱帯雨林では乱伐が進み、すでに20パーセント近くが失われている。2004年だけで2万6000平方キロの熱帯雨林が違法に乱伐されて消滅したといわれ、その後、取り締まりが強化されて大規模な保護区の制定が進んでいる。

ブラジルは途上国のなかで、中国とインドに次いで3番目に二酸化炭素の排出量が多い国でもある。アマゾンを守るために軍隊も動員されている。南米における安全保障上の最大の脅威は、外国からの軍事的な脅威ではなく、アマゾンの破壊という、エコロジー上の脅威なのだ。

第19章 アルゼンチンとチリ
——二卵性双生児

アルゼンチン

アルゼンチンは、「第一世界の国」とか「第二世界の国」とかといったステータスが、永久に変わらないものではないことを思い起こさせてくれる、悲しい実例だ。南米南部に位置するこの国は、外部から地政学的な脅威はほとんど受けないものの、グローバリゼーションの力によって弱くはかない存在になってしまった。かつて南米のリーダーだったこともあるこの国を救えるのは、今では他の南米諸国の善意しかない。

1776年、ブエノス・アイレスはスペインのブルボン王朝の領地の首府となった。この領地は、現在のチリやブラジルの一部を含み、南米中央部の広い地域に及んでいた。先住民を殺戮《さつりく》し、スペイン人とイタリア人が移民して植民地を築いた後、アルゼンチンは進歩的な自由主義のもとで19世紀半ばまで、数十年にわたって繁栄した。

気候と資源に恵まれたアルゼンチンの人々は、この国が将来アメリカに対抗できる南半球の大国になると考えた。この時代のウルグアイのある画家は、南北を逆さまにして南米を上にした世界地図を描いている。牛の放牧と小麦の生産が進んだことから国民所得はスイスやドイツを抜き、1920年代までにアルゼンチンは世界で7番目に豊かな国になっていた。第二次世界大戦の被害を受けなかったこともあり、戦後はヨーロッパからの移民が持ち込む資本と才能の力でさらに発展を続けた。当時のブエノス・アイレスはフランスのパリに似た美しい街で、人々はイタリア語調の陽気な抑揚のあるスペイン語をしゃべった。

だが残念ながら、アルゼンチンの美しさと気品は、昔からマゾヒストに近いほどの尊大さとペアになっていた。あるイギリス人の作家は、「アルゼンチンは平らでみじめな土地の上に無理やり作った人工的な社会で、植民地の真似をすることには成功したが、それ自身は何も生まない」と酷評している。特権階級的な植民地主義の神話が崩壊した後に残るのは、月並みさだけだ。戦後、この国を3回にわたって支配したペロン大統領のごう慢な統治により、労働者の状況は改善されたものの国は分裂した。1970年代になると再び軍事政権が成立して左翼に対する〝ダーティーウォー〟（汚い戦争）を始める。その結果、推定1万5000人ともいわれる人たちが〝行方不明〟になり、ある政治評論家の言葉を借りれば、この国は〝未開な状態に退化〟していった。

さらに1982年、軍はイギリスが実効支配するフォークランド諸島（＊1）に上陸して占拠するという、勇敢だが無謀な行動に出るが、短期間でイギリス軍に奪還された。それ以来、ラテン系特有の、力を誇示する大胆な政治・経済政策は、常に腐敗とスキャンダルに呑み込まれてしまう。アルゼンチン人が月並みさを避けることに強迫観念的にとらわれている姿は、人口あたりの心理学者の数が世界一であることからもよくわかる。この国では、イメージがすべてなのだ。

【訳注】＊1：フォークランド諸島＝アルゼンチン南部沖500キロの大西洋に浮かぶ諸島。スペイン語ではマルビナス諸島と呼ばれる。1982年のフォークランド戦争は、国内の混乱を抑えられない軍事政権が、国民の関心を外部に向けさせ、同時に愛国心を煽ろうとして始めたと言われている。

坂を転げ落ちた国

だが今の世界は、イメージではなくグローバリゼーションが国々の序列を決める。アルゼンチンは第一世界どころか、1990年代に多くの第二世界の国々を苦しめたのと同じ悪循環に陥りやすい国であることが暴露された。つまり、企業を自由化する——投資が急増する——急激に成長する——国の弱点が急激に拡大する——弱者や敗者の救済が行われない——国が混乱して政治と経済がともに分解、というスパイラルだ。

1990年代になり、国際協調を進めるとともに、アメリカのラテンアメリカ政策の下に入ることによって経済は立ち直るかに見えたが、海外から引き続き投資を得ることも放漫財政を維持することもできず、再び経済が悪化した。まもなく不況とバブル崩壊が同時に訪れ、対外負債が爆発的に膨らんだ。IMFの度重なる融資も効果がなく、2001年、ついに国際社会はこの国から手を引いた。

窮地に陥ったアルゼンチン政府は、対外債務を支払うために国民の年金に手をつけた。何十億ドル相当もの年金の支払いを凍結し、戒厳令を敷いて民衆の暴動を押さえ込んだ。短期間に大統領が次々と替わったが、国民からの信頼は失われるばかりだった。1990年代に8500ドルだった国民一人あたりの年間所得（当時のメキシコの2倍だった）は、2002年には2800ドルまで落ちてしまった。国民の半数以上が貧困レベル以下になり、かつてフランスのパリと並び称されたブエノス・アイレスに、売れるものを探してゴミ捨て場を漁《あさ》るホームレスがあふれた。

アルゼンチンの指導者たちは、自分たちは努力したのにアメリカの財務省やIMFやウォール街（アメリカの金融・証券業界）が支援してくれなかったと非難する。この国は、やはり1990年代末近くに金融危機を経験したロシアやインドネシアより腐敗は少ないが、繁栄からの転落は壊滅的であり、彼らの尊大さも少なからず傷ついた。今や全アルゼンチンの経済規模はブラジルのサンパウロ市より小さく、経済が外国からの投資に依存している状態がこの国を恒久的な危機にさらしている。

2003年に発足したネストル・キルチネル政権はアメリカと距離を置いた南米重視の路線をとり、経済の立て直しが成功して対外債務の返済も進んだ。だが2005年の選挙の前に公共料金の大幅な値上がりが予想されたため、民衆の反発を恐れたキルチネルはIMFの債務を新規発行の債券に乗り換えて繰り延べにした——そして2007年の大統領選に自分は立候補せず、妻を候補に立てて大統領職も繰り延べにしたのだ。

アルゼンチンの元経済相は「この国の行政はアフリカ並みだ」と嘆いているが、実際、この国は税金の徴収率の救いがたい低さや、中央政府が地方のムダ遣いをほとんどコントロールできないなど、第三世界並みの弊害に悩まされている。通貨が切り下げになるたびに水道料金が値上がりし、しかもブエノス・アイレスですら下水設備がある家は全世帯の半分しかない。

「金持ちですら、自信を失っていますよ」

カフェで話し込んだインテリが言った。

「最近、〝私はアルゼンチン人です〟と胸を張って言える人は少ないです。イタリア系やフランス系の人はみんな〝私はイタリア人です〟とか〝フランス人です〟という言い方をしています」

金融のメルトダウン以来、リスクを冒してこの国に投資する投資家はほとんどいない。そのため、ますます中国向けの農産物の輸出への依存が高まり、今ではそれが経済成長の大部分を占めている。天然ガス田も次の10年で次第に涸《か》れてゆくと見られており、ヴェネズエラのチャベス大統領が計画しているアマゾン縦断石油・天然ガスパイプラインができることを切望している。

ブラジルとの協力体制

アルゼンチンとブラジルが、ともにアメリカとヨーロッパとほぼ等距離にあることは、この2国がもともとアメリカの言いなりにならない傾向を持っている理由の一つかもしれない。だがブラジルとアルゼンチンもまた過去200年のほとんどを争い合ってきた。両国はともに、1990年代まで核兵器開発も積極的に進めて競争していたのだ。だが両国は1995年に発足した〝南米共同市場〟（メルコスール）（＊2）の成立を通じて南米南部を束ね、一緒になってアメリカの貿易支配に対抗する方向を打ち出した。

興味深いことに、太平洋に面するコロンビア、ペルー、チリの3国は、みなアメリカと自由貿易協定を結んでおり、大西洋に面するブラジルとアルゼンチンは、ともにアメリカが自国農業を保護して農作物の輸入に高い関税をかけることに最も強く反対している。

またこの2国は、太平洋の反対側にある天然資源に飢えた中国への輸出を増やして大きな利益をあげている点でも共通している。現在、ブラジルとアルゼンチンは輸出用の自動車を共同生産し、また両国とパラグアイの3国が接する内陸の辺境地帯を共同でパトロールしている。この一帯は、コロンビア革命軍からヒズボラ（＊3）に至る、さまざまなグループが麻薬や武器の密輸や資金洗浄などを行っていることが知られている。

【訳注】＊2：南米共同市場（メルコスール）＝発足時の加盟国はアルゼンチン、ブラジル、ウルグアイ、パラグアイ。その後ヴェネズエラが加わり5ヵ国になった。まもなくボリビアも加入見込み。
＊3：ヒズボラ＝第23章のレバノンの項を参照。

チリ

アルゼンチン政府はけっして認めないだろうが、アルゼンチンの人たちが最も手本として追いつき追い越したいと思っているのがチリだ。

南米大陸の太平洋岸に、南北およそ4000キロにわたって細長く延びるこの国は、アメリカの東西の幅とほぼ同じ長さがある。東側の国境に沿って連なるアンデスの山々のおかげで、極端な植民地主義から守られてきたこの国には、風土的に明確なアイデンティティーがある。

北部のアンデス地方から南部の低地を結ぶ往復4車線のフリーウェイ、中部に広がる葡萄《ぶどう》園、技術系の研究所、首都サンティアゴのガラス張りの高層ビルなど、この国の経済がこの地域で最も生き生きしていることを示す証拠は至るところに見られる。サンティアゴはブラジルのサンパウロに次ぐ南米第二の商業都市であり、人口1600万人のチリのインターネット使用者数は、人口1億人のメキシコとほぼ同じで、全人口の6分の1にあたる。他の南米諸国のゴタゴタから距離を置き、チリはラテンアメリカ諸国のなかで、次の10年間に第一世界の仲間入りを果たせる可能性がある唯一の国だ。

坂を這い上がってきた国

この国がどのようにして南米の優等生になったかについては、議論の的になることがたくさんある。

冷戦時代、アメリカのニクソン（第37代大統領。任期1969～1974年）政権は、当時チリで労働者に圧倒的な人気を持っていた社会主義者のアジェンデ（サルバドール・アジェンデ＝チリ共和国大統領。在任1970～1973年）を倒すべく、あらゆる手を使った。だがアジェンデは民主的な選挙によって大統領に当選し、アメリカに対してなんら脅威を及ぼしたわけではなかったにもかかわらず、ＣＩＡは〝心理的な危険〟があると断定した。アジェンデ政権は１９７３年にアメリカが後押しした右翼による流血のクーデターで倒され、その後はクーデターの首謀者ピノチェト将軍が軍事独裁体制を敷いた。ピノチェトは反対派への弾圧を強め、アルゼンチンと同様、数千人から数万人にのぼる人たちが〝行方不明〟になった。

だがピノチェト政権はそれまで猛威を振るっていた超インフレを押さえ込み、高度経済成長を実現した。そのため、30年たった最近になって、彼の支持者は「ピノチェトは、社会主義ではなく権威主義的な独裁政権による支配のほうがより大きな成長と安定をもたらすことを示した偉大な指導者であり、市場経済と民主主義に移行する道を拓いたのだ」と主張している。ヴェネズエラではそれと対照的に、数十年にわたる民主主義が、疑似社会主義の独裁者チャベスの支配を許しているではないか、というのだ。

だが、この考えには誤った推測や理論の飛躍がたくさんある。第一に、この国には19世紀に移住したドイツ人の農民と機械工がたくさんいたおかげで、アジェンデ政権になる前からすでに、南米の基準でいえば比較的発展した状態にあったのであり、ピノチェトの近代化政策がすべての発展をもたらしたわけではない。さらに、社会主義のアジェンデ政権は国有化政策をとったが、その初期には経済成長を成し遂げているという事実がある。経済が破綻《はたん》するのに決定的な役を演じたのは、チリの主要輸出産物である銅の価格が国際市場で急落したことだったのだ。

一方、ピノチェトの経済立て直しは、国民の年金を強奪し、社会福祉を切り捨てることによって国の収支を黒字にしたものだ。ちょうど大企業のＣＥＯが、会社の業績が悪くなったといって何千人もの従業員のクビを切り、自分だけ多額のボーナスを受け取るのと変わらない。

さらに、最も重要なのは、チリはピノチェトが信任投票で敗れて民政移管した1990年以降、中道左派連立政権のもとで毎年5パーセントの成長を維持しているということだ。特にリカルド・ラゴス大統領（任期2000〜2006年）の時代には、穏やかな社会主義政策のもとで、経済成長と失業率減少に著しい成果をあげている。第二世界の国々に必要なのは、明らかにピノチェトのような指導者ではない。

ピノチェトの軍事政権が1980年代前半に達成した経済成長は、企業の大幅な規制緩和など、新自由主義と呼ばれるものに基づいた政策のもとにもたらされた。だが当時アメリカの中南米政策となった〝ワシントン・コンセンサス〟（＊4）は、「経済成長さえすれば貧困が減少する」という誤った推測をしている。実際には、経済自由化によって貧富の格差が拡大の一途をたどっているのだ。

チリの最近の中道左派政権は、みな教育と技術の向上に力を入れてきた。そしてその結果、現在の国民所得は1990年の2倍になり、貧困は人口の15パーセント以下に減少した。貧困を減らす実績を示したのは、石油で大金が入ってくるチャベスのヴェネズエラではなく、チリなのだ。チリ1国だけでは南米大陸全体を貧困から引き上げるには小さすぎるが、この国はラテンアメリカの他の国が海外との結びつきを強めるための先駆けになれるだろう。

チリはラテンアメリカで唯一、アメリカ、EU、中国のすべてと自由貿易協定を結んでいる国だ。中国との貿易は多くの雇用を作り出し、2004年の統計によると貿易額は60億ドルを超え、銅の輸出が貿易収支を黒字にしている。今では日本や韓国とも自由貿易協定を結び、これらの国への農産物の輸出が増えている。このように、チリは貿易が活発で腐敗が比較的少ないため、他の南米諸国と商業的な連合を組めれば、南米のビジネスを安定させるのに役立つだろう。

今後もこの国はたくさんの障害を乗り越えていかねばならないだろうが、これまでのところ、自信を持って事に当たっているように見える。かつてはボリビアとの間に領土問題があったが（19世紀に両国の間に戦争があり、ボリビアは敗れて沿岸部の領土を失い、それで内陸国になった）、今では争いは起きていない。今日、チリが必要とする石油と天然ガスのほとんどすべてがボリビアから送られてきており、チリはそれとひきかえに、ボリビアに太平洋岸の港へのアクセスを与えている。またチリは環境問題にも積極的に取り組み、南部の川をせき止めて水力発電用ダムを作った時にも、自然保護区と牛の放牧地帯を守るよう気を配っている。

残念ながら、2006年には銅山で待遇改善を求める鉱員のストライキが発生し、生産がストップしたが、その理由は、銅が世界的に値上がりしていたため、鉱山のオーナーである国際企業が賃金を上げずに鉱員を長時間働かせていたことだった。この鉱山は世界の銅の8パーセントを生産している。

現在のチリの政治は、ラテンアメリカで最も優れている。旧ソ連圏の東欧諸国と同様、かつて独裁政権による血塗られた過去を体験している国が、安定と繁栄に向けた道の最も先を進んでいるという格好だ。

現在のミチェレ・バチェレ大統領は、チリ初の女性大統領であるとともに、もと革命家、ピノチェト政権による拷問《ごうもん》の生存者（＊5）、離婚歴のあるシングルマザー、小児科医、もと国防大臣、という型破りな存在だ。ピノチェト失脚以来、この国が政治的に安定しているということは、右派にとっても左派にとっても、いま必要とされているのは現実に即したプラグマティズム（実用主義）であることを示している。他のラテンアメリカ諸国にとって（そしてアメリカにとっても）、チリの教訓は、天然資源が豊かで政権が左寄りの民主主義であっても、それだけで政府が腐敗するとは言えないということだ。もし嫉妬が文化発展の最も大きな動機になるなら、この国は南米大陸の最も優れた教師と言えるに違いない。

【訳注】＊４：ワシントン・コンセンサス＝第14章１９４ページの訳注7を参照。
＊５：軍の将校だった父親はアジェンデ政権に協力していたために逮捕され、数ヵ月にわたって拷問を受け続けて死亡、母親も彼女とともに逮捕されて拷問を受けている。

〈パートⅢのまとめ〉

アメリカは冷戦が終わった後も冷戦時代の思考法を続け、そのまま10年以上もラテンアメリカへの支配力を失うまいとしてきた。だが、モンロー主義のろうそくの火は徐々に消えかかっている。21世紀の今、ラテンアメリカにはアメリカと対応するうえで、三つのスタイルが生まれている。つまり、①ヴェネズエラ型――アメリカの支配を好戦的な態度で真っ向から拒否し、社会主義による独立独歩の南米をめざす、②コロンビア型――友好的な態度で、アメリカとの経済的・安全保障上の共通の利害を基盤に関係を維持する、③ブラジル型――実用主義的な態度で状況に応じて選択的にアメリカに協力するが、そこには外交的に毅然とした態度がともなっている、の三つだ。

南北アメリカ大陸がエネルギーを自給自足し、統一された貿易圏を作ることができる可能性は、まだある。だがそのためには、アメリカとバランスの取れた形でお互いを認め合うことにより、ラテンアメリカの政治を覆うプライドが満たされなければならない。そしてラテンアメリカを生産的なパートナーに押し上げるための、新しい形の同盟が必要になる。

だが、次のアメリカのラテンアメリカ政策には、昔の〝モンロー〟主義のようにアメリカの大統領の名前をつけないほうがよい。そうすれば、南北アメリカをまとめる事実上の中心としてのアメリカの役割は、今後1世紀か、それ以上続く可能性もあるだろう。

パートⅣ
"中東"とは何か

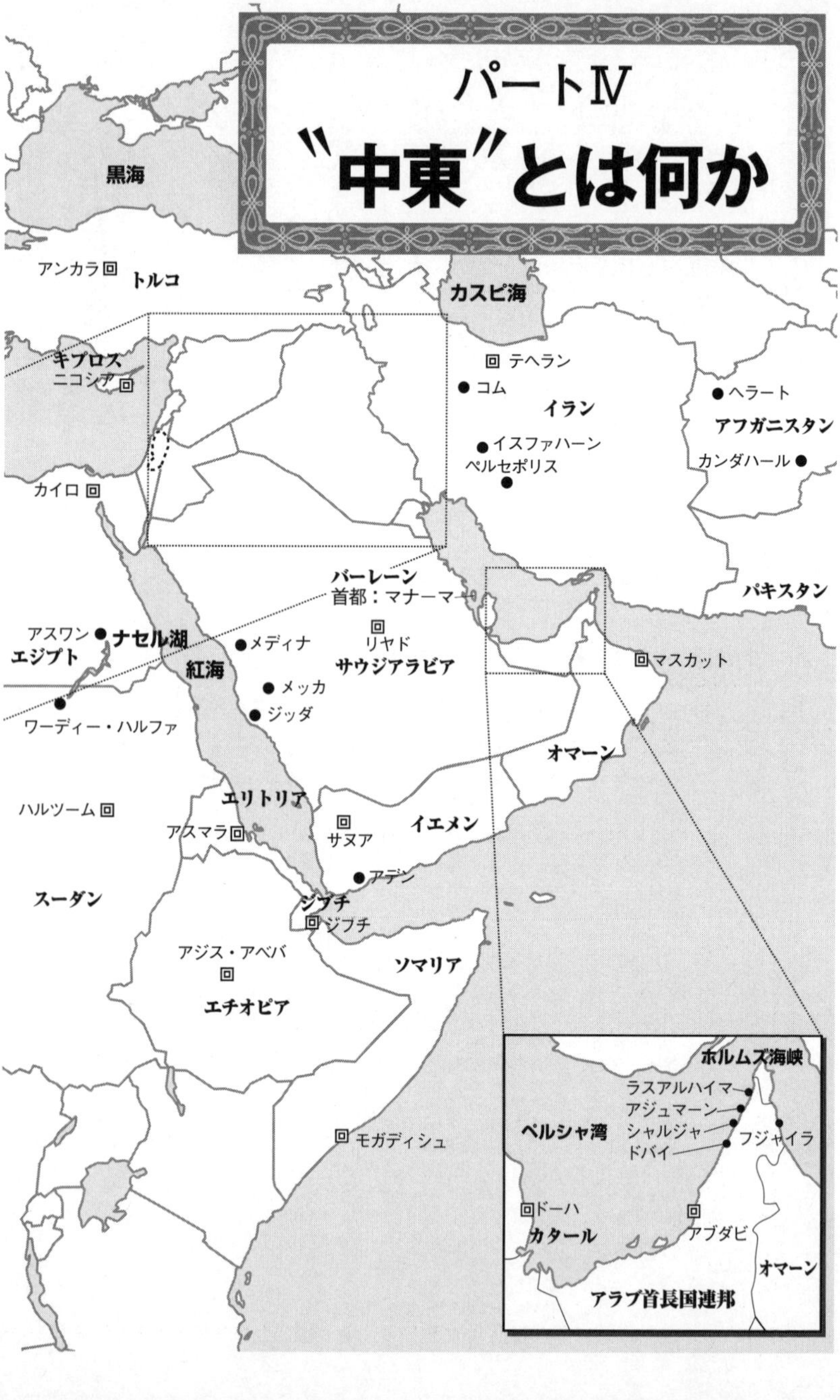

黒海
アンカラ
トルコ
カスピ海
キプロス
ニコシア
テヘラン
コム
イラン
イスファハーン
ペルセポリス
ヘラート
アフガニスタン
カンダハール
カイロ
バーレーン
首都：マナーマ
パキスタン
アスワン
ナセル湖
エジプト
メディナ
リヤド
サウジアラビア
紅海
メッカ
ジッダ
マスカット
ワーディー・ハルファ
オマーン
ハルツーム
エリトリア
アスマラ
サヌア
イエメン
アデン
スーダン
ジブチ
ジブチ
アジス・アベバ
ソマリア
エチオピア
モガディシュ
ホルムズ海峡
ラスアルハイマ
アジュマーン
シャルジャ
ドバイ
フジャイラ
ペルシャ湾
ドーハ
カタール
アブダビ
オマーン
アラブ首長国連邦

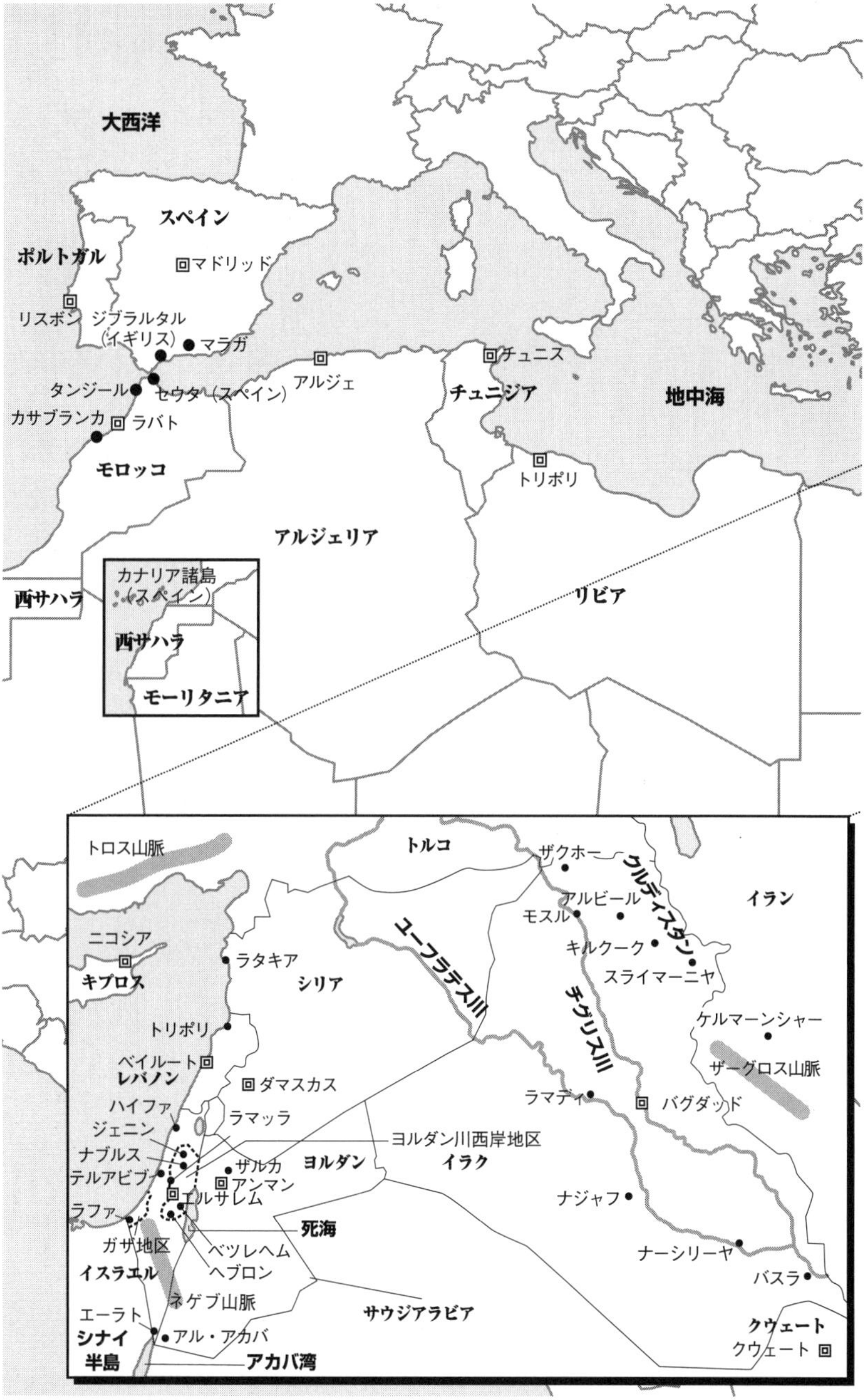

大西洋
スペイン
ポルトガル
マドリッド
リスボン
ジブラルタル
(イギリス)
マラガ
チュニス
アルジェ
タンジール
セウタ(スペイン)
アルジェ
チュニジア
地中海
カサブランカ
ラバト
モロッコ
トリポリ
アルジェリア
カナリア諸島
(スペイン)
西サハラ
リビア
西サハラ
モーリタニア
トロス山脈
トルコ
ザクホー
クルディスタン
イラン
アルビール
モスル
ユーフラテス川
ニコシア
キルクーク
ラタキア
キプロス
シリア
スライマーニヤ
チグリス川
トリポリ
ケルマーンシャー
ベイルート
レバノン
ザーグロス山脈
ダマスカス
ラマディ
バグダッド
ハイファ
ラマッラ
ジェニン
ヨルダン川西岸地区
ナブルス
ザルカ
ヨルダン
イラク
テルアビブ
アンマン
エルサレム
ナジャフ
ラファ
死海
ガザ地区
ベツレヘム
ナーシリーヤ
ヘブロン
イスラエル
バスラ
ネゲブ山脈
エーラト
サウジアラビア
クウェート
シナイ半島
アル・アカバ
クウェート
アカバ湾

第20章 アラブ世界

――切れたベルト

アラブ世界は、西は北アフリカの大西洋岸から東はパキスタンのインダス川西岸まで、北はトルコのアナトリア半島の付け根及びコーカサス山脈のあたりから、南はアラビア海とインド洋沿岸に至る広大な地域の、イランとイスラエルを除く大部分を占めている。

西洋人がこの地域を呼ぶ時に使う〝中近東〟という言葉は、昔のイギリス海軍が、当時ギリシャ人が使っていた呼び名をそのまま受け継いだことからきている。彼らは早めの給油をしたキプロス島を〝近東〟、イエメンのアデン港を〝中東〟、インド洋より東を〝極東〟と呼んだ。しかし現在使われている〝中東〟という言葉は、〝大体真ん中のあたり〟という程度の意味でしかない。この地域を呼ぶのにそれより良い言葉がいまだにないということは、この地域とその周辺が、いまだに衝突や対立が絶えない複雑な地域であることをよく物語っている（＃1）。

アラブ人は7世紀から13世紀にかけて、北アフリカからインド洋に至る広大な地域を支配していたが、次第に分裂し、その後は何世紀にもわたってトルコ人、ペルシャ人、ヨーロッパ人に支配された。そうなったのは、アラブ世界が内部の争いのために一つにまとまることができなかったことと、外部からのさまざまな利権にはさまれて潰されたためである。冷戦時代、ある政治地理学者は、分裂したアラブ世界を「切れ切れになったベルト」と呼んだ。だが今、彼らの新しい秩序を決める機会が

1000年ぶりに訪れている。

この切れたベルトをつなぎ合わせているのがグローバリゼーションだ。現代のアラブ世界の実質的な中心地、アラブ首長国連邦のドバイで語り合ったジャーナリストが、語気を強めて言った。

「共通の言葉と共通の宗教を持っていることが、私たちアラブ人の内面の奥底にある、深い結びつきを目覚めさせようとしているのです」

【原注】#1：この地域をどう呼ぶかという議論は現在でも続いている。欧米諸国政府は〝広義の中東〟という呼び方を好み、世界銀行はこの地域にパキスタンとアフガニスタンを含めて〝中東及び北アフリカ〟と呼び、国連は〝西アジア〟、中国は〝南西アジア〟と呼んでいる。

アラブ民族主義とイスラム主義

彼が言ったように、アラブ人は「言語」と「宗教」が共通している。このことにより、二つの〝力〟がアラブ人の心をつかんだ。その二つとは、〝アラブ民族主義〟と〝イスラム主義〟だ。

地図を見ればわかるように、アラブ諸国の国境はほとんどが一直線になっている。これらの国境は、植民地時代にヨーロッパの列強が地図の上に線を引いて決めたものだ。どういう理由でそういう直線になったのかよくわからない、怪しげな国境で人為的に分けられたアラブ諸国の人たちは、自分の〝国〟にアイデンティティーを見いだすことが困難だ。そのため、国民に〝国家〟というものへの忠誠心を持たせることができたアラブ国はあまりない。彼らはいわば、〝その国の国民〟というより、〝たまたまそこに住んでいる住民〟であり、彼らの国は一つの国旗のもとに集まった部族の集まりにすぎない。そのためアラブ人にとっては、それぞれの国の国民という意識より、3億人の人口を持つ〝アラブ〟という一つの大きなかたまりに属しているという意識のほうがずっと強い。

アルジャジーラ（＊1）の記者が力説する。

「私たちはすべての放送を、アメリカのCNNではなく、私たち自身の目を通して見た世界の姿として、アラブの人たちに見せているのです。私たちは世界最高レベルの技術とシステムを持っています。今では力もありますよ」

彼らがこういう心情を高めるきっかけになったのは、アメリカのイラク戦争だ。イラク戦争は、彼らの心に、かつての帝国による支配の記憶を否が応でも甦《よみがえ》らせ、さまざまなアラブ人を結びつける結果となった。

アラブ世界にはいまだに嫌悪すべき政権があったり、社会的・経済的に大きな問題を抱えている事実はあるにせよ、彼らには資本力も労働力もあれば、自分の国を開発する能力もある。そういう意味で、アラブ諸国は間違いなく第三世界ではなく第二世界である。彼らは何世紀にもわたる停滞の後、今ようやく発展への道を歩み始めたところにいる。2001年に起きた同時多発テロ以降の石油の値上がりは、アラブ産油国によるアラブ世界内部への投資を増加させた。石油が出ない貧しいアラブ国に対する産油国の投資が進み、貧しいアラブ国から産油国へ労働者が移動を始めたのだ。現在、アラブ世界には若い世代だけで1億5000万人もの人口がある。

欧米人はアラブ世界を遅れていると決めつける傾向があるが、そこで忘れがちなのは、アラブ世界はシルクロードや十字軍や第二次世界大戦などの歴史を通じて、常にヨーロッパとアジアとアフリカの三つの地域を結びつける交通路だったということだ。今日では、カイロ、リヤド、ベイルート、アンマン、ドバイなどの都市はアラブ世界の商業的中心地として、良くも悪くもグローバリゼーションの衝撃を伝える実験場となっている。

若い世代の意識の高まりに深く結びついているのがインターネットだ。欧米では、インターネットは自分の部屋で一人でする個人的な空間だが、アラブ世界では非常に社会的な活動の場になっている。アラブの若者の多くは経済的な理由からパソコンが買えないので、インターネットカフェに集まり、メールを交換しあったり、政治やファッションについてチャットを交わしている。西はモロッコから東はオマーンに至るまで、24時間営業のインターネットカフェは若者であふれている。特に、気温が下がって涼しくなる夜は超満員だ。自分の国を脱出してヨーロッパに移住しようと、結婚してくれる相手はいないかと自分の写真をブログに貼り付ける者もいる。

はたしてイスラムは、この新しいアラブ民族主義を包み込むことができるだろうか。カイロで会ったイスラム活動家はこう論じる。

「アラブ連盟（＊2）の加盟国はすべて、もっと大きなイスラム諸国会議機構（＊3）のメンバーじゃないですか。違いますか」

彼は、世界中のカトリック教会の頂点にあるバチカンは、宗教組織でありながら国境を越えて外交的政治力を持っているではないか、と指摘した。それは、アラブ主義が植民地時代に勝手に決められた国境線によって国内に閉じ込められているため、イスラムがその代わりとして国境を越えて広がって、アラブ人にアイデンティティーを与えているという意味ではない。イデオロギーは、特定の文化から切り離された時に最もよく広がるということだ。このことは、なぜイスラム教とキリスト教のみが、世界で最も広い地域に広まった宗教になり得たかを説明している。イスラムは暴れ回るモンゴル人を改宗させ、モロッコのシャリファン朝、アナトリア（トルコ）のオスマン帝国、ペルシャのサファヴィー朝、インドのムガール帝国、と四つのイスラム帝国を誕生させ、北アフリカから中央アジアに至るほとんどの地域を西暦１７００年まで支配したのだ。

現代のイスラム主義者は、アラブ圏をすべて包含するイスラム・ベルト地帯を甦らせようと考えている。彼らが描く〝イスラム共同体〟は、1000年前のイスラム教国の範囲をはるかに越え、ヨーロッパやトルコや中央アジアに住むイスラム教徒はもちろん、東南アジアまで含んでいる。さらに、世界を「イスラム(＝平和)の世界」と「戦争の世界」に分ける教義(＊4)を文字通りに解釈するイスラム主義者にとっては、アメリカの〝テロとの戦い〟と戦うことはイスラム教徒の名誉を取り戻すことに通じる。

西洋人は、イスラム教徒の物質的な貧しさを哀れみながらも、彼らの傷ついたプライドからほとばしる熱情が世俗主義の政権をひっくり返し、イスラム・ベルト地帯から勢力を北に広げてくるのではないかと恐れている。それはちょうど、欧米の資本主義者が、昔のソ連の共産主義者を恐れていたのと似ている。実際、1980年代にアフガニスタンのムジャヒディーン(＊5)がソ連と戦った時と同様、現在のイラクの反米武装勢力には諸外国のイスラム主義者が加わっている。

【訳注】＊1：アルジャジーラ＝第5章を参照。
＊2：アラブ連盟＝北アフリカの西端モーリタニアからアラビア半島の東端オマーンに至る22ヵ国(パレスチナ自治政府を含む)が加盟している。
＊3：イスラム諸国会議機構＝パレスチナ自治政府を含む、世界中の57ヵ国のイスラム主義国による国際機構で、国連に代表部を持っている。
＊4：「イスラム(平和)の世界」と「戦争の世界」＝古典的なイスラム教では世界をこのように分けるとされているが、今日のアラブ人の正統的イスラム学者によれば、この話はコーランにもムハンマドの言行録にも書かれておらず、これはイスラム教を信仰する者の宗教の自由のことを言っているのだという。
＊5：ムジャヒディーン＝イスラム戦士。ジハード(イスラム聖戦)に参加している戦闘員をさす。

困難なイスラムの統一

だが、中東ではアメリカがジハード（イスラム聖戦）をけなすたびにイスラム主義者をますます戦闘的にしているが、モンスーン気候の東南アジアでは、イスラムの世界はもっと人間的だ。それは、彼らが西洋や中東の人間よりバランスを大事にし、より穏やかだからだ。

テヘランのシーア派のある宗教家はこう言った。

「イスラムは地政学的な勢力ではない。そうなったら、それは脅威だ。イスラムの最大の敵は、外部にではなく内部にある」

最近の熱狂にもかかわらず、世界的なイスラムの統一は実現しそうにない。確かに、イスラム教徒は目覚めつつある。イスラム寺院には以前より多くの人が集まり、イスラム主義者の報道機関や政党や金融機関も増えている。だが、各地でそういったさまざまな動きはあるものの、全体的なまとまりがない。

〝イスラム世界の連合〟というレトリックは時期尚早であるうえ、それを唱えていても何も生まれない。今日のイスラム社会は、昔のオスマン帝国の行政より統一性がなく、イスラム共同体の考えを推進する国同士ですらなかなか協調できない状態だ。イスラム主義者はイデオロギーと宗派で大きく分裂しており、その最もよい例がイラクで起きているスンニ派とシーア派の殺し合いだ。

さらに、イスラム主義政党は、圧倒的に国内の活動に集中しているということがあげられる。その理由は、イスラム教徒は彼ら自身の国の政権に最も虐げられているからだ。信仰するすべての者に平等を与えるイスラムが、自分自身の国の中で自由がほとんど与えられていないのである。

ほとんどの人と同じように、アラブのイスラム教徒も、最終的には経済的な結果を重要視する。したがって、イスラム主義が凝集して強大な力を持つようになるより、アラブ民族主義が政治的・文化的ムーブメントとして再び盛り上がる可能性のほうがずっと高い。それと同時に、アメリカ、ＥＵ、中国という三つの世界帝国の重力が、北アフリカ、南西アジア、ペルシャ湾岸のアラブ諸国の進路を曲げ、アラブ民族主義とイスラム主義の前に立ちふさがっている。

第21章
北アフリカ諸国（エジプトを除く）
——北アフリカ沿岸はヨーロッパの南海岸

アラブ社会は横のつながりを大切にするが、エジプトより西の北アフリカに住む人たちはアラビアのアラブ人と若干の距離を保ち、〝アラブ人〟と呼ばれるより〝北アフリカ人〟と呼ばれるのを好む傾向がある。アラブ世界ではこの地域を〝マグレブ〟（＊1）と呼び、エジプトより東を〝マシュリク〟（第23章参照）と呼んで区別している。

この地域の地中海沿岸部は、ローマ帝国とそれに続くビザンチン帝国（東ローマ帝国）の支配の後、7世紀の終わり近くに東方から侵入してきたアラブ人に征服された。そしてそれから1000年後にはほぼ東半分がオスマン帝国の領土となったが、19世紀から20世紀にかけてスペイン、イタリア、フランスが次々と植民地化し、その後は北アフリカ全域がヨーロッパと強く結びつくことになった。

今日、EUが〝広義の中東〟と言う時には、この地域まで含んでいる。フランスのサルコジ大統領が唱えた〝地中海圏大連合〟構想は、フランス領時代のアルジェリアで育った文学者アルベール・カミュ（＊2）が夢見た〝ヨーロッパ・アラブ連邦〟のまさに再現だ。西ヨーロッパの南部地方は、船で自由に行き来できる地中海で北アフリカとつながっており、太古の時代より、地中海周辺文明の南の境界は、内陸に横たわるサハラ砂漠だった。

しかし、この地域が今ほどヨーロッパと深く結びついたことは歴史上なかったことだ。今日では、北アフリカと西ヨーロッパ南部は天然ガスのパイプラインで結ばれ、それがEU諸国のロシアに対するエネルギー資源の依存を減らすとともに、北アフリカ諸国に大きな収益をもたらしている。

さらに、北アフリカからヨーロッパに流れ込む移民は、ヨーロッパの人口構成バランスを劇的に変えている。ラテンアメリカがアメリカの裏庭だとすれば、北アフリカは間違いなくヨーロッパの裏庭だ。北アフリカがEU帝国にとって将来の発展への機会となるのか、それとも抱える問題のほうが大きくなるか、それはまだわからない。

だが北アフリカの人たちにとっては、ヨーロッパは明らかに機会を与えてくれる希望の土地だ。毎年たくさんのモロッコ人が、今にも沈みそうな小船に乗って地中海を渡ろうとして漂流し、なかには陸地を見ることなく本当に沈んでしまうものもある。だがすでにヨーロッパに住みついている北アフリカ人はたくさんいる。ブリュッセルでは、モロッコ人によるハンドバッグのひったくりが横行し、パリの高齢者は、旧植民地から来た移民のごろつきに怯えながら暮らしている。イラク戦争の後、ロンドンとマドリッドで起きた爆弾テロは、モロッコに拠点を置くグループの犯行だった。

これまでEUが、北アフリカ諸国の指導者たちにアメばかり与えて、ムチをあまり与えてこなかったことも問題の一因になっている。1990年代半ばに、EUは〝ユーロ・地中海パートナーシップ〟を発足させたが、その方針は政策というよりも希望に近いもので、フランスとスペインは、北アフリカ諸国の政治改革をするより、兵器と航空機を売ることに熱心だった。

過去の歴史を見ると、欧米諸国は常に北アフリカ諸国をカネで買収したり、武力で攻撃することによっておとなしくさせ、彼らが地中海に勢力を伸ばすのを防いできた。19世紀のはじめ、地中海を荒らし回っていたアラブ人の海賊に手を焼いたアメリカとイギリスは、いくつか小さな戦争をしてようやく鎮圧することができた（今でもアメリカ海兵隊の歌に、「……トリポリの海岸に向かって……」という一節が残っている）。

だが今日の北アフリカ諸国政府は、サハラ砂漠で活動しているスンニ派系の急進派武装グループ（最近では〝マグレブのアルカイダ〟を自称している）を恐れているという点で、みな欧米諸国と同じ立場にある。西アフリカの産油国と北アフリカの天然ガス産出国が危険にさらされていることから、アメリカは２００７年に統合軍（＊3）の地域分担を変更して、エジプトを除くアフリカ全域を管轄に置く〝アメリカアフリカ軍〟を設立した。またＥＵも、この地域の国境警備、零細企業の援助、貿易の促進、人権抑圧の監視活動のために資金を拠出し、雇用センターを設置した。モロッコのタンジール港では、フランスやスペインに向かう貨物が積み込まれるコンテナの検査が厳重になっている。

バルカン諸国やコーカサス諸国に対しては、「ＥＵ加盟資格を与える」という〝アメ〟が効果があるが、北アフリカでその話はまだあり得ない。ということは、ＥＵはこれらの国に対して別のインセンティブを考えなくてはならないということで、それにエネルギー資源、貿易、開発、移民対策、政治改革をリンクさせる必要がある。北アフリカは高い失業率にもかかわらず労働力が不足しているという矛盾を抱えており、つまり、求められるスキルを持った人間が足りない。

一方のＥＵは、労働力不足をウクライナとトルコからの労働者で埋めることができるので、北アフリカ諸国から受け入れる必要はない。そのため、ヨーロッパ各地には北アフリカ出身者がすでに９００万人も住んでいるが、そのほとんどは良い仕事につけず貧しく、彼らをイスラム過激派に追いやらないようにすることと、トルコ人移民のように祖国の近代化に貢献できるように導くことが急務になっている。

【訳注】＊1：マグレブ＝アラビア語で「西方」「日が没する地」を意味し、古くは現在のチュニジア、アルジェリア、モロッコの地中海岸からアトラス山脈までの沿岸部を意味したが、現在では一般にエジプトを除く北アフリカのイスラム諸国、つまりリビア、チュニジア、アルジェリア、モロッコ、西サハラ、時にモーリタニアまでを含む。
＊2：アルベール・カミュ＝フランスの小説家、劇作家、ノーベル文学賞受賞者。『異邦人』『ペスト』『反抗的人間』などが有名。1913年生、1960年に交通事故で死亡。
＊3：アメリカ統合軍＝世界に展開するアメリカ軍を地域別に分け、陸海空軍・海兵隊の4軍を統合して指揮する実戦上の編成組織。第13章の「アメリカ中央軍」を参照。

モロッコ

今日のモロッコは、EUによる〝植民地化ではなくヨーロッパ化させる〟政策の主要な実験場になっている。モロッコ人の過半数はアラブ人ではなくベルベル人（＊4）で、この国は一つの国のなかにアラブ人の国とベルベル人の国の二つがあるようなものだ。モロッコ王室は昔から、アラブ人とベルベル人が入れ替わることをくり返している。

アトラス山脈の村々や、フェズ市など古代からある町には、ベルベル人の市場が広がり、昔ながらのエキゾチックな風景をかもし出している。有名なフェズ市の迷路のような旧市街に昔住んでいたアラブ人は、今ではカサブランカに移住している。カサブランカはモダンなビルと中世からある旧市街がくっきりとした対比を見せる都市になり、旧市街では時代に取り残された大勢の人たちがひしめいて暮らしている。路上生活をする子供たちは昼間働き、夜になるとトラブルを避けるために街路灯のまわりに集まってくる。まだ幼い彼らがドラッグのようなものを吸っているのを見ると、エキゾチックな街並みがその一角では哀れみに変わる。

多くのモロッコ人はEUの一員となることを望み、ヨーロッパの若い世代も将来モロッコが地中海以南ではじめてのEU加盟国になるのではないかと考えている。だがそのためには、ヨーロッパ人はモロッコが王制の国であることを受け入れる必要がある。モロッコの国王、ムハンマド6世は、ヨルダンのアブドラ国王と似て国民の支持も高く、ただの部族の独裁者ではない。カサブランカの学者が説明してくれた。

「ただ単に憲法を書き換えればよいという話ではないのです。伝統的なベドウィン（＊5）の社会は、ヨーロッパの政治システムを真似ることに興味はありません。彼らの個人的、部族的、宗教的な名誉を守ることのほうがずっと大切なのです」

モロッコが、近い将来イギリスのような国になることはないにしても、若いムハンマド6世は進歩的で、さまざまな改革を行っている。彼が作った「真実委員会」は、過去40年にわたってこの国で人権の抑圧が行われてきたことを認める報告を出した。アラブ諸国で独裁政権が続く理由の一つには、これまでずっとイスラム主義者を虐待してきたことに対する報復を恐れているということがあり、報復されないように押さえつけて弾圧するという悪循環が生じているのだ。だがモロッコは、アルジェリアやチュニジアと違い、政治活動もできれば言論の自由もかなりある。

「もちろん弾圧はありますよ。だから私たちは発言の内容には非常に注意を払っています」

と、マラケシュのジャーナリストが言う。

「でも政府は、一応、聞く耳は持っています」

モロッコは、「テロとの戦い」の名のもとに国民を弾圧するようなことからは卒業しているようだ。この国では、イスラム主義者が政治に大きく関わっても、アルジェリアのような流血の惨事を避けることができている。現在、EU諸国の投資により、地中海沿いにタンジール（＊6）のような自由港をいくつか建設しており、アメリカとの自由貿易協定もすでに結んでいる。モロッコは観光地としても昔から有名だ。

【訳注】＊4：ベルベル人＝北アフリカ西部の広い地域に古代より住む先住民で、人種的にはアラブ人でも黒人系のアフリカ人でもなく、白人の系統に入る。
＊5：ベドウィン＝アラブ系の遊牧民。
＊6：タンジール＝地中海と大西洋を結ぶ出入り口であるジブラルタル海峡を臨むモロッコの町。もと国際管理地区だったこともあり、国際都市として有名。

アルジェリア

アルジェリアはモロッコと対照的だ。1991年の総選挙でイスラム主義政党が勝利したのを軍が無効としたことから内戦になり、10万人以上が虐殺された。そして国内が和解を始めるまでに15年かかったが、その間にも政治犯の釈放や権利や地位の回復は起きなかった。その影響でアラブ世界は〝アルジェリア症候群恐怖症〟にかかり、選挙にイスラム主義政党を参加させない状態が続くことになった。だが、もしアルジェリアが彼らを政治に参加させていたら状況がよくなっていたかと言えば、そうとも簡単には言い切れない。首都アルジェでは、イスラム過激派の民兵が理由もなく交差点の信号機を撃ち、ひどい交通渋滞が起きることがよくある。

アラブの若者の多くは、幼い頃から家事や仕事を手伝わなければならないため、教育が犠牲になる。公立学校の質はどんどん下がり、一方でイスラム組織の社会福祉事業が貧しい人たちに食事やシェルターを与え、所属意識や目的意識に飢える若者の精神的な空洞を埋めている。だが職業訓練的なことはやはり行われないので、社会福祉を受けても仕事に就くことができない。教育が受けられず、仕事に就けない鬱積《うっせき》した不満から生まれる社会のエネルギーは、国を築く力にもなれば破壊する力にもなる。映画「アルジェの戦い」（＊7）は、150年にわたるヨーロッパの植民地政策が、この国のアラブ社会を変えることができなかった様子を描いた名作だ。

アルジェリアの輸出の97パーセントは石油と天然ガスが占め、地中海を横切る海底パイプラインの完成により、EU諸国に送られる量が急増している。EUはアルジェリアに、その収益をインフラ建設と農業の改革に使うよう圧力をかけている。隣のチュニジアでも、フランスのコールセンター（電話の問い合わせに対応するサービスを行う施設）が数千人の雇用を作り出している。こうして北アフリカ諸国の人々の収入が増せば、ヨーロッパに移住しようとする住民の増加が抑えられ、移民が起こす問題を減らすとともに、北アフリカ諸国の開発に役立つと期待されている。EUは、この地域の政治を良くすることより、投資を増やして経済発展させることを優先させている。

【訳注】＊7：「アルジェの戦い」＝アルジェリア独立戦争を描いた1966年の作品。監督はイタリアのジロ・ポンテコルヴォ。

リビア

首都トリポリで話し込んだ書店主が言った。

「リビアは、昔からアイデンティティーがはっきりしない国です。まわり中のあらゆるものを吸収しながら、何ひとつ重要なものはないのですから」

リビアはローマ帝国の時代にその領土となり、古代都市レプティス・マグナ（＊8）が栄華を極めた。遺跡に見られる巨大な石柱や、大理石でできたバスタブは、遠くエジプトのアスワンから輸入されたものだ。ローマ帝国が滅びると、沿岸部はすべてビザンチン（東ローマ）帝国の手に落ちた。

7世紀になると、ビザンチン帝国はアラブ人に駆逐され、アラブ人はトリポリを強固な要塞都市に作り変えた。その1000年後、アラブ人はオスマン帝国に征服され、近代に入るとオスマン帝国が衰退して、この地域は1912年にイタリアの植民地となった。古代都市レプティス・マグナは、アラブ人が勢力を増した頃から衰退を始め、人が住まなくなるとともに次第に砂嵐に埋もれていった。1923年にイタリアの調査隊が発掘し、1300年ぶりに砂の中から姿を現した遺跡は、今では観光の名所になっている。

イタリアは二つに分かれていた植民地を1934年に統合し、〝リビア〟という名を正式に定めた。リビアは内陸部に広大な砂漠が広がっているため、それが緩衝地帯となって、西のベルベル人や南のアフリカ人の侵入を受けることもなく、また東のエジプト人とつながってアラブ人の大きなかたまりとなることもなかった。

トリポリは、時おりジブリと呼ばれるこの地方特有の砂嵐に襲われる。これが来ると目も開けていられず、昼間でも薄暗くなって、街全体が埋まってしまうのではないかと思えるほどだ。リビアの政治も、まるで次々と襲ってくるジブリのような嵐の連続だった。

【訳注】 ＊8：レプティス・マグナ＝当時リビアの中心地だったローマ帝国の古代都市。トリポリの東130キロほどのところにあり、世界遺産に指定されている。

カダフィの革命とテロ支援

1969年、エジプトのナセル大統領の著書『革命の哲学』に触発されたカダフィ大佐は、28歳の若さで革命を成功させて権力を手中に収めた。リビアは1950年代に石油の生産量がすでに世界第4位だったほどの産油国で、カダフィと彼に忠誠を誓うエリートのグループは、たちまちばく大な富を築いた。

一説によれば、〝カダフィ〟の名の正式な綴り方は87通りあると言われる。おそらく、彼のエキセントリックな〝共同体的社会主義〟の解釈の仕方もそれと同じくらいあるにちがいない。わずか半世紀の間に、オスマン帝国の領土からイタリアの植民地へ、それから保守的な王制へ、そして革命政権へと激しく移り変わったリビアは、また同時に極貧国から富豪国へと変身した。

カダフィにとって、この国は持論のヒューマニズムと社会主義とイスラムの混ざった政治を実行する実験室のようなものだった。実際、国民に医療や女性を含む教育の機会を与えるなどの改革を行い、国民の平均年収も今ではこの地域で最高の７０００ドルになっている。だがカダフィは資本主義の企業というものに強い不信感を持っていたため、彼が政権を取ってから最初の10年間に、少なくとも10万人の高等教育を受けたリビア人が職を求めて国外に流出した。

外交においても奇行で知られ、何をするか予測がつかないことから、悪評は永久に変わらないだろうと見られていた。１９７４年には、〝汎アラブ主義〟の名のもとにチュニジアを併合しようとし、さらに自らブルドーザーを運転してエジプト国境のフェンスに突入した。次に、今度は〝汎アフリカ主義〟の名のもとに数百万人のアフリカ人労働者を招いたが、結局、動物のように虐待した。それから南隣の国チャドと国境をめぐる無意味な戦争をして敗北した。最近では、南アフリカのネルソン・マンデラ（＊9）との友好関係話をでっち上げ、ダルフール（＊10）を含むアフリカ諸国の紛争の調停者のポーズを取る一方、全アフリカを植民地にしたと言ってヨーロッパ諸国に補償を要求した。

国際社会にとって大きな問題は、カダフィが世界各地の過激派に資金援助を続け、スコットランド上空でパンアメリカン航空機を爆破墜落させた（＊11）テロ攻撃との関連性を問われ、公然と核兵器を手に入れようとしていたことだった。アメリカは「テロ支援国家」リストを作った時に、リビアをその〝指定第1号〟に入れており、レーガン大統領（当時）はカダフィを〝狂犬〟と呼び、ベルリンのディスコへの爆弾テロで三人のアメリカ兵が殺されたことへの報復として、1986年にトリポリのカダフィの宮殿をミサイル攻撃して破壊した。その時カダフィは不在だったが、幼い養女が殺された。

これら一連の出来事のため、リビアは国際的な経済制裁を受けていたが、15年後、カダフィは急に変身し、2003年までに核兵器入手計画とすべてのテロ支援を放棄し、180度態度を転換して今度は核廃絶を唱えるとともに、オサマ・ビン・ラーディンの首に懸賞金をかけ、アメリカとの外交関係も正式に再開した(*12)。リビアの原油は非常に質が高く、欧米の石油企業がみな求めていたうえ、アメリカにとってもスエズ運河を通らずに輸入できるのは非常に大きな魅力だ。リビアも欧米との関係回復を望み、再び学校で英語を教えるようになったため、今では大学生たちがアメリカの奨学金に殺到している。

【訳注】＊9：ネルソン・マンデラ＝南アフリカ共和国の元大統領。アパルトヘイト（かつての南アフリカの人種隔離政策）反対運動の闘士で、1962年に投獄されてから、彼の解放とアパルトヘイト政策の放棄を求める欧米諸国の圧力に南ア政府が屈して1990年に釈放されるまで、28年間を刑務所ですごした。1993年にノーベル平和賞を受賞。1994年から1999年まで同国大統領。

＊10：ダルフール＝スーダン西部の州で、アラブ系と非アラブ系の衝突により数十万人が虐殺され、数百万人の難民が発生していると言われる。歴史的な民族の対立に加えて、石油の複雑な利権がからんでいるため、解決が困難になっている。

＊11：パンアメリカン航空機空中爆破事件＝1988年12月、フランクフルト発ロンドン経由ニューヨーク行きのパンアメリカン航空103便がスコットランド上空を飛行中、荷物に仕掛けられた時限爆弾が爆発して空中分解し、墜落した事件。レーガンが命じた1986年のミサイル攻撃に対する報復と言われている。長い間アメリカを代表する航空会社として知られたパンナムは、この事件をきっかけに経営悪化が再燃し、倒産した。

＊12：アメリカとの外交関係を正式に再開＝リビアに対する制裁を主導していたのはパンナム機を空中爆破されたアメリカだったが、自分たちが攻撃されたわけではないヨーロッパ諸国にとっては、アメリカのリビアに対する対決姿勢は実は迷惑だった。その理由はもちろんリビアの高品質の原油で、1990年代になるとヨーロッパ諸国は水面下でカダ

フィとの和解を進め、原油を輸入するようになっていた。こうして経済制裁は実質的に効果がなくなっており、アメリカだけがリビアの高品質の原油を輸入できないことに石油業界の不満がつのった。結局アメリカ政府はカダフィと取引して、リビアが容疑者を引き渡して賠償金を払うことで手を打った。二人の容疑者はヨーロッパでスコットランドの法のもとに裁判にかけられ、一人が終身刑、一人が証拠不十分で無罪となった。

国際社会へ復帰

こうしてトリポリは、再び地中海南岸で最も輝く街となり、石油資源のほとんどを欧米に輸出するようになった。ヨーロッパ人はリビアに群がり、「援助」「貿易」「武器セールス」の古典的な3点セットをオファーしている。今や国際エネルギー市場におけるリビアの地位は不動になり、トリポリにある唯一の五つ星ホテルは、ヨーロッパから商談に来るビジネスマンの根城になっている。リビアがパンナム機爆破事件の犠牲者の遺族に支払うことになった30億ドルにのぼる補償金は、わずか二つの国際エネルギー開発合弁事業団から受け取った前払い金を回せばお釣りがきた。

イタリアは２００５年に地中海を横断する天然ガスの海底パイプラインを完成させ、中国とマレーシアの石油企業は他国の企業より不利な条件でも呑んで強引に入札に参加している。アルジェリア、チュニジア、チャド、ニジェール、エジプトから引き続き流入してくる労働者は、リビアの石油産業が安定していることを証明している。およそ１００万人と言われるエジプト人労働者はリビアの総人口の20パーセントを占めるに至っている。だがアフリカ人の季節労働者の多くは、収容所に入れられて拷問《ごうもん》された経験があるため、目立たないようにおとなしくしている。

変わらぬ国内事情

今やこのようなトリポリだが、タンジールやベイルートの喧騒に比べれば、まだのんびりしている。この国が建設途中であることは、ある地区では新しいアパート群が建設されている一方で、別の地区では古いアパートや植民地時代の建物が、千数百年前に作られたローマ帝国の遺跡よりはやく崩れ落ちているのを見ればよくわかる。多額の予算が組まれているにもかかわらず再建ははかばかしくなく、総延長1900キロもある美しい地中海沿岸の砂浜も観光にはほとんど使われていない。ネパールやカンボジアの例でもわかるように、適切に管理されないまま観光客が押し寄せれば、美しかった処女地が20年から30年で荒廃してしまう。伝統を重んじ、物静かなリビアの人たちは、自分たちの美しい砂浜が、裸になって酒を飲んで酔っぱらう欧米人観光客に荒らされることを望まない。今のところ、沖にあるいくつかの島をイタリア企業に開発させているだけだ。

トリポリ港近くにある粗末な事務所で、観光課の役人が言った。

「私たちリビアのベドウィンは、そもそもホテルなんていうものを建てることすら恥だと思っているのです。外国からの客人をもてなす時には、自分の家に来てもらうのがしきたりなのですから」

この港にも、時おりイタリアとロシアの観光船が来るだけだ。

高等教育を受けた人間も、そうでない人間も、ともに機会が必要だという点では同じだ。機会がなければ、前者は国外に流出し、後者の若者は街角にたむろして携帯電話で遊んでいるくらいしかすることがない。人口わずか500万人のリビアは、もし石油による収入を賢く使えば、高い生活レベルを達成することも不可能ではないはずだ。南部地方にある地下水脈の真水を北部の地中海沿岸まで引いてくる運河が完成して緑化計画が進めば、農作物を輸入しないですむようになる。国際経済制裁が解除された今では、学校や病院を建てるための基金ができ、農業や産業の民営化や金融機関の近代化が始まっている。核兵器開発計画を中止したため、科学者を海水の淡水化計画や石油鉱脈を探る地質調査にも回せるようになった。

だが、この国の官僚システムの相変わらずの非効率ぶりは、目を覆うほどだ。役人は何も仕事をしなくてもクビにならず、クビになるのは上役の気に入らないことをした時だけという時代錯誤がいまだに続いている。観光客を呼ぶことも難しければ、たとえ来てもどうやって受け入れたらよいかがわからない。投資関係の法整備もできていない。リビア人に現代的な国際ビジネスや外交について理解させるのは相当難しい。

この国が外国人にとってリスクが高いのは、カダフィというカリスマが死んだら次に何が起きるかわからないためである。多くのリビア人は政治を煩《わずら》わしいものと感じ、自分の国について考えたがらない。カダフィのワンマン政権は、実質的には諸部族と、実体がはっきりしない議会による、機能しない環境の上に乗っかっているシステム不在の政権だ。「人民委員会」は民主的な人民集会になるはずだったが、異なる意見を言えば消されてしまうかもしれないという恐れに加え、国民の政治に対する無関心を生んだだけだった。

カダフィの肩書きは国家元首ではないので（リビアは形式上は直接民主主義なので国家元首はいない）、制度上、誰が次のリーダーになるかはわからない。だが現在の外務大臣で実質上のリーダーである、息子のサイフ・アル・イスラム・アル・カダフィは、イギリスで教育を受けた西欧派で、国の政治システムは血縁関係で決められるべきではないという進歩的な考えの持ち主だ。次のジブリが吹いて、老カダフィを歴史のなかに消し去った時、若いカダフィは父親が半世紀前にしたように、リビアの新しいアイデンティティーを打ち立てることができるだろうか。

〈コラム〉中国の進出

アフリカ中にある中国大使館の巨大さが象徴しているように、中国はアフリカが部外者にオープンであることにうまくつけ込んでいる。その主な武器は兵器ではなく、グローバリゼーションだ。中国のアフリカ諸国に対する投資額は、今やEUとアメリカに次いで世界第3位になり、2005年の貿易額は500億ドルに達している。アメリカとの関係が冷え込んでいる政権とは特に積極的に取引を強め、戦略的同盟を築いている。天然資源への飽くことを知らない欲求がある中国は、アンゴラ、アルジェリア、スーダンなどでの石油と天然ガスの生産で他国をリードし、アフリカからの石油の輸入量は、サウジアラビアからの輸入量を凌いでいる。

アフリカでは、ほかの超大国と同様、中国がどう関わり合うかによって、その国に平和と大量虐殺のどちらが訪れるかの違いが生じる。中国はスーダンに国連平和維持軍を送ったが、ついでに自分の石油施設とそこから紅海まで延びているおよそ1500キロのパイプラインを守るための人員を、そのなかに密かにまぎれ込ませていた。そしてスーダン南部の内戦と西部のダルフールの民族浄化（大量殺戮《さつりく》）（＊13）を止めようとする国連決議に猛然と反対し、石油を得る見返りにこの国の独裁政権を支持し、機関銃を大量に輸出している。スーダンの首都ハルツームでは、アメリカの経済制裁にもかかわらず、リビアと中国が不動産を買いまくっている。

こうして中国はアフリカ諸国の政権を〝パートナー〟として扱い、それらの政府の高官は〝中国方式〟について熱っぽく語っている。〝中国方式〟とは、政権は一党独裁で外部に対して閉じたまま、経済だけ開放政策を取るやり方のことだ。中国は援助、投資、職業訓練、医師の派遣をパッケージにして、〝やれることをやる〟友愛精神をアピールし、欧米の強引な〝ショック療

"法"的なやり方との違いを際だたせている。また中国は、アフリカ諸国の負債のほとんどを帳消しにして利率の低い借款を与え、アフリカからの輸入を数十倍に増やしている。

中国のこれらの手法のため、最近効果がなくなってきたと言われる欧米の援助の効果がさらに危うくなっている。欧米はこれまでに数十億ドルにのぼる援助を行いながら、ナイジェリアに鉄道を建設することも、〝アフリカの角〟(＊14)と呼ばれる地域に送電線網を築くことも、ともに短期間のうちに失敗したが、中国は短期間のうちに完成させた。

アメリカは1990年代のエリトリア・エチオピア戦争で〝アフリカの角〟から撤退したが、中国はエチオピアにダムを建設した。このダムはナイル川上流の水源地帯にあり、今では水力発電所が稼働している。アフリカ連合の本部が置かれているアジス・アベバ（エチオピアの首都）は、中国がアフリカ諸国に武器を売るための拠点になっている。

とはいえ、アメリカも、ＥＵも、中国も、アフリカ諸国の政治を良くすることよりエネルギー資源確保のほうが大事だという点では、すべてみな同じだ。アフリカ一の穀倉地帯だったジンバブエを、飢餓と争乱の国に変えてしまった独裁者ムガベの政権を支援したのが中国なら、アメリカは非人道的な赤道ギニアの盗賊政権に大金を与え、毎日50万バレル以上の石油を受け取っている。

究極的には、中国の〝資源わしづかみ〟は、多くのアフリカ諸国の経済基盤を文字通り侵食している。中国は40以上に及ぶアフリカ諸国と条約を結び、その結果それらの国に中国製繊維製品が津波のように押し寄せるようになったため、アフリカ人は数え切れない仕事を奪われて骨抜き状態になっている。その一方で、中国はＷＴＯの規約の抜け穴をついて、モロッコのタンジールの工場で作った布地をヨーロッパに輸出しており、アフリカの零細輸出業者はいとも簡単に出し抜かれている。

アフリカ諸国にある中国の石油・天然ガス施設の多くでは、中国の刑務所にあふれている囚人を連れて来て働かせており、彼らは仕事現場で寝泊まりさせられるため、現地のアフリカ経済には何一つ貢献しない。最終的に、中国はアフリカ諸国を第三世界から引き上げつつも、それと同じくらい、彼らが第三世界のままでいるように押さえつけていると言えるかもしれない。

【訳注】＊13：ダルフールの民族浄化＝264ページの訳注10を参照。
＊14：アフリカの角＝アフリカ大陸東端の、紅海とインド洋を結ぶあたりに突き出た半島で、ソマリア、ジブチ、エチオピア、エリトリアが含まれる。

第22章
エジプト
――官僚主義と宗教主義のはざま

4000年前に高度な文化を誇った古代エジプト文明は、そのすべてをナイル川に依存していた。世界で2番目に長い川、ナイルの源流は南方の奥深く、ブルンジ（＊1）とエチオピアにある。エジプトからナイル川を南にさかのぼり、スーダンに入ると、紀元前8世紀から同4世紀にかけて古代エジプトのヌビア王国が栄えた地域に出る。現在でも、スーダンはアラブ人とアフリカ人の世界を分ける境界になっている。

【訳注】＊1：ブルンジ＝アフリカ中部の小さな共和国。タンザニアとコンゴ民主共和国の間に位置し、北をルワンダと接する。

ナイル川とスエズ運河に依存

今日、ナイル川上流では最貧国までが水力発電用のダムを建設しているが、それがエジプトにとって死活的に重要なアスワン・ハイ・ダムと、それによって作られた巨大な貯水池であるナセル湖の水位を下げている。現在でも、エジプト人の生活圏と耕作可能な土地のほとんどはナイル川沿いにあり、そのためエジプトは、水量を減らすどのような行為もエジプトに対する戦争行為と見なすとしている（しかし、戦争をしたところで水が増えるわけではない）。

河口近くのカイロから上流のアスワンに至るまで、今のナイル川は石油化学廃棄物で汚染され、まるで悪臭のする細長い湖のようになっている。近い将来に原子力発電所を建設する計画があり、下流のナイル・デルタをさらに汚染することが心配されている。国家の生命線であるアスワン・ハイ・ダムは、今では国の存亡のために防衛しなくてはならない大きな重荷になっている。もしこれが破壊されれば、下流域のすべてが洪水に襲われて、国家の機能が壊滅的な打撃を受ける。そのためアスワン・ハイ・ダムは、イスラエルがエジプトに脅しをかける時のカードに使われてきた。

古代より、エジプトはアラブ世界の中心だった。スエズ運河の東に横たわるシナイ半島は、サウジアラビア、ヨルダン、イスラエルに通じる交差点だ。イスラエルはここを1956年から1973年まで占領していた。スエズ運河は全長およそ160キロあり、その北端にあるポートサイードの町は、運河ができたおかげでただのうらぶれた地中海の砂浜からヨーロッパ調の美しい都市へと変貌した。今でも世界の海運の10パーセントはスエズ運河を通過し、エジプトに年間50億ドルの通行料収入をもたらしている。現在、運河は新たな主要な利用者の超大型船が通れるように、浚渫《しゅんせつ》を行っている。新たな主要な利用者とは、つまり中国である。

エジプトの外交力のほとんどは、アラブ諸国のなかでイスラエルと交渉ができる国という地位からきている。エジプトはイスラエルとの戦いで最もたくさん血を流した国なのだ。だが1979年にサダト大統領（当時）がイスラエルと平和条約を結んだことから、エジプトはその後10年以上にわたりアラブ連盟から除名された。その後のイスラエルとの冷戦ならぬ〝冷たい平和〟は、シナイ半島南端の紅海を望む観光地、シャルム・エル・シェイクを高級リゾートとして発展させた。

今でもエジプト人には、自分たちこそアラブ世界のリーダーだという意識が強い。近代エジプトの建国の父、ムハンマド・アリは、当時の宗主国だったオスマン帝国の総督から頭角をあらわし、19世紀はじめに産業と農業を発展させて、自治能力のある準独立国家を建設した。しかしヨーロッパの列強はエジプトの独立を認めず、その後も経済を支配してエジプトがアラブ人国家になるのを阻止し続けた。

１９２２年の独立後もイギリスの実質的な支配が続いていたが、１９５４年に36歳の若さで大統領に就任したナセルは、２年後にスエズ運河を国有化するとともに、第二次世界大戦後の世界にわき起こった植民地解放運動のヒーローになった。スエズ運河を取り戻そうとするイギリスとフランスがなりふり構わず圧力をかけてくると、ナセルはアラブ社会に足がかりを築こうとしていたソ連との結びつきを強めた。だがソ連の政治顧問たちはエジプトの政治機構をうまく束ねることができず（＊２）、両国の間に戦略上のギャップが広がると、その間隙《かんげき》をついてアメリカが割り込んでくることになった。

だがナセルは、アメリカのために反共の防波堤になることにはほとんど興味がなかった。今日のエジプトのプライドが高い支配者階級も、アメリカだけを相手にすることなく、すべての超大国と交渉する機会を逃しはしないだろう。

【訳注】＊２：エジプトがソ連に対する不信を深めたのは、イスラエルとの１９６７年の第三次中東戦争（六日戦争）と１９７３年の第四次中東戦争で、エジプト軍が使用していたソ連製兵器システムが機能しなかったことが最大の理由である。第四次中東戦争ではソ連が対空ミサイルを供給していたため緒戦でイスラエル空軍を打ち破ったが、戦車戦ではやはり後れを取った。結局エジプトは、１９７０年代半ばまでにソ連の政治・軍事顧問団をすべて追放した。

アメリカより中国、ＥＵ

あるアメリカの外交官はこう認める。

「エジプトは、わが国の〝テロとの戦い〟を支持し、親イスラエル政策を容認してくれています。それだけでも彼らは、アメリカが彼らのためにしていることより、はるかにたくさんのことをアメリカのためにしていますよ」

アメリカはエジプトに年間およそ20億ドル弱の軍事・経済援助を与えているが、アメリカの影響力はこの額に見合うほど大きくはない。実際、アメリカのエジプトからの輸入額は、30年前に比べるとはるかに少なくなっている。

あるエジプトの官僚はこう言った。

「今の両国の関係は、アメリカに私たちの内政に首を突っ込まれるには値しませんよ。私たちはアメリカの残り物の兵器はいらないし、下水道設備など作ってくれなくても自分たちで作れるんですから」

現在、エジプトは中国から買う兵器を増やしている。そればかりか、中国がアフリカ諸国との結びつきをさらに強めることができるように、中心的な役割を引き受けることすら申し出ている。中国は、スエズ運河改良工事、セメント工場の建設、電気製品製造会社や見本市会場の建設などへの投資を通じて、近いうちにアメリカを抜いて最大の貿易パートナーになると見込まれている。礼節を重んじる中国の文化はアラブ人に好感を持たれているうえ、中国人の外交官はアラビア文字を習ったり、アラブの文化を学ぶこともいとわず、現地にとけ込もうと自分たちにアラブ風の名前をつけさえしている。

ＥＵの影響力も、そのうちにアメリカを追い越すかもしれない。ＥＵ諸国はエジプトの市場作りのためにアメリカよりはるかにたくさんのことをしており、また将来のエジプトを現在のような大統領制ではなく、権力が一人の人間に集中しない議員内閣制に導くことができると考えられる。エジプトの迷宮のような官僚機構にアメリカ人がたじろいでいる間に、ヨーロッパ企業はエジプトの観光産業や建築業界や農業システムを改善するために、すでに5億ドル以上ものカネを投じている。ベンツやプジョーの組み立て工場は多くのエジプト人を雇用しているが、さらにその数を倍増する計画もある。

機能しない政府

エジプトの中心地カイロには、今や2000万人の人が住むと言われる。アフリカやアジアの国の首都によく見られるように、ここも首都というよりは、エジプトという国のなかにあるもう一つの国のようなものだ。特に、数百万人にのぼる極貧の人たち（そのうちの100万人以上が路上生活をしている子供たちだ）は、この街に生まれて、死ぬまでここから外に出ることがない。

今日のカイロは、今のアラブ社会がなんとか第三世界から這《は》い上がろうとしている姿の縮図だ。もし彼らが、現在抱えている社会悪を過去の植民地政策のせいにすることをやめ、独立後にどのような政策が行われてきたかを調べてみれば、アラブ人自身による統治がまともに機能していなかったことがくっきりと浮き上がってくるに違いない。富裕階級と貧民層の隔《へだ》たりは絶望的に大きく、その様子は街角のあちこちで目にすることができる。

「ちゃんと計画はあります。昔の歴史的な栄光を取り戻すための、具体的な計画がね」

そう言った与党の幹部は、かなり取り乱しているように見えた。確かに、アレクサンドリア（＊3）とアスワン（＊4）を結ぶハイウェイは、人口の少ない地方への交通量を増やすのに役立つだろうし、カイロにできる新しいハイテク金融センタービルには、成長しつつある証券取引所や政府の省庁が入居することになっている。闇営業の白タクを一掃するために新しいタクシーのシステムもでき、役に立たない政府系特殊法人の数十億ドルにものぼる無駄遣いをカットしようという動きも始まっている。地中海沿岸には免税ゾーンが次々にできている。

「すべての投資は良い投資だ」をキャッチフレーズに、エジプトのビジネス階級は、アメリカとEUと自由貿易協定を結ぶよう政府に圧力をかけている。カイロ郊外の、わずか5年前には砂漠だったところにできた新しい町、ニューカイロでは、1年に100万人近いペースで人が流入している。また、幸運なことに、小規模だが稼働していた油田が枯渇しそうになった時に、新たに大きな天然ガス田が発見され、今ではイスラエル、ヨルダン、ヨーロッパに輸出が始まっている。

だが、毎年数十万人の若者が就労年齢に達するこの国は、危機的に高い失業率が慢性化している。そのため、ほかの北アフリカのアラブ諸国と同様、暇とエネルギーをもてあました若者たちが暴動やイスラム過激派に身を投じる前に、彼らができることを何か与えなければならない。カイロのように人間性が疎外される巨大都市では、心に不満が鬱積《うっせき》した群衆はどんな刺激に対してもすぐ反応する。この社会的・経済的な時限爆弾が爆発する前に信管を抜こうと、心ある事業家たちは職業訓練学校に資金を提供したり、政府が所有する数千ヵ所もある空き地にサッカー場を作ろうと政府に働きかけている。

さらに、エジプトは後援者とも競争しなくてはならなくなっている。街には本来彼らが自分たちで作るべきもの、たとえばエジプトの国旗やラマダン（＊5）で使うランタンすら、中国製があふれているのだ。さらに、中国の建設ブームのおかげで世界中の建設用鋼材が値上がりしているため、第三世界の国々と同様、経済に打撃を受けている。また2005年にＷＴＯの世界繊維協定が期限切れになったため、エジプトはメキシコと同様、年間5000億ドル規模と言われる世界の繊維市場で厳しい競争にさらされている。中国が質の良い綿花を生産するようになり、エジプトの産業の3分の1を占める重要な輸出品である高品質の綿布と競争しようとしているためだ。だがこれに関する限り、よいデザインの商品を作って中国製品に打ち勝つことはそれほど難しくはない。

観光産業も問題山積だ。エジプトは経済の60パーセントを観光収入に依存しているが、世界中から観光客が訪れてカネを使っていく、遺跡のある地域で第三世界的な貧困がひどいという矛盾が存在する。一握りの政府機関がすべてのホテルの経営をコントロールしているため、民間セクターが育たず、若者の雇用が増えないのだ。大勢の観光客がいくらカネを使っても、地元の住民は貧困のなかに暮らし、識字率すら改善されていない。

エジプト人の金持ちが集まるシャルム・エル・シェイクでは、ホテルから出るゴミや排水が紅海に捨てられ、海水が汚染されて珊瑚が死んでいる。カイロ市はもともとナイル川の東側に位置していたが、今では対岸の西側にまで拡大し、かつては市街地から遠く離れていたギザのピラミッドのすぐそばまで五つ星ホテルが建っている。ここまで俗化が進むと、エキゾチックな感じはほとんどしない。大切な観光資源がこんな状態では、はじめてエジプトを訪れる毎年数百万人もの観光客が、もう一度この国に来ようという気になるだろうか。

【訳注】＊3：アレクサンドリア＝地中海に面するヨーロッパ風の美しい港町で、カイロに次ぐエジプト第2の都市。
＊4：アスワン＝ナイル川中流にある町で、近くにアスワン・ハイ・ダムや古代の遺跡があり、観光地でもある。
＊5：ラマダン＝イスラム暦の第9月で、イスラム教徒はこの月のあいだ、日の出から日没まで断食を行う。

ムバラクの長期独裁

今のエジプトには、富の極端な不均衡、指導者同士の争い、宗教の抑圧、政権の政治的孤立など、革命が起きる条件がすべてそろっている。ホスニ・ムバラクは、サダト前大統領が暗殺された1981年以来、ずっとこの国を支配している。しかもその前はサダト政権の副大統領だったのだから、それを加えればもう40年近い。しかし自分は大統領になった後、なぜか副大統領を一度も任命していない。

ムバラクの情報部は常にカイロの街の雑踏を巡回しているが、それは国民のニーズに注意を向けているからではない。ムバラク政権になってからの四半世紀以上の間、事実上の独裁政権が取り仕切るエジプトの政治に競争は存在せず、まるでジョージ・オーウェルの小説『動物農場』(*6)のようになっている。

ムバラクは権力を他人に渡したくないばかりに、世俗派のリベラル派まで投獄し、その結果、反対勢力はイスラム主義グループだけになってしまった。アメリカはこの策略にうまくのせられ、イスラム主義政党が政権を取ったら大変だからという理由で独裁政権を支持し、それがエジプト政府が政治改革を行わない口実になっている。

「我々にとって、どういう道を進むかを決めるのは簡単ではありません」

水ギセルでタバコを吸いながら、新聞の編集者が考え込みながら言った。

「ほとんどのエジプト人は保守的な性格です。民主主義のために戦うより、子供を食べさせるほうが先ですからね。過激な変革は望んでいませんよ」

これまで長い間、エジプト人は政治活動より、屋外カフェに座ってのんびりドミノでもしているほうが好きだった。だが最近では、民主的な政治を求める気運が高まっている。整然としたデモが日常的に行われ、メディア規制法に抗議して発行を停止した新聞がたくさんある。今この国は、革命の機が熟している。

【訳注】＊6：『動物農場』＝農場で動物たちが革命を起こすが、指導者の豚が独裁者と化して恐怖政治を行うようになるという、1945年の作品。暗にソ連の共産革命を批判している。

イスラムの本流と新興グループ

カイロにあるアル・アズハル大寺院（イスラム大学）は、1000年以上も前から保守的なイスラムの最高学府として知られている。歴史上のアラブの支配者の多くは、このイスラムの権威からお墨付きをもらおうと、自分がイスラム教徒であることを強調した。だが今の政治的な停滞を、このイスラムの権威が進んで承認することはないに違いない。

新しい経済発展の可能性から取り残され、フラストレーションをためた何百万人もの人たちにとって、イスラムの祈りは心の安定をもたらしてくれる。それが心に吹き込むのは過激主義ではなくその反対のもの、つまり、物質主義的な環境のなかにいるために失いがちな、精神的な核となる価値観だ。カイロ市内を流れるナイル川の中州、ザマレック島にあるイスラム寺院には、日が沈む頃になると、一日中街でぶらぶらしていた若者たちが足早にやって来る。そこで行われる祈りと討論が彼らの心を落ち着かせ、所属意識を与えてくれるのだ。道を隔てた向かいには豪華絢爛《けんらん》なオペラハウスがあるが、そんなところに行くカネを持っている者は、ここには一人もいない。

今のエジプトの指導者たちが、古代の栄光のプライドを取り戻そうと言っても、一般の国民に対してはほとんど説得力がない。そして、今ほど大衆の間でアラブ民族主義とイスラム主義が激しくなっている時はない。1928年に〝ムスリム同胞団〟が設立された時、そのもともとの目的は、非暴力のスンニ派運動を通じて、オスマン帝国崩壊後のアラブ文明を復興することだった。だが1949年に創設者のハッサン・アル・バンナーが秘密警察に暗殺されたことがきっかけとなり、後継者たちは、「アラブ世界は欧米に後押しされた政権に抑圧され、このままでは滅んでしまう」という危機感を募《つの》らせることになったのだ。その後〝ムスリム同胞団〟はヨルダンとシリアにも影響力を広げたが、最近、最も勢力を盛り返しているのが故郷のエジプトだ。現在のアラブ世界で、イスラム主義と民主主義がどうなるかの瀬戸際にあるのは、イラクではなくエジプトだ。

政府が国民にモラルも社会福祉も与えてくれない時、その政府はそれらを備えていて大衆が頼れるイスラム主義グループの完璧なターゲットとなる。抑圧に抵抗することは本来のイスラム教の教義とは関係ないが、イスラムの精神的な支えと社会福祉は、人々が抑圧に対して立ち上がるのに力を与える。ほかの政党と違い、イスラム主義者は通常の宣伝方法を必要としないので、イスラム政党を非合法化しても効果はない。むしろイスラム寺院を利用して宣伝したり、暴力的な行動に出ることに口実を与えるだけである。２００５年の選挙の時、エジプトの秘密警察は、〝ムスリム同胞団〟を支持する市民に向かって発砲した。こんなことでは、ムバラクがいくら民主主義を語っても誰も信用しない。

過去何十年にもわたり、独裁政治は共産主義とイスラム主義に対する防波堤だった。だが今では、民主主義は、独裁政治に対するイスラム主義の武器となった。最近、〝イスラム的民主主義〟という言葉がよく使われる。それは、「イスラムは服従ではなく抑圧からの解放を意味し、民主主義はそれを実践するための方法である」ということを意味している。社会活動とテレビを使った布教活動を通じて、〝ムスリム同胞団〟はエジプトの貧困層から中流階級の心をつかんだ。その綱領は宗教そのものとはほとんど関係がなく、政府の腐敗との闘い、雇用の促進、社会福祉の改善を中心にすえている。

こうして彼らは、何十年も眠っていたエジプト議会の目を開かせることになった。独裁主義と民主主義は両立できないが、イスラムと民主主義は間違いなく両立できる(#1)。イスラム過激派の爆弾テロをなくす唯一の方法は、21世紀の民主主義者にふさわしい行動をするイスラム教徒に大きな機会を与えることしかない。

【原注】 #1:ムスリム同胞団が羊の皮をかぶったオオカミかどうかはまだ明らかではないが、苦労して手に入れた権力をイスラム聖職者に渡したくはないはずだから、政教分離を守ると見られている。また、民主化と腐敗撲滅は彼らの人気を支える核であるので、その政策を続ける可能性が高い。

アメリカの政策が過激派を生む

アル・アズハル大寺院の前で、あるイスラム主義者が言った。

「しかし、民主主義を無理やり押しつけるアメリカのやり方は、自己矛盾ではないですか? 無理やり押しつけたら、それはもう民主主義ではなくなってしまいますよ」

そして彼は、さらにこうつけ加えた。

「イスラムは、西洋的な価値観による理想との関連で定義されるべきものではないのです」

アメリカがエジプトと結んでいる同盟関係は、ひとことで言えば、国民が嫌悪するムバラク個人との同盟であり、国民とのものではない。そのためアメリカが主導する政治改革は非常にのろく、表面的で、権力を握っている政権幹部たちを守ってばかりいる偽善性が誰の目にも見え見えだ。またアメリカは、この国が保身に汲々としている政権幹部たちとともに沈没しないように、彼らには重要な役割を与えようとしなかった。

そういうアメリカの外交政策が、イスラム過激派の勢力を拡大させる原因になっているという人もいる。実際、皮肉なことにアメリカは、政権が同盟関係にある国の国民から最も嫌われている。2001年9月11日に起きた同時多発テロでも、ハイジャック犯の大部分がエジプト人とサウジアラビア人(ともにアメリカの重要な同盟国)だった。

エジプトでアメリカよりEUのほうが好まれているのは、EUはアメリカほどムバラク個人と強く結びついていないうえ、ヨーロッパ諸国の多くは大統領制ではなく議員内閣制だからだ。ムバラクは憲法の条項をまるでチェスの駒のように操って派閥の力関係を決め、今では自分が総裁を務める与党の国家民主党を息子のガマール・ムバラクに運営させ、2010年に予定されている総選挙に備えている。

民主化勢力を支援せず、中身よりとにかく安定させる政権を後押しするアメリカのやり方は、もはや病的とも言えるほど陳腐になってしまった。なぜなら、そのような安定は一世代以上は続かず、結局は不安定を生じさせて終わるからだ。

エジプトがアルジェリアのような内戦になることはないかもしれないが、イランのようなイスラム革命が起きないとは誰にも言い切れない。エジプトの若い世代ははっきりそれを口にする。それに比べれば、たとえ一時的にアメリカとの関係が多少冷え込んだり、〝ムスリム同胞団〟との関係を育てなければならなくなっても、民主主義を実現する努力をするほうが最終的にはずっと良いはずだ。これは宗教上の好みとか、個人的な忠誠心の問題ではなく、戦略的な必要性である。究極的には、エジプトは民主的な国になった時、はじめて、アメリカを非難してばかりいるのではなく、自分自身の問題に目を向けることができるようになるだろう。それでもなおコースから外れれば、非難できる相手は自分自身しかいなくなる。

第23章
中東の火薬庫
――ロードマップ（＊1）の行方

〝中東〟という言葉が最もよく使われるのが、ナイル川以東の、彼らの言葉で〝マシュリク〟（＊2）と呼ばれる地域だ。この地域は、冷戦時代にソ連の影響力が増したこともあったが、結局、いまだに第一次世界大戦後に引かれた国境が原因の混乱が続いており、当時の分割の影響がいかに深く根を張っているかを物語っている。

【訳注】＊1：ロードマップ＝イスラエルとパレスチナの紛争を解決するためにブッシュ政権が2002年に提示した行程表。まったく守られなかった。
＊2：マシュリク＝「日の昇る場所」の意味。第21章の〝マグレブ〟を参照。

どうしてこうなったのか

中東の歴史には、氏族間の長い確執と、それに乗じて介入した抜け目のないヨーロッパ列強の政策に起因するあらゆる要素が含まれている。第一次世界大戦中、イギリスはアラブ全域に反オスマン帝国の反乱が起きるように画策した。だがアラブの抵抗運動は、普通の国のナショナリズムのように国家の統一を目指すものではなく、各地の氏族がそれぞれの領地を別々に支配することを望む分離主義だった。つまり彼らは、国として独立するために力を合わせたのではなく、諸侯がそれぞれの土地で独立した力を維持することを望んだのだ。戦後のパリ講和会議で、アメリカのウッドロウ・ウィルソン大統領は、この地域とそこに住む人々を〝まるで自分の財産かチェスの駒のように〟交換するのはやめるべきだと主張したが、その時すでにイギリスとフランスは、1916年の秘密協定によってシリアの分割を平然と決めていた。

そして1920年、フランス軍はシリアのダマスカスに入城し、イギリスが傀儡《かいらい》として据えていたハシム家のファイサル1世を追放した。ファイサルはイギリスに逃れ、翌年イギリスからその代わりにとイラクの王の地位を与えられる。一方、アラビア半島中部ではリヤド（＊3）のサウード家の若き王子イブン・サウードが勢力を拡大したため、メッカ（＊4）のハシム家のアブドラ1世（ファイサルの兄）は、弟のシリアの王権を主張して軍勢をシリアに進めた。そこでイギリスはやむを得ず、1923年に旧パレスチナ（＊5）の4分の3にあたるヨルダン川の東側をトランスヨルダン首長国（＊6）としてアブドラに与えることを提案し、アブドラもそれを受け入れてその王になった。この時点で英仏は、アラブ人とシオニスト（＊7）がパレスチナの土地を共有できるものと当然のことのように考えていたのだ。

それから80年以上の月日が流れ、もうイギリス人も非難されなくなったと思われる頃になって、今度はアメリカ人がやって来た。1世紀近く前にはウィルソン大統領の高潔な発言があったにもかかわらず、アメリカはかつてのヨーロッパの列強と同じ道をたどるのだろうか。昔のイギリスと同じく、アメリカはここで戦争を始めたのだ（イラクとヨルダンは、シリアとサウジアラビアにはさまれた中間に位置する）。イラク戦争には、アラブ人を独裁政権から解放するという、一部分は正当化できる面もあったかもしれないが、結局アメリカはアラブ人から最も嫌われる帝国になった。

かつてのイギリス人もイスラムの内政に干渉し、イスラム教徒をすべてひっくるめて一つのものとして扱った。だがイスラムにはさまざまな宗派やグループがある。イギリス人は、その後この地域で最も大きな影響力を持つことになるアラビアのワッハーブ派（＊8）の台頭を見落とした。そして、遠く中東の地に一大利権を作ろうとしたイギリスの野望は、兵士の消耗と膨らむ戦費のためにしぼんでいったのだ。

今日の中東が格闘している問題には、植民地時代から引きずっているこれらの遺産に加えて、イスラム主義の復活、国内の政治的弾圧、外国の軍隊の介入、そしてテロリズムなど、多くの要素がからんでいる。

もともと遊牧民だったアラブ人は、〝国家〟というものに対する熱烈な愛国心を自然に備えているわけではない。歴史的に共存を重んじてきた彼らに争いを誘発するのは、無理やり与えた国家というシステムである。オスマン帝国時代に作られた地図には、各地の部族と、彼らが集《つど》ったオアシスが点々と描かれているが、今日の地図に示されている国境線はヨーロッパの強国があわただしく人工的に引いたものであり、そこには良識にかなうまともな理論がまったく見られない。たとえば、エジプトはアラブ諸国のなかで最大の人口を持つにもかかわらず、農耕に適した土地は最低限しかない、クウェートとカタールはともに豆粒のように小さな国で人口もわずかなのに、ほぼ無尽蔵の石油と天然ガスがある、などだ。

さまざまな民族や部族が入り組むヨルダン、レバノン、シリア、イラク、パレスチナ、イスラエルなどは、統一性が弱い国々というより、古代の交易ルートに広がる都市のネットワークと考えたほうが理解しやすい。これらの国では（パレスチナは自治区）、民主主義は人を動員することはできても、必ずしも人々を結びつけたり、リベラルな思想を持たせたりするわけではない。少数者に強い権利が与えられない限り、民主主義は単なる多数優越主義になってしまい、祖先からの伝統や時には国家そのものすら滅ぼすことにもなる。もし現在の中東諸国の指導者たちが、部族の領土に関心がなかったオスマン帝国の態度を見習えば、人や物がよく交流し、寛容の精神が独裁主義や過激主義に打ち勝って、パレスチナはこの地域の中央に落ち着くことができるかもしれない。

【訳注】＊3：リヤド＝現在のサウジアラビアの首都。
＊4：メッカ＝現在のサウジアラビアにあるイスラム教の聖地。
＊5：旧パレスチナ＝現在のパレスチナ、イスラエル、ヨルダン、レバノンとシリアの一部を含む広い地域。
＊6：トランスヨルダン首長国＝現在のヨルダン王国の前身。
＊7：シオニスト＝世界に離散したユダヤ人がパレスチナの地に戻ってユダヤ国家（イスラエル）を建設しようという運動（シオニズム）を推進するユダヤ人のこと。当初はパレスチナ人から土地を購入するなどしていたが、パレスチナ人の抵抗もあって次第に武力を用いるようになり、統治していたイギリス軍やイギリス警察にテロ攻撃をくり返して撤退させた。
＊8：ワッハーブ派＝スンニ派の一派で、コーランを厳格に解釈するイスラム原理主義の先駆けとなった。サウード家のイブン・サウードが広め、今でもサウジアラビアの国教になっている。

イスラエルとパレスチナ——ともに粉々

１９１７年にイギリスは、パレスチナ人の権利を侵害しないことを条件に、ユダヤ人国家の建設に同意し、それ以来、イスラエルは移民を建国の原動力とする国の代表例となった。だが、国ができたからといってイスラエルの安全が保証されたわけではない。なぜなら、イスラエルが誕生したために自分たちの土地を無理やり追われたパレスチナのアラブ人にとっては、何ひとつ満足いく解決がなされていないからだ。１９６７年の六日戦争（第三次中東戦争）以来、イスラエルはガザ、ヨルダン川西岸、そして東エルサレムを占領しているうえ（ガザからは２００５年に撤退）、さらに領域を拡大するための拠点として、パレスチナ人の土地にいくつもの入植地を作って25万人にものぼるユダヤ人が占拠している。彼らはこれらの入植地（＊9）を既得権と呼ぶが、将来どうなるかは未解決の問題として残ったままだ。

ヨルダンやレバノンに住む難民、パレスチナ自治区の居住者、イスラエル国籍を持つパレスチナ人の別を問わず、パレスチナ人の存在感は増しつつあり、パレスチナ人国家を作る動きは年々勢いを増している。パレスチナ人がアイデンティティーのない状態に無理やり置かれていることが、周辺国に対してそれらの国のアイデンティティーとは何なのかという問いを突きつけている。地中海からヨルダン川までの一帯には、ユダヤ人よりはるかにたくさんのアラブ人が住んでおり、イスラエルが国家として生き残る唯一の方法は、パレスチナ国家を承認することしかないという皮肉が生まれている。

【訳注】＊9：ユダヤ人入植地＝イスラエル政府はシャロン政権時代の2005年にこれらのうちいくつかを不法占拠と認定し、撤去することを決定した。しかしユダヤ主義者の強硬派である入植者の抵抗が大きく、ガザの入植地の強制撤去で大きな混乱を生じたため、ヨルダン川西岸にある不法入植地の撤去は行われていない。しかも、シャロンが撤去を決めた入植地は規模の小さいものばかりで数も少なく、政府の肝いりで建設した大規模な入植地ではむしろ要塞化を進めている。

イスラエル

イスラエルは、レバノンやアラブ首長国連邦と同じく、沿岸沿いの砂漠に移民が作ったオアシスの連なる国だ。テルアビブはヨーロッパの都市にも似たモダンな都会で、住民の会話にニューヨークの株式市場が話題になる所だが、テロの脅威と観光産業の落ち込みからは逃れられない。

しかし、イスラエルとアラブ諸国の間には、いくらかの経済的結びつきもすでに存在する。たとえば、アメリカのモトローラ社のコンピューターチップがイスラエルで生産され、キプロス（＊10）でラベルをつけかえて、アラブ諸国で使われる携帯電話用に出荷されている。また、シナイ半島の東側にあるアカバ湾の、エジプト、イスラエル、ヨルダンの3国が接する地区では、隣接するエジプトのタバ、イスラエルのエイラート、ヨルダンのアル・アカバの三つの町がジョイントで「特別産業ゾーン」と呼ばれる地帯を作っている。

トインビーは1950年に、「エルサレムは、まるで一つの原子が分割されて二つの敵対しあう町になったかのようだ。その二つはお互いに顔を合わせることなく背中をくっつけ合って並んだまま育っている」と書いた。だがイスラエルがいくら軍の検問所や自分たちだけが使うために町々を結ぶへその緒のようなハイウェイを作り、海外在住ユダヤ人から送られてくるカネがいくらあっても、エルサレムがユダヤ教だけでなくキリスト教とイスラム教にとっても基盤となっているという事実を変えることはできない。

エルサレムは、ユダヤ人とキリスト教徒とイスラム教徒が、自分たちだけのものだと主張して永遠の争いをくり返してきた町だ。東エルサレムの旧市街では、キリスト教会が鳴らす鐘の音と、イスラム寺院から聞こえてくるムアッジン（1日5回、イスラムの礼拝の時刻を告げる人）の大声が絶え間なく混ざり合い、耳障りな不協和音を発生させている。ただキリスト教徒は、イスラエルがエルサレムとベツレヘム（キリスト誕生の地とされる聖地）との間に建設した巨大な分離壁（＊11）に嫌気がさして、最近では大量にベツレヘムを去っている。

しかしイスラエルは分離壁を作ったにもかかわらず、ますます周囲のアラブ世界と混ざり合い、血を流し続けている。ユダヤ人かパレスチナ人かを問わず、ここでは信仰心の厚い者と邪悪な者の区別はない。だが、生体移植した臓器に体が拒否反応を起こせば、体ではなく移植した臓器のほうが先に死ぬのと同じで、もしイスラエルが平和的に自分自身を統一できなければ、この地に生体移植したイスラエルは、体であるアラブ世界より先に死ぬ可能性が高い。

すべての第三世界の国の外交と同様、イスラエルの外交は内政を大きく反映している。そしてそれは最近ますます著しくなっている。テルアビブで乗ったタクシーの運転手が言った。

「そこらじゅう、貧困だらけですよ。国はいつも軍事優先ですがね、私たちほとんどの国民にとっては、軍隊より仕事や病院のほうが大事です」

イスラエルはアメリカ政府や海外在住の同胞から膨大な額の援助を受けているにもかかわらず、軍事予算を減らして福祉予算を増やさなければならない状態に陥っている。そして理論上はともかく、イスラエルとパレスチナは、実質的に観光産業や貿易からテロリズムに至るまで、切っても切れない関係にある。

最近、多くのアメリカ人は、イスラエルはパキスタンと似て、アメリカの同盟国ではあるものの、アメリカの問題を解決するのではなく増大させる存在だと見るようになってきている。実際、イスラエルは密かに、レーダー基地攻撃用の無人攻撃機や空対空ミサイルを含む兵器を中国に売っており、その額は２００５年までにロシアに次いで世界第2位になっている。だが皮肉なことに、その中国はイスラエルの天敵イランにミサイルを売っており、イランの弾道ミサイルが射程を延ばしてイスラエルにとどくようになるのを助けている。

さらに中国は、兵器を購入する見返りに、イスラエルの港湾設備の拡張に投資しており、行く行くは中国製品を地中海沿岸諸国やヨーロッパに輸出するための拠点にする考えと見られている。この調子でいくと、近い将来、中国がアメリカと同じくらいの規模でイスラエルを援助する日が来るかもしれない。だがそうなったところで、イスラエルが抱えるパレスチナ問題が解決するわけではない。

イスラエルとパレスチナの和平会談はこれまでにもさんざんくり返されてきたが、常に枝葉末節の事柄ばかり議論され、「パレスチナ難民の帰還」と「エルサレムの帰属」という、最も重要な課題については置き去りにされてきた。そしていつも、会談が最終段階に入ると、和平を望まない勢力がそれを持ち出して会談を潰すというのがパターンだった。

イスラエルはパレスチナ人のテロを非難するが、イスラエルのシオニストたちは、実は独立前の10年間、主にテロ攻撃をくり返すことによって、当時の統治者イギリスを追い出したのだ（＊12）。それは現在パレスチナ人がイスラエルに対してやっていることとほとんど変わるところはない。2006年にハマス（＊13）が選挙で勝利すると、イスラエルはガザ地区とヨルダン川西岸を結ぶ道路を閉鎖したため、パレスチナ議会はテレビ会議で討議することを余儀なくされた。イスラエルによる現代のアパルトヘイト（＊14）が、パレスチナ人社会を経済的にも政治的にもいかに困難にしているかを再確認させてくれる出来事だった（＃1）。

【原注】＃1：地理学と人口統計学のある専門家によれば、現在のヨルダン川西岸の領土の分け方では、パレスチナ人の領土のなかにユダヤ人の入植地が散在するため、ヨルダン川西岸でパレスチナ人が有効的に使用できる土地はわずか55パーセントしかない。さらに、イスラエルはヨルダン川西岸の地下水を最大で85パーセントまで吸い上げているため、パレスチナ人国家ができる前にパレスチナの水源が枯渇する恐れがあるという。

【訳注】＊10：キプロス＝トルコの南、シリアとレバノンの西に浮かぶ地中海の島国。

＊11：分離壁＝イスラエルがヨルダン川西岸のパレスチナ人自治区を取り囲むように建設している巨大なコンクリートの壁。パレスチナ人の自爆テロを防ぐためとされているが、そのルートはユダヤ人入植地を取り囲んでパレスチナ自治区の領内に深く入り込んでいることから、パレスチナ人の土地をさらに削り取ってイスラエルの領土を増やし、入植地を守って恒久化するためのものと言われ、国際社会の非難が集中している。アメリカのカーター元大統領はこの壁を〝現代のアパルトヘイト〟と呼んで告発している。

＊12：シオニストのテロリズム＝最も有名なものはイルグン団と呼ばれるグループが行った数々の爆弾テロ、誘拐、虐殺などで、最も大きな爆弾テロは、1946年に当時イギリス軍の司令部があったエルサレムのホテルが爆破されて91人が殺害された事件。そのイルグンの首領だったマナヘム・ベギンは、第二次世界大戦終了後、右翼政党ヘルートを結成し、これが後に現在のリクード党になった。ベギンは1967年の第三次中東戦争を機に入閣し、1977年から

1983年まで首相を務めた。

*13：ハマス＝パレスチナ解放運動のイスラム主義グループの一つ。故アラファト議長が率いたPLO（パレスチナ解放機構）主流派のファタハとは一線を画し、PLOが自治政府となってから腐敗したのと対照的に、イスラム原理主義を貫いている。

*14：アパルトヘイト＝南アフリカ共和国がかつて行っていた人種隔離政策。

パレスチナ

第三世界の国によく見られることだが、外国からの援助をもとに行われる政治が民族自らの統治に優先すると、その国の発展は止まってしまう。国際機関による援助は、緊急のニーズには助けとなるが、同時にバブル経済を生み、援助がなくなればそのバブルは消えてしまうのだ。

その危険性はパレスチナにもある。パレスチナ自治政府の予算の大部分はヨーロッパ諸国とアラブ諸国からの寄付でまかなわれており、パレスチナ人の最大の雇用者は現地の国連機関だ（ちなみに、その次に大きな雇用者は、実はパレスチナ人社会にネットワークを張り巡らしているイスラエルの情報機関シン・ベト（イスラエル総保安局）だと言われている。彼らはパレスチナ人の情報提供者にカネを渡し、それをもとに脅迫して情報を取る）。

パレスチナ人は、イスラエルに占領されていることに対する補償という形で国際機関から援助金を受け取ることを屈辱に感じている。だが本来そのカネは、占領者であるイスラエルが支払うことが国際法により義務づけられているのだ。

東エルサレムで会ったパレスチナ自治政府の職員が言った。

「私たちは、ほかの国を建設してばかりいて、自分の国を建設できない状態です」

多くのパレスチナ人が、ヨルダンやイラクやクウェートで建設労働者として働いているのだ。

だがパレスチナ人も、ようやく独立国家建設の力を手にしつつある。高い失業率、弱いインフラ、急増する人口（２０２０年までに６５０万人に達すると予想されている）、などの問題も、ようやく国際社会に聞き届けられるかもしれない。ジェニン、ナブルス、ラマッラ、東エルサレム、ヘブロンなどのヨルダン川西岸の町と、ガザ地区のガザ市とエジプト国境の町ラファを結ぶ鉄道、テレビ通信、電気、ガスの回廊を建設する案が練られているのだ。いつになるかはわからないにせよ、もしこれが実現すれば、パレスチナの都市部と地方を通ってガザの空港と港とヨルダン川西岸をつなぐことにより、15万人のパレスチナ人に雇用を作り出すと見積もられている。もしＥＵその他の国が、このパレスチナの大動脈の建設に必要な60億ドルを拠出すれば、援助を打ち切って圧力をかけるなどといった姑息《こそく》な議論を押しやって、ＥＵは中東問題解決のために出資したという大きな評価を得るだろう。アメリカとＥＵの協力は、ただ首脳が電話で協議して「両者に自制を求める」などと発表するだけのものではないはずだ。

一方、ほかのアラブ諸国やイスラム社会は、過去何十年にもわたって、自分たちの都合のためにパレスチナ人を軽んじてきたが、今や彼らも関わりを持ち始めている。パレスチナ人はずいぶん前から彼ら自身の（自治）政府も、旗も、オリンピックチームさえ持っているが、アメリカとイスラエルは、資産の凍結と銀行間の送金を停止することでアラブ諸国のパレスチナへの支援を妨害してきた。そのためパレスチナ人は、現金をスーツケースに詰めてヨルダンやエジプトから密かに運び込んでくる以外に道がなくなった。

しかしアメリカが言う「ハマスは片方の足を政治に置きながらもう片方の足をテロに置くことはできない」という理論は、アラブ諸国の間ではほとんど重みを持たない。アメリカがパレスチナ自治政府のファタハ（*15）に武器を供給していることが、ファタハとハマスの争いに拍車をかけ、そのことが2007年にハマスがガザの自治政府本部からファタハを実力で追い払ってガザを実効支配するようになる原因を作ったのだ。だが2006年にアメリカがパレスチナ自治政府に対する援助を打ち切ると、サウジアラビア、エジプト、イランがアメリカに代わって自治政府の運営費用を負担するようになり、選挙によって民主的に選ばれた議員が運営する政府をアメリカが脅迫することはできないことを証明した。

自治政府の首府ラマッラで会ったパレスチナ人政治顧問が言った。

「世界各地に住む我々の同胞、アラブの兄弟たち、イスラムの慈善のおかげで、ヘブロン（＊16）は再建されつつあります」

ラマッラでは、この2、3年前から中流階級のきれいな住宅がたくさん建てられている。パレスチナ人国家が承認される日が来るまで、ハマスにイスラエルを承認しろと圧力をかけるのは時期尚早なうえ的外れだ。なぜなら、国家として承認されていないパレスチナは、ほかの国家を法に則って承認するとかしないとかいう立場にないからだ。パレスチナ人にイスラエルを承認させたければ、まずパレスチナ人の国家を作らねばならない。

ヘンリー・キッシンジャーは1975年の昔に「パレスチナ人の国を作らない限り、どのような解決もあり得ない」と述べている（＊17）。それから30年以上たった今でも、この言葉は中東を平和的にまとめるための前提条件であり続けている。

【訳注】＊15：ファタハ＝故アラファト議長が率いたPLO主流派で、現在のパレスチナ自治政府を運営している。かつてのPLOの軍事部門が自治政府の保安警察になった。
＊16：ヘブロン＝パレスチナのヨルダン川西岸地区にある町。イスラエル軍の侵攻で何度も破壊された。
＊17：キッシンジャーの発言＝この言葉を残したキッシンジャー自身ユダヤ人である。

ヨルダン――イラクとパレスチナのはざま

内陸の国ヨルダンは、誕生以来、常に崩壊の危機にさらされてきた。だがもしこの国がバラバラになっても、近隣諸国は誰も助けようとはしないだろう。それどころか、イスラエル、パレスチナ、サウジアラビア、シリア、それにイラクのスンニ派は、分解したヨルダンから自分が取れるだけのものを取ろうとするだろう。その意味で、ヨルダンはアラブの地政学の複雑さをあらゆる面で体現している。

そもそもこの国が誕生したこと自体が、植民地時代の宗主国の思惑にアラブ人の氏族間の争いが混ざり合った結果であり、砂漠の王家が分かれてサウジアラビア王国とヨルダン・ハシミテ王国の二つが誕生したといういきさつがあるのだ。この二つの国の名は、それぞれを支配する王家（サウジアラビアのサウード家、ヨルダンのハシム家）の名からきている。今日に至るまで、ヨルダンのハシム家は、国の独立を守り投資を得るために、ペルシャ湾岸のアラブ首長家との結婚をくり返して姻戚関係を深めている。

冷戦時代、ヨルダンは欧米によって、中東にソ連が勢力を拡大することを阻止するための緩衝地帯として使われた。イギリス軍は半世紀前に去ったが、その後はアメリカが仕切っている。アメリカの圧力により、ヨルダンはイスラエルを承認した最初のアラブ人国家となったが、その見返りには、自国領内に住むパレスチナ難民の帰還問題や、水に関する権利について何も得ることがなかった。最近では、パレスチナのヨルダン川西岸地区が不安定になるたびに、貧しいパレスチナ人も金持ちのパレスチナ人もみな流入してくるので、嘆きや不安定と一緒にカネも入ってくる。

すべてを部外者が持っている国

アンマン（*18）のインテリが自嘲気味に言った。

「ここは国じゃないよ。我々以外のあらゆる人たちがすべてを持っているんだ。我々はレンタルされているだけさ」

だがヨルダンには、被害者の立場を利用する特技がある。この国は常に周辺国の戦争によって潤ってきた。西アンマンは、湾岸戦争（*19）後にペルシャ湾岸諸国やビジネスで成功したパレスチナ人のカネで建設された。パレスチナのヨルダン川西岸から100キロしか離れていないので、カネがあるパレスチナ人たちは、いざという時のためにここの不動産を買っている。また、イラクがサダム・フセインの時代に経済制裁を受けていた時、ヨルダンとシリアの数百にのぼる会社がイラクの隠れ蓑《みの》になって国連の援助機関から食料を受け取り、それをイラクに横流ししてキックバックを受け取っていた。またイラク戦争が始まってからは、イラク再建の工事を受注した外国の建設会社がみなアンマンに拠点を作り、ヨルダンの下請けに発注している。さらに、イラクの中流階級の多くが内戦を避けてヨルダンに逃げ込んでいる。

アンマンにあるイラク大使館の前では、イラクでのハイリスクだが高収入の仕事にありつこうと、何百人ものヨルダン人の中年の男たちが毎日のように列を作っている。国中の至る所で、イラクで売る野菜をトラックに積み込んでいる光景を目にする。サダム・フセインの時代には、イラクから石油をタダで分けてもらえたが、それはもうない。サウジアラビアとヨルダンからイラクへの生活物資の密輸は常態化している。金持ちのレバノン人は、アカバ湾に面するアル・アカバ（*20）の港湾設備と観光事業、死海の観光事業などに投資している。イラク戦争が終われば、戦争で中断しているパイプライン計画も再開されるだろう。アカバからバグダッドへ通じるトラックルートを整備して、海路から陸路につなげる計画もある。

イラクから入って来たのは、100万人にのぼる難民だけではない。イスラム武装勢力も浸透して勢力拡大を狙っている。ヨルダンはテロ攻撃と犠牲者の数がイラクに次いで2番目に多い国なのだ。もし将来イラクが三つに分裂すれば(＊21)、最も不安定で石油が出ない、スンニ派が占めるイラクの残りかすのような地域がヨルダンの裏庭になる。

ヨルダンでは石油がほとんど出ないが、もう一つの重要な資源もまたない。それは真水だ。事情はイラクでも同じで、トルコのアナトリア半島南部にダムが作られた結果、その地域に住むトルコ人とクルド人の生活は向上したが、チグリス川とユーフラテス川の下流の水位を年間2メートルの速さで下げるという深刻な事態を招いている。将来、〝水戦争〟が起きるのを防ぐために、イラクとトルコは水に関する協定を結ばねばならなくなるだろう。だが、もしトルコがダムの水力発電による電力をシリアやイラクやヨルダンに売れば、その電力でペルシャ湾や紅海の海水を淡水化して運河で北に運び、イラクやヨルダンの農地で灌漑に使うことができる。紅海と死海を結ぶ運河の建設はすでに始まっており、将来の水戦争はけっして避けられないことではない。

冷戦終了後、ヨルダンはアメリカとの結びつきをさらに強めた。自由貿易協定ができると、アメリカはたちまちヨルダン最大の貿易相手国となり、ヨルダンはアラブ国が「特別産業ゾーン」を通じてイスラエルと経済協力できる好例となった。だが現実には、ヨルダンには製造業が育っていないため、ヨルダン人は単純労働に雇われるだけで、生活を支えるのが精一杯だ。実際に儲けているのはイスラエル人と中国人で、彼らは繊維会社をヨルダンで登録し、「特別産業ゾーン」の最大の株主になっている。これは、中国が北アフリカで生産した布地をEU諸国に輸出しているのと同じで、条約の抜け穴を利用した搾取《さくしゅ》の手法だ。さらに、中国企業はヨルダンに新しくできた五つのダムのうち四つを建設している。

ヨルダンの経済活動はほとんどがアンマンに集中し、地方は置き去りにされている。ヨルダン第2の都市ザルカも、工場排水などの公害で汚染されたまま放置されている。2006年にイラクで殺された、アルカイダのナンバー2を自称したアブー・ムスアブ・ザルカウィはこの町の貧民街の出身だ。だがザルカウィは例外的で、一般のヨルダン人はもともと穏和なベドウィンであり、彼らから過激思想は出ていない。それはこの国の質素なイスラム寺院にも表れている。預言者ムハンマドを風刺した漫画がデンマークの新聞に掲載された事件の時も、ヨルダンではデンマーク大使館にデモ隊が押しかけることもなく、アンマンの外国人相手のレストランがデンマークのビールを出すのをやめただけだった。

今日のアラブ世界は、近代化とイスラム主義、リベラル主義と保守主義がともに同時進行し、どの国も大きく二分されている。ヨルダンのアブドラ国王は、イスラム主義や保守主義をないがしろにせずに近代化とリベラル主義を推進する、微妙な綱渡りをしている。西側諸国からは穏健派と見られているが、実際にはそれほどリベラルではなく、秘密警察を使って大衆や力のある氏族を監視しているが、それはやはりクーデターを警戒してのことだ。だが彼は、南米でよくあるように、秘密警察を暗殺隊として使って反対勢力を殺害するようなことはしていない。アブドラの父、故フセイン国王は、国内をうまく治めて民主化も行い、国民から慕われた天才的な政治家だった。アブドラの治世のもとで、ヨルダンはモロッコと同じように、部族支配の伝統から徐々に脱皮しつつある。

【訳注】＊18：アンマン＝ヨルダンの首都。
＊19：湾岸戦争＝1990年夏にイラクがクウェートを侵略・占領したことが発端となって、1991年にアメリカを中心とする多国籍軍がイラクを攻撃した戦争。

＊20：アル・アカバ＝アカバ湾最奥部のヨルダンの町。288ページ、296ページの「特別産業ゾーン」を参照。
＊21：もしイラクが三つに分裂すれば＝第24章を参照。

レバノン――耐えられないほどの軽さ

レバノン人は、現代のアラブ社会が持つ矛盾をすべて体現している。情熱的だが浅薄、エゴイストだが運命論者的、歴史的な深い文化がありながら物質的、退廃的だが絶えず動き回っている。3ヵ国語を使い、けばけばしく、レバノンは同じ日に山でスキーをして海でサーフィンができるアラブ世界唯一の国だ。

レバノンは、アラブ世界最初で唯一の民主主義の国のはずだが、実際には選挙による政治より自動車爆弾の発言力のほうが強い。1989年にモアワド大統領（当時）もそれで暗殺された。そして15年続いたレバノン内戦は1991年にようやく終結したが、その15年後の2005年、首相を辞任したばかりのハリリ元首相が、10人の側近とともに強力な自動車爆弾で吹き飛ばされた。

この国を実際にコントロールしている人間は一人もいない。レバノンの政治には、二つの面で古代からの歴史の残像が見える。その一つは、この国は過去1000年にわたって外部の勢力に征服され続けてきたこと、そしてもう一つは、そのたびに何度でも再建をくり返す能力を示してきたことだ。小さな国にもかかわらず内政はきわめて複雑で、三つの勢力が権力を分け合う極度に微妙な政治連合によって統治が成り立っている。つまり、マロン派（＊22）のキリスト教勢力が大統領を出し、スンニ派イスラム勢力が首相を、シーア派イスラム勢力が議会の議長を出すというしきたりになっている。この国で民主主義が成り立っているのは人々の理解が深いためではなく、主張がほとんど折り合うことのないグループによって3極に分かれているため、ほかに方法がないからである。

このように、この国では三つどもえの争いが長らく続いてきたが、人口の10パーセントを占めるパレスチナ難民のために声を上げる者はいない。各地の難民キャンプは超過密状態で、2007年にはレバノン陸軍とスンニ派過激派集団との戦闘も起きている。3者による連合政治のため独裁政権が誕生する心配はないが、まとまった一つの国としての統治も不可能だ。レバノンには19もの独立した宗教団体があり、司法権力もそれに従って分散しているため、政教分離は有名無実だ。軍隊も宗教の宗派で内部が分かれており、内戦の時には正規軍と反乱武装勢力の区別がなくなってしまった。

政治の混乱は街角にも深く影を落としている。それぞれの勢力を支持するデモ隊の人数が、それぞれの勢力の意思の力を示す。街のあちこちに描かれたグラフィティが宗派の勢力範囲を示し、若者たちが小競り合いを起こす。宗派主義はますます高まり、人口比率の変化に応じて憲法をどう改正したらよいかについて(＊23)、各勢力がまったく合意できないため、新たな内戦が起きるのではないかという不安が常につきまとっている。「明日は何が起きるかわからない」という言葉をこの国ほど頻繁に耳にする国はない。

「味方してくれる国はありません。みんな私たちを利用しようとするだけです」

と、ベイルートのジャーナリストが言う。心理的な許容範囲の敷居がきわめて低いこの国では、些《さ》細《さい》なことから発火する。2006年にヒズボラ(＊24)が二人のイスラエル兵を拉致したことへの報復として始まったイスラエルの侵略は、ちょうど観光ブームが年々高まっていたこの国が、その年の観光シーズンの開幕の準備をしていた時に起きた。イスラエルはベイルート国際空港を爆撃し、ベイルート港を海上封鎖し、その周辺地域と南部の村を徹底的に破壊した。

この時のレバノンの再破壊は、イスラエルによる1980年代のベイルート攻撃を彷彿とさせたが、今回の攻撃は空爆を含み当時とは比べものにならない最新兵器が使用され、ヒズボラ戦闘員の10倍もの民間人が殺されたうえ、南レバノンの村カナへの攻撃は1996年の大量虐殺（*25）の再来となった。また沿岸部の火力発電所が爆撃されて石油貯蔵タンクが破壊され、海に流れ出た石油が地中海の歴史始まって以来、最悪の環境破壊を起こした。

【訳注】 *22：マロン派＝東方教会系でありながらローマカトリック教会に帰依した一派で、主にレバノンに住む。東方教会については第1章を参照。
*23：人口比率と憲法＝レバノンでは、議会議員の数を各宗派の人口に応じて決めるよう憲法で定められているが、その人口を調べる国勢調査が行われない状態が続いている。
*24：ヒズボラ＝レバノンのイスラム教シーア派の政治・軍事組織。
*25：カナの大量虐殺＝1996年、ヒズボラ掃討作戦中のイスラエル軍がレバノン南部のカナ村にある国連暫定駐留軍の建物を砲撃し、戦火を逃れて避難していた民間人およそ800人のうち106人が殺され、多くが負傷した事件。2006年の空爆では子供16人を含む28人が殺され、13人が行方不明になった。

ヒズボラの実力

ヒズボラはレバノンのなかにある独立国にたとえられ、政府に代わって宣戦布告をする力もあれば、政府をひっくり返す力もある。レバノン人社会に深く根を張っているが、間違いなくイランとシリアにサポートされている。

2000年にイスラエルが南レバノンから撤退した後、ヒズボラは武器と資金を増強し、南レバノン各地に数千基の短距離ロケット類を密かに配備していた。そして2006年の戦争では、侵入してきたイスラエル軍の戦車を対戦車ロケットで迎え撃ち、イスラエル北部に小型弾道ロケットの雨を降らせた。ヒズボラ軍事部門の戦闘員は1万人にも満たず、その規模はレバノン正規軍の8分の1程度しかないが、アラブのどの国の軍隊より抜きん出た勇猛果敢な戦いぶりを見せ、この戦争は中東の神話になった(＊26)。その宗教的指導者ハッサン・ナスラッラーは、腐敗のない組織を率いて欧米の支配と戦うことに身を捧げていることで、シーア派でありながらアラブで最も人気のあるリーダーになった(＊27)。

ヒズボラはイランとシリアから武器や資金の供給を受けているが、アラブ人にはそのことについてモラルの問題はまったくない。なぜなら、イスラエルはアメリカからその何倍もの武器と資金の援助を受けているからだ。また、彼らにとってヒズボラは、国家に必要な「国民を守ること」と「社会福祉」という二つの要素を満たしている。彼らはその名も〝ジハード(聖戦)建設〟という建設会社を持っていて、学校や病院を建てているばかりでなく、授業料や医療費まで負担している。

かくしてレバノンは、中東の火薬庫であり続けると同時に、常に分裂の危機にさらされている。だがその一方で、2007年にはパリの国際援助団体が再建のために80億ドルにのぼる寄付を約束し、またブラジルからインドネシアに至る世界中に住むレバノン人の同胞(その数はレバノン国内に住むレバノン人の3倍近いと推定されている)も、再び大量の復興資金を送金している。サウジアラビアとイランはそれぞれがスンニ派とシーア派の勢力を支援し、武装集団は各宗派の武器を増強し、近隣諸国で軍事訓練を受けている。シリアはこの国を後ろから操り続け、公式に発表されている両国の貿易額は輸出入合わせて年間5億ドルにすぎないが、その10倍にあたる年間50億ドルの資金を密かに送り込んでいる。こうしてこの国は、再び破壊される危機に備えながら、復興を続けている。

【訳注】＊26：ヒズボラ神話＝最新兵器を持ち圧倒的な軍事力を誇るイスラエル軍が、ヒズボラを殲滅《せんめつ》することができなかったばかりか大きな損害を被ったことで、この戦争はイスラエルが敗北したと評価されることになった。
＊27：シーア派だがアラブで最も人気＝アラブ人の多くはスンニ派。

シリア

T・E・ロレンス（＊28）は、オスマン帝国消滅後の中東に、サウジアラビアのメッカからシリアのダマスカスに至るアラブ人の自由の府を作ることを夢見た。だが今のシリアは、自由の府どころかウズベキスタンに近い。数十年にわたるバース党（＊29）による社会主義は失敗し、2000万人近い人口を持つこの国はシルクロードの障害物となってしまった。

ハーフィズ・アル・アサド前大統領は強固な独裁体制を敷いたが、その後を継いだ息子のバッシャールは父親ほどの統率力がなく、アサド家と少数派のアラウィー派（＊30）は、バース党と公安警察を追放し、力のあるスンニ派の氏族との婚姻関係を進めて一族の強化を図っている。

アメリカがアサド政権を倒すと脅しをかけているため、バッシャールはさらに守りを固め、トルコやイランとの関係を強めたばかりでなく、ロシアの黒海艦隊に地中海岸の二つの港を提供する結果になった（＊31）。一方、シリアの石油・天然ガス開発に一番多く投資しているのは中国だ。またトルコは、EUがシリアと関わりを持つのをためらっている間に、シリアの中央銀行の改革にすでに入り込んでいる。

中東に引かれた国境線のはかなさを象徴しているのがヒジャーズ鉄道だ。この鉄道は、もともとオスマン帝国によってイスラム教徒の巡礼をメッカに運ぶ目的で建設されたが（＊32）、今ではヨルダンを通過する部分が細々と運行されているにすぎない。

現在の欧米の、中東諸国を国ごとに異なる政策で別々に扱う戦略では、イランの介入、シリアの頑固さ、レバノンの脆弱《ぜいじゃく》さ、イスラエルによる侵略、パレスチナの悲惨さなどが複雑に絡み合うこの地域の難問を解くことは絶対にできないだろう。中東に大きな政治取引をオファーできるのは、現在イスラエルとレバノンの国境で平和維持任務についているEUしかない。
もしEUがトルコを加盟させれば、ヨーロッパは地理的にもシリア、イラク、イランなど、半世紀前に見捨てた国と再び近くなる。もしEUが沿線や沿道の安全保障を管理できるなら、現在コーカサス地方に向けて建設している交通路をトルコで分岐して、シリア、レバノン、イスラエル、ヨルダンへと通じる道路を作ることも可能だ。そうなればヒジャーズ鉄道も再建して、カイロやバグダッドやさらにその先まで延ばすことができる。もしそれが実現すれば、中東諸国は強く結ばれ、ともに自分たちの利益を追求することができるようになるだろう。その時代はいつ来るだろうか。

【訳注】＊28：T・E・ロレンス＝イギリスの考古学者、情報将校、冒険家。第一次世界大戦でオスマン帝国に対するアラブ人の反乱を指揮した。映画「アラビアのロレンス」で有名。
＊29：バース党＝アラブ民族社会主義政党で、イスラム原理主義とは無関係。イラクのサダム・フセイン政権もバース党だったが、イラク戦争の後に追放された。
＊30：アラウィー派＝イスラム教シーア派の分派の一つで、シリア北西部に多く住む小さなグループ。教義もシーア派とは大きく違っているという。
＊31：黒海艦隊の母港＝ロシアが黒海のウクライナ領クリミア半島にある黒海艦隊の母港を2017年に失えば、地中海沿岸に母港を持つことは戦略的に非常に重要となる。第3章参照。
＊32：ヒジャーズ鉄道＝実際にはダマスカスからメディナまでしか完成しなかった。〝アラビアのロレンス〟が率いるゲリラ部隊が破壊したことで有名。

第24章 元イラク
——ブラックホール

戦争とは、地政学的なリセットボタンのようなものだ。国や民族は勝利したり、膠着《こうちゃく》状態に陥ったり、または消滅したりし、権力の順位が入れ替わる。

アメリカは2003年にイラクに侵攻したが、統一した民主国家を作ることができなかったため、イラクではそのすべてが起きている。イラクでは、国内と周辺国のすべての勢力がみなばらばらに自分の考えのもとに戦っている。ということは、いずれイラクは存在しなくなるだろうということになる。なぜなら、誰一人としてイラクの名のもとに戦っている者がいないからだ。もはやイラクという国は、地図の上だけのフィクションになった。

第一次世界大戦の後、イギリスはそれまでオスマン帝国が何世紀も支配していた三つの地域を一つにまとめてイラクを作った。その三つとは、①モスルを中心とする北部のクルド人地帯、②バグダッドが中心のスンニ派の中部地帯、③バスラを中心とするシーア派の南部だ。だが当時のイラクはまだ近代的な国家ではなく、土地を所有する各地の氏族が中央の政権を通じて力を振るう封建制の閉鎖社会だった。

バース党のサダム・フセインが独裁を振るった時代のイラクは世俗主義（*1）で国際的な国と見なされていたが、1980年代のイラン・イラク戦争と1990年代はじめのクウェート侵略は、国民を孤立した保守主義に追いやることになった。

それ以来、かつてイギリスが作った中央集権的なイラクは形も中身も失われ、石油資源の豊かな北部や南部は今、イラクという国ができた以前の状態に戻ろうとしている。その状況は、かつてバグダッドの行政長官だったイギリスのアーノルド・ウィルソン卿（＊2）が「メソポタミアは無政府状態プラス狂信的状態で、ナショナリズムはまったくない」と述べた状況の再来だ。イラクの人々が忠誠を誓うのは氏族や部族や宗派であって国家ではないため、いくら中央政府が治める国家を作ると言っても内戦の発生を食い止めることはやはりできなかった。

イラク戦争は、超大国アメリカの情報部が思う通りに機能していないことをさらけだした。アメリカは部族間や宗派間の違いを正しく区別することができず、自分が占領している国を理解するという、アメリカのためにもイラクのためにも必要だった倫理的責任を放棄してしまった。アメリカが建設した巨大な軍事施設や巨大な大使館は、アメリカはこの国を解放しに来たのではなく、まるで売りに出ていた国を超法規的な開発業者が買い取ったかのように扱っていることの象徴になった。

イラク人から見れば、この開発業者はやりたい放題をしている略奪者のように映っても無理はないかもしれない。ここでは、バルカン地方で効果があった戦略、たとえば治安を維持し、最低限度の生活物資を流通させ、銀行を機能させることすらまったくなされていない。今やイラクは、外部から流入するイスラム戦闘集団が「強大な帝国主義の占領者に対する戦い」という全世界的な活動をするための訓練の場となった。その結果はロンドンやマドリッドやバリ島での反西欧主義のテロ攻撃となって現れ、さらにイラクをスンニ派とシーア派の抗争の場にしてしまった。内戦のグロテスクな暴力に感覚が麻痺してしまった一般のイラク人はすでに忍耐の限界を超えているが、誇り高い彼らはそのことを顔に出さず、黙々と死体を埋葬して次の日を迎える。

しかし、死者の数と国外に脱出する人の数が増え続けるにつれ、はたして戦争が終わった時にどれくらいのイラク人がここに残っているだろうか、と人は思うに違いない。ほとんどのイラク人は、サダム・フセインの時代のほうがよかったと感じている。

「アメリカ人は自分におべっかを使ってばかりいるので身動き取れなくなっているのさ」

とイラク人の通訳が吐き捨てるように言った(＊3)。

【訳注】＊1：世俗主義＝第5章を参照。

＊2：アーノルド・ウィルソン卿＝第一次世界大戦が終了した直後の1918年から1920年まで、イギリス支配下のバグダッドで行政長官を務めた。

＊3：イラク人通訳の言葉＝もし本書の著者がアメリカ人、特に白人だったら、たとえジャーナリストだったとしても通訳がこのような言葉を口にすることはなかっただろう。

イラクは消滅する

もし第一次世界大戦が終了した時点でアラブ人自身が中東の国境線を決めていたら、イラクという国は生まれていなかっただろう、とよく言われる。今ここで行われていることをひとことで言えば、これまでイラクという国がど真ん中に座っていた地域の形を、今後どうするかをもう一度仕切り直すために、アメリカ、イラン、そしてアラブのスンニ派によって行われている戦いなのだ。イランはシーア派の国で、イラクの3倍の広さの国土と4倍の人口を持ち、ライバルのスンニ派とその一大拠点であるサウジアラビアに対抗する力を拡大するためにイラクを戦場にしている。

数十年にも及ぶ敵対関係と、100万人以上が死んだ長い戦争があったにもかかわらず、イランの影響力はたやすく国境を越えてイラクに浸透している。14万人くらいのアメリカの兵力では、イラクの政府や治安部隊の上から下まであらゆる層に浸透してくるイランの力を減少させることはほとんどできないだろう。武装勢力が使用している爆弾もイランから持ち込まれている。イラク政府は治安維持への協力すらイランに依頼しており、イランが核開発をする権利も承認している。イラクの経済がイランに支配されていることを示す証拠は至るところにある。クルディスタン（＊4）との貿易、ナジャフ（＊5）のイスラム寺院の再建、バスラ（＊6）の空港や鉄道への電力供給などはそのいい例だ。バスラでは多くの人がイランの言葉であるペルシャ語を使っている。

一方、周辺国のスンニ派、特にその一大拠点であるサウジアラビアのスンニ派も、イラクを再建することにはまったく関心がない。彼らは武装勢力に武器と資金を供給し続け、イラクが消滅する日まで内戦を戦い続けることにためらいはない。

イラク戦争がヨーロッパとアメリカの間に亀裂を生じさせたとよく言われるが、実際、ＥＵは政治・経済的動きや平和維持活動は増やしているものの、ＥＵが戦争に協力しなかったことはアメリカに打撃を与えた。もう一つの帝国、中国はすでに道路の建設を通じてイランまで手が届いているので、商売と戦略的目的の両方を持って、イラン経由でイラクにアクセスすることができる。実際、中国はすでに、アメリカの反対を押し切って、イラクに1億ドルにのぼる武器を売ることでイラク政府と合意している。中国が売るのはアメリカが与えていない小火器類だが、中国はサダム・フセインの時代のイラクに、兵器禁輸の取り決めを破って不法に防空兵器システムを輸出したことがある。

今から何世紀も前に、チンギス・ハンの孫のフレグ・ハンは、西に進軍して遥《はる》かバグダッドまで到達し、何世紀も続いたアッバース朝を１２５８年に滅ぼしている。つまり、イラクは過去にも消滅したことがあるのだ。今また歴史はくり返しそうだ。そして長い目で見れば、この地域にとってはそのほうがよいかもしれない。

オスマン帝国が消滅して以来、長い間にわたって中東で尾を引いてきた諸問題の最終的な答えは、イラクが消滅するまで出ないだろう。そしてその時にはまた、クルド人の問題も解決するに違いない。トルコ、アラブ、ペルシャの強国に囲まれたクルド人は、何世紀にもわたって虐待されてきた。イラク北部にあるクルド人自治区の首都アルビールには、かつてアレキサンダー大王がペルシャ軍と戦った時に戦場となった、3000年前に作られた要塞があったが、今ではその遺跡もほとんど残っていない。

クルド人はアラブ人ともトルコ人ともペルシャ人とも人種が異なり、インド・ヨーロッパ語族（*7）系の民族である。1946年にごく短期間、マハバード共和国という名で独立を宣言したことがあるが、周辺国にすぐ潰された。「クルド人の友人は山だけ」という言葉があるくらい、彼らはどの国からも認められなかった。

【訳注】＊4：クルディスタン＝トルコ南東部からイラン北西部とイラク北部にかけてのクルド人が住む山岳地帯。クルド人はこの土地を自分たちの国土として独立を求めている。
＊5：ナジャフ＝バグダッドの南およそ150キロのところにある町。シーア派の聖地で、イランからも多くの巡礼者が訪れる。
＊6：バスラ＝イラク南部の港町でクウェートの北隣にあたり、石油積み出し港がある。
＊7：インド・ヨーロッパ語族＝ヨーロッパのほぼ大部分、西南アジア、インドなどに古代から定住している人々が用いる言語の大語族で、共通の祖語から派生したと考えられている。祖語が共通であることは祖先が共通であることを暗示し、民族的にもさまざまな民族を含む一つの大きなグループとしてとらえられている。ペルシャ（イラン）系はこれに入り、アラブ系とトルコ系はこれに属していない。

クルド人国家が誕生する

アーノルド・ウィルソン（前出。第一次世界大戦後のバグダッドの行政長官）は1920年に「戦闘的なクルド人は、けっしてアラブ人の支配者を受け入れないだろう」と述べている。昔のオスマン帝国の地図にのみ、ごく曖昧に描《か》かれていたクルド人国家は、今ゆっくりと、そして確実に、正式な〝クルディスタン〟として凝固しつつある。サダム・フセインの時代に村を焼かれ、化学兵器で虐殺された彼らが、現在のイラクの窮状を喜んでいる気持ちは理解できる。

クルディスタンのある長官が言った。

「私たちは1991年から自治共和国になっているのです。若者たちはイラクに行ったこともなければ、アラビア語もしゃべれません。彼らはこの土地にイラクの旗が立っているのを見たこともありませんよ」

クルディスタンは、すでにイラクよりもはやく国の形を整えつつある。公《おおやけ》に報道されてはいないが、クルド人自治区では国づくりが日々着々と進んでいて、非公式なものとはいえ、クルディスタン自治政府はすでに農業省、開発省、教育省、投資省を持っている。首府アルビールで行われた建設工事の起工式で、クルディスタンの国旗とイギリスとアメリカの国旗をクロスさせた図柄のバッジが出席者に配られていた（これは政治的にあまり健全とは言えないが）。5万人の兵力を持つクルド人ゲリラ部隊は、クルディスタン軍として訓練されて編成し直されている。独立のための最後の基盤はキルクーク（＊8）油田だ。クルディスタンはすでに西側の石油メジャーと油田開発の契約を済ませ、キルクーク郊外に石油精製施設を建設する計画が進んでいる。

だがバグダッドのイラク政府はこれらの契約を認めておらず、そのためにもクルド自治区はますます独立する必要が高まっている。いずれにせよ、キルクークが将来のクルド人国家に含まれても含まれなくても、彼らにあと必要なのは通貨とパスポートと国連加盟だけだ。

日本製の大型ジープを運転しながら、外国からの訪問者を案内しているクルド人の通訳が言った。

「私の兄弟でも、チェックを受けなければここは通過できません」

自治区とイラクの境界にはクルディスタン軍の検問所があり、好ましくない人間が侵入しないように厳重に見張っている。アラブ人やアラビア語を話す者はすべて取り調べの対象となり、それにはイラクから戦火を逃れて来た数千人のアラブ人難民も例外ではない。サダム・フセインの時代に迫害されたクルド人は、その復讐にイラク人の虐殺や不当逮捕、拷問《ごうもん》を頻繁に行っていると言われ、アラブ人はこれを民族浄化だと主張している。また、イスラエルがクルド人独立を支持していることを、西側の新たな分断支配（＊9）戦略の現れだと指摘している。

クルド人は1990年代に彼ら自身の内戦を経験して以来、内部では非暴力的な統治を始めた。彼らの多くは周囲のアラブ人と同じスンニ派だが、クルド人に原理主義者は存在しないという。二つの政党が支配しているが、ともに政党というよりは氏族の集団と言ったほうがよく、マフィア的な形態でビジネスをコントロールしているので第三の勢力を作ることはきわめて難しい。しかし、イラクと違ってまともな市民社会が形成され、警備が行き届いた空港その他の公共施設に行くとそのことがはっきり感じられる。

またイラクでは、至るところでキリスト教会が破壊されているが、クルディスタンでは積極的に建設されており、アルビールには新しいショッピングモールができている。クルディスタン東部にあるスライマーニヤという町（＊10）では、かつてのイラク軍の基地が公園になり、その周囲には大理石でできた大きな家が最近急に増えている。この町の成功の秘密は、海外在住のクルド人の力だ。シリアやイラクでは優秀な人材が流出する一方だが、クルド人は資金や才能とともに故郷に帰ってくる。彼らの多くはドイツ在住で、ちょうどトルコ人と同じような形で故郷に貢献できる可能性がある。

この地域の東と西にそれぞれ接するイランとシリアは、クルド人国家が誕生することをよく思っていない。彼ら自身、国内に多くのクルド人を少数民族として抱えており、激しく弾圧している。だがクルド人国家が北イラクに限定されるなら、感情的にはともかく、安全保障に影響はない。なぜなら、もしそうなれば、彼らは自国内のクルド人を新しくできたクルディスタンに追放できるからだ（#1）。

トルコは、クルド人国家の誕生にはもっと否定的だ。だがたとえクルディスタンが独立しても、そのような小さな陸の孤島など、強大なトルコにとってコントロールするのは簡単だ。これまでにもトルコは、イラク北部のクルド人の町ザクホーに通じるハブル橋（＊11）を通過する密輸で利益をあげてきた。この橋はトルコからイラクに通じる唯一の安全な国境通過地点で、トルコからイラクに天然ガスを運ぶトラックが長い列を作っている。将来、陸の孤島であるクルディスタンがキルクークの石油を輸出するには、トラックが反対方向にも列を作る必要がある。

トルコの対クルディスタン戦略は、行く行くは少しずつEUの対トルコ戦略と似たようなものになってゆくかもしれない。つまり、近くに引き寄せて、自分に依存させるようにするということだ。トルコの建設会社はこのあたりのトップクラスで、すでにクルディスタンの二つの国際空港をはじめ、山岳地帯のトンネル工事や峠越えの道、周辺道路の建設などを請け負っている。一方、クルディスタン政府は、キルクークからトルコのジェイハンの港（＊12）に向かう原油を守っている。

クルディスタンの北には今でもトルコの強大な軍隊が集結しており、時おり越境してクルド労働者党のゲリラ討伐（＊13）を行っている。だがもしクルド人の独立国家ができれば、クルド新政府はゲリラの活動を押さえ込む責任を負うことになる。

何世紀も前から、トルコ、シリア、ヨルダン、イラク、イラン、アフガニスタンの各地を結んで燃料、お茶、砂糖、麻薬などが密輸されてきたが、そのルートはこのクルド人地帯を通っていた。トルコのイランやシリアとの貿易が増えるにつれ、クルディスタンは今後もこの地域の陸路による貿易の重要な交差点であり続けるだろう。ニュージーランドの土木建築技師A・M・ハミルトンが1928年から1932年にかけて北イラクに建設した、有名な〝ハミルトンロード〟が、この地域のシルクロードの支線として再び注目される日が来るかもしれない。

もし地政学的な衝突に最終到達点があるなら、それは国境、人口、資源、利権が均衡に達した時である。イラクの内戦が終わった時、イラクという国は消滅しているかもしれないが、クルディスタンが独立すれば、それによってオスマン帝国消滅後の国境画定の不正を正し、今の形に分けられた中東諸国が互いに敵対する関係を乗り越えることに貢献できるかもしれない。

【原注】 #1:クルディスタンにとっても、イランやトルコやシリアのクルド人地区をすべて含めた大きなクルド人国家を作るより、それらの国に住むクルド人がそれぞれの国で少数民族のままでいたほうが都合がよい。なぜなら、もしすべての地域のクルド人を含めたクルド人国家を作れば、その国は周囲をイラク、イラン、シリア、トルコの反クルド国に囲まれた陸の孤島になってしまうが、それらの国にクルド人が少数民族として残ったままでいれば、国際社会による監視の目が光り、彼らの人権を守るようそれらの国に圧力がかかるからだ。

【訳注】 *8:キルクーク=イラク北部の石油産業の中心となる都市。アラブ人勢力圏とクルド人勢力圏のちょうど中間あたりに位置する。

*9:分断支配=序章を参照。

*10:スライマーニヤ=キルクークのおよそ100キロ東、イランとの国境までわずか50キロほどのところに位置する。

*11:ハブル橋=ハブル川にかかる橋。ハブル川はトルコに源流があり北イラクのザクホーを通ってチグリス川にそそぐ小さな川で、この橋がトルコとイラクの国境になっている。

*12:ジェイハン=第6章のBTCパイプラインを参照。

*13:クルド労働者党=第5章を参照。

第25章 イラン
――美徳と悪徳

第一次世界大戦後にパーレビ王朝を築いたレザー・ハーン（レザー・パーレビ）は、「ペルシャ人は抜きん出た人種であるアーリア人（＊1）の子孫である」という意味を込めて、1934年に国名をペルシャからイラン（アーリア人の国）に変更した。周囲に影響力を広げようとする願望も古代ペルシャに劣らないくらい強かったが、イラン帝国の目標は軍事的な覇権ではなく、列強からの戦略的な独立だった。

しかしまもなく第二次世界大戦が始まると、イランの石油を支配していたイギリスは油田を守るために、またナチス・ドイツと東部戦線で戦っていたソ連は補給路を確保するために、それぞれ南と北からイランに進駐する。そしてこのことが、後にソ連（ソ連崩壊後はロシア）と米英との数十年にわたる確執を引き起こすもとになった。1941年、イランがドイツに接近することを警戒したイギリスは、レザー・パーレビを強制的に退位させ、皇太子のムハンマド・レザー・パーレビを後継者として即位させた。ムハンマドは親欧米派で、そのため戦後になると共産党によるクーデター未遂や暗殺未遂が頻発した。

第二次世界大戦後のナショナリズムが高まるなか、民族主義者のモサデクが議会の選挙で民主的に首相に選ばれ、1952年にイギリスのアングロ・イラニアン石油を接収して国有化してしまう。そこでイギリスに泣きつかれたアメリカは、CIAを使って反モサデク勢力を扇動してクーデターを起こし、モサデクを失脚させた（＊2）。

さらに、CIAとモサド（＊3）の手でイランの恐ろしい秘密警察サヴァックが作られ、モサデクの失脚により復権したパーレビ国王は、中近東地域で最もアメリカに忠実な同盟者として親米路線を推し進めた。1970年代になると石油ショック後に石油ブームが訪れ（＊4）、イランは空前の経済成長をとげるとともに、アメリカから高価な兵器をさらに購入するようになっていった。

【訳注】＊1：アーリア人＝インド・ヨーロッパ語族の言葉を話した祖族と言われる先史時代の民族。広い意味ではヨーロッパの大部分からインドまでの広い地域に住む民族の祖先とされるが、起源ははっきりしない。狭義では、イラン、インド地方に広がった民族の祖先とされている。インド・ヨーロッパ語族については第24章の訳注を参照。
＊2：モサデクの失脚＝政権転覆を命じたのはアメリカの大統領アイゼンハワーで、このクーデターを画策したCIAエージェントは名をカーミット・ルーズベルトといい、アメリカの元大統領セオドア・ルーズベルトの孫だった。
＊3：モサド＝イスラエルの情報機関・諜報特務局。
＊4：1970年代のイランの空前の石油ブーム＝イランはOPEC加盟国であるにもかかわらず、第四次中東戦争後にオイルショックを引き起こした石油禁輸に参加せず輸出を続けた。

ホメイニのイスラム革命

こうしてパーレビ王朝は栄華を極め、自らを「王のなかの王」と呼んだが、イスラム教徒をはじめとする反対勢力を弾圧し、秘密警察サヴァックによる暗殺や不当逮捕、拷問《ごうもん》などが横行したため、国民の反感は爆発寸前にまで高まった。

そして1979年、ついにイスラム革命が起きた。この革命は当初、単にイスラム主義による革命というよりは、パーレビの親米独裁体制を倒すことに向けられていた。そのため、イスラムの指導者であるアヤトーラ・ホメイニ師が民族主義者や社会主義者の主導権争いを超越して最高指導者におさまったことは、世界各国ばかりでなくイランの人たちさえも驚かせた。この革命がまったく予測できなかったのは、当時イランは繁栄しており、国も強固で、パーレビの地位も不動と思われていたまさにその時だったからだ(*5)。1970年代のイランは、スペインと同じほどのGDPを持ち、自らを第一世界のドイツと比較するほど楽観的だったのだ。

しかしそれからわずか数年後、1980年代になるとイラクとの戦争が始まり、推定30万人とも言われる人々が死に、経済は破綻《はたん》し、国を支えているのは石油による収入だけという状態に陥っていた。密輸業者がイラクとの国境を往復し、麻薬密売業者がアフガニスタンやパキスタンに出入りし、大衆は貧困にあえいでいた。現在でも、イランは少額だが世界銀行に債務が残っている。イランに起きた一連の出来事は、いくら外貨を稼いでも、国内に政治的な安定がなくては第一世界に入ることができないことをよく物語っている。

ホメイニが作り上げた、イスラムの宗教政治と共和制の二重統治システムは、国内に引き続き緊張をもたらした。イランは実質的に専制国家だが、それと同時に、大統領と国会議員を選挙で選ぶという点で、この地域で最も民主的な国でもある。この奇妙な状態をなんと表現したらよいのか、ぴったりな言葉が見あたらない。多頭政治(頭が二つあるという意味)とか、選挙による独裁政治、あるいは半民主主義とでも言えばよいだろうか。

イラクとの戦争では、結局サダム・フセインとの屈辱的な停戦に合意し、イランの大衆は自分たちがイスラムのパイオニアであるという自信も揺らいだ。だがイランの精鋭部隊である〝イスラム革命防衛隊〟は、イラン大衆の宗教を支配し続け、外国のイスラム原理主義者への支援を続けることで、欧米の自由主義に戦いを挑むことをやめようとはしない。

冷戦時代、アメリカは中東に共産主義が浸透するのを食い止めるための防波堤として、サウジアラビア、イスラエル、イランの3国との特別な関係を維持していた。だが1979年のイスラム革命と、その少し後に起きたテヘランのアメリカ大使館占拠事件（＊6）がすべてを変えた。その後、元アメリカ大使館ビルは〝イスラム革命防衛隊〟の訓練所として使われ、2002年になるとブッシュ大統領（当時）がイランを北朝鮮、イラクとともに「悪の枢軸」と呼ぶことになる。

【訳注】＊5：世界を驚かせたイスラム革命＝2008年10月に機密指定が解かれたアメリカ国務省の当時の文書によると、当時、傀儡だったはずのパーレビが石油の値段を上げ続けて独走を始めたため、アメリカはパーレビの力を弱めるためにさまざまな工作を行っていた。ところがその間隙をついて、イスラム勢力が革命というまったく予期していなかった行動に出て、それが成功してしまったのだという。

＊6：テヘランのアメリカ大使館占拠事件＝イスラム革命の10ヵ月後の1979年11月、戦闘的な学生集団がアメリカ大使館に乱入して占拠し、大使館職員とその家族52人を1981年1月まで444日にわたって人質にした事件。

反米親中国路線

2005年にイランの大統領に選ばれたアハマディネジャードは、国民の福祉重視と腐敗撲滅を打ち出している。彼もまた前職が首都の元市長という、典型的な第二世界の大統領だ。

イランの石油生産は設備が旧式なため生産性が低いが、それでもなおアハマディネジャードの石油外交は大きな力を持ち、古代ペルシャ帝国の伝統にイスラムの燃えさかる情熱を加えたスタイルを生みだした。膨大な石油・天然ガスの埋蔵量に強靱な軍隊と核開発を加え、アハマディネジャードのイランはペルシャ湾に戦略的な影響を与える強国となった。アメリカは子供じみた沈黙を続けているが、現在のように世界権力が世界市場にある時、イランを孤立させようとして関係を断ったところで、ほかの超大国がやってきてその穴を埋めるだけだ。カザフスタンやブラジルやサウジアラビアなどのほかの第二世界の大国と同様、イランはしたたかな外交力を持っている。

アメリカはイランの核開発の軍事的な危険性だけに注目し、発電などの民需については無視している。ＥＵはその逆で、長い間、イランの不法な核開発とテロ行為に目をつむり、実はイランにとって最大の貿易相手になっている。当然ながら、そのためアメリカの経済制裁の効果は薄まっている。ロシアは核開発技術が拡散する危険性を顧みずに、イランに原子炉建設の技術を売っている。中国とイランには、かつてシルクロードで歴史的に結ばれていた誇り高い人たちだということと、アメリカに不信感を持っているという共通点がある。中国にとってイランは、中央アジアを西に進んでペルシャ湾に到達する時の最後に位置する国である。

イランと中国は、エネルギー資源の開発、インフラ建設、兵器セールスなどの巨大な取引を行うことで合意している。その内訳は、①世界最大の埋蔵量を持つと言われる、ペルシャ湾のイラン領海底にある天然ガス田を開発するための７００億ドルの契約、②イランのクルド人地区にある油田の開発、③イラン領のカスピ海沿岸に石油積み出し港の建設、④テヘランに地下鉄を建設、⑤中国製弾道ミサイルと防空レーダーのイランへの販売、の五つだ。イランの強硬派は、たとえＥＵが全面的に経済制裁に加わっても、中国とロシアを頼ればよく、西側諸国に譲歩する必要は一切ないと考えている。

あるイラン人アナリストが解説した。

「我々に核開発をやめろと言うのは、レストランでみんなが食べているものを、我々だけ注文してはいけないと言うのと同じくらい侮辱的ですよ」

彼の発言は、この国の国民の圧倒的大多数が核開発に賛成していることを代弁している。アメリカ軍がイラクとアフガニスタンに展開し（伝えられるところによれば、アメリカ軍は密かにトルクメニスタンとパキスタンにも駐留しているという）、まわり中を取り囲まれているイランは、自己防衛のために核武装は必要だという正当化もできる。イランは核拡散防止条約に加入しており、平和利用の核開発は認められているが、同条約に加入していないイスラエルやパキスタンの核の脅威を理由に、軍事用への転換を正当化することもできるだろう。

西側による経済制裁は、そのために国民の生活が向上しないのだという言い訳や、人権抑圧の問題から目をそらさせる口実をイラン政府に与えている。イラン国内の改革派にアメリカが与えた援助はわずか4000万ドルで、これでは改革どころか、弾圧の手が伸びてきている人たちを見殺しにするのと同じだった。

とはいえ、イランの指導者たちはサダム・フセインと違って、戦争をして屈辱を味わうよりは、今のまま抑制のきいた対立を続ける道を選んでいる。イラン、イスラエル、サウジアラビアを頂点とする三角形のなかに入るすべての国は、いずれもアメリカ、EU、中国の三つの帝国にロシアを加えた四つのいずれかあるいは複数をパトロンにしている。それらすべての国を含むこの地域の地理的な構造が、今のところイランに危険な行動に出ることを思いとどまらせている。だがそのことは、さらに一歩進めば大きな取引をすることも可能になるかもしれないという意味にもなる。つまり、テロへの支援を減らし、国際社会の監視のもとで原子力の平和利用を進めることを条件に、国際社会との関係を正常化させ、制裁を解除するのだ。もしそれができれば、大量の投資、観光事業、世界のマスコミなどのためにドアが開かれ、自ら孤立している今の政権を圧倒するだろう。

停滞と退廃

現在のイランが述べたてている外交的な詭弁《きべん》は、実は社会的・経済的に劣っていることから来る自信のなさを隠そうとする心理の表れだ。膨大な石油と天然ガスを持っていることには得意満面だが、国内は相変わらず未開発の泥沼から這《は》い上がれず、核開発よりはるかに切迫した問題を抱えている。

「この国は混乱していて、わけがわからなくなっています。それに拍車をかけているのが〝バンジー〟です」

と、テヘランで苦労している企業家が打ち明けた。〝バシジー〟というのは、秘密警察とも民間の組織ともつかないイランの準軍事組織のことで、メンバーの多くはイラン・イラク戦争に従軍したことのある恐れを知らぬ民兵だ。この連中が、冷酷な方法で国民にイスラム革命の方針を強制的に守らせている。抵抗運動をしている学生の多くが行方不明になっており、彼らに誘拐されて拷問されていると言われている。

イランはアラブ諸国を見下しているが、実は聖職者もビジネス界も官僚も、みな自分の国についての共通のビジョンがなく、バラバラだという点でアラブ諸国とよく似ている。それに拍車をかけているのが海外在住のイラン人で、これがまた王制復活論者からビジネスで成功している反政府派までのさまざまなグループがあり、〝テヘランゼルス〟という言葉すらある（＊7）。

政府は官僚主義で非能率、無能、腐敗の巣で、宗教はあまりに儀式化されているため、革命後に育った若い世代の多くは引いてしまっている。今や7000万人の人口の多くをイスラム革命後の世代が占め、その多くが失業している。第二世界と第三世界の国の常で、この国でも技術系の頭脳流出がひどく、彼らにとって成功する唯一の方法は国を脱出することしかない。

シリアのダマスカスにあるカナダ大使館には、労働許可証を申請するイラン人があふれている。農業の潜在的可能性も大きく、製造業が発展する能力もあり、ギリシャやトルコと競うほど多くの古代遺跡の遺産があるにもかかわらず、この国の主な産業は相変わらずじゅうたん、ピスタチオナッツ、石油の輸出で、革命前と何一つ変わっていない。

またイランは、アフガニスタンとの長い国境線をコントロールすることができないため、世界各地に運ばれる年間650億ドル相当の麻薬が通過するルートになっており、およそ100万人の成人が常用していると推定されている。社会的なタブーがたくさんある国であるにもかかわらず、麻薬依存、売春、離婚、整形手術などがあふれているのはほかの国と何ら変わらない。エリートは遊ぶために休暇を取って国外に逃げ出さなくてはならず、経済的な理由でそれができない人たちを国内で抑圧している。このような今のイランに自分自身を統治する能力などあるわけがなく、この国の政権はグローバリゼーションの力だけで追い詰められている。

【訳注】＊7：〝テヘランゼルス〟＝〝テヘラン〟と〝ロサンゼルス〟をつなげた造語で、ロサンゼルスの80万人とも言われるイラン人の資本主義の経済圏を意味する。アメリカと現在のイランは敵国同士の関係にあるが、在米イラン人は自由に両国を行き来できる。

第26章 湾岸諸国(*1)

かつて大英帝国は、ペルシャ湾を〝イギリスの湖〟とみなして1世紀以上にわたって支配し、湾岸地域の有力氏族が取り仕切る首長国をなんとか管理した。そのイギリスに代わって現在居座るアメリカは、そうすることの正当性を「この地域の政権を守って石油の生産を安定させるため」としているが、やはり昔のイギリスと同様、綱渡りに苦労している。

安全保障はカネだけでは買えない。富裕国カタールの政府の補佐官がこう強調する。

「私たちはアメリカにいてほしくはないが、その存在は必要だと感じています」

ペルシャ湾沿岸の小国クウェート、カタール、オマーン、アラブ首長国連邦(UAE)、バーレーンは、隣の大国サウジアラビアを「厳格な文化を持つ、何をするかわからない国」と恐れながらも、まるで殿様に対して反乱を起こした家臣たちのように、恐る恐る頭をもたげてきている。湾岸6ヵ国の経済的統合を謳った〝湾岸協力会議〟が1981年に設立されたが、その陰で、サウジアラビア以外の五つの小国がそれぞれのアイデンティティーを独自に打ち立てようとしていることに、部外者はあまり気づいていない。これらの小国は、大国サウジの支配に対抗するため、グローバル化された都市国家地帯を作りつつある。

これら五つの小国の国民は、お互いの国に入国する時にビザが不要だが、サウジアラビアはビザを要求する。しかもサウジは、バーレーンとカタールとアラブ首長国連邦（＊2）がお互いに車で直接行き来できるようになるのを防ぐため、これらの国を結ぶ二つの橋の建設を妨害しようとした。そして石油の埋蔵量が少ないバーレーンがアメリカと自由貿易協定を結ぶと、サウジは両国が共有する油田からバーレーンに送られる石油の供給を止めた。

そしてここにはもう一つの大きな緊張がある。ドバイ（＊3）を本拠地に活動している戦略アナリストが沖を指して言った。

「対岸は見えそうなくらい近いのです。感じませんか、むこうにイランがあるのを」

こうして湾岸諸国のいがみ合いは、これら湾岸の小国をサウジアラビアとイランの脅威から守るためにアメリカが大量の兵器を販売し、大規模な軍隊を展開する機会を与えた。

クウェートは湾岸地域で唯一、アメリカの湾岸戦争（＊4）をはっきり支持した国だったが、それは自分自身がイラクに侵略されたからだ。今でもクウェートはアメリカのイラク占領の補給基地になっている。

カタールはほぼ無尽蔵に近い天然ガスを持ち、アメリカ中央軍（＊5）の前線司令部として機能している。この国は米軍に頼る余り、自国の軍隊を廃止してしまった。ここの米軍基地にはアメリカ本土以外で最も長いと言われる滑走路があり、イランの方角に向かってまっすぐ延びている。

バーレーンは第二次世界大戦中にイギリス海軍の前線基地だった小さな島国で、今ではアメリカ海軍の第五艦隊（＊6）の母港になっている。

ペルシャ湾沿岸諸国はみなアメリカを傲慢だと非難するが、それにもかかわらず、彼らはイスラムの教義よりアメリカ製品の物質的な世界のほうが好きなようだ。また、これらの国の石油施設の警備には米軍だけでなく、民間軍事会社の数千人に及ぶ元軍人の屈強な武装警備員が加わっている。首長たちにとっては、彼らに支払う法外な料金も大したことではない。

湾岸諸国にとって最も大事なことは、まず自分たちの安定と金銭的な豊かさであり、経費持ちでアメリカを支持しているのはそのための手段にすぎない。それゆえここにもEUと中国が静かに入り込んできている。EU諸国は湾岸協力会議と自由貿易地域を定め、アラブ側はヨーロッパの銀行にユーロ建てで預ける資産を増やし、彼らの企業をニューヨークではなくロンドンの証券取引所に上場し、ヨーロッパのエアバス社（＊7）の旅客機を買っている。アラブ人のアメリカ離れは、グリーンカード（永住権）申請者の減少にも現れている。

一方、アジア諸国は、石油需要の70パーセントをペルシャ湾岸から輸入しており、この率はアメリカよりはるかに高い。中国がパキスタンのグワダルに港を建設しているのも、アラビア海に足がかりを作るためだ（＊8）。中国がサウジアラビアとイランという、対立しあう二つの国の両方との強い結びつきをなんとか保つことができているのは、中国が国際政治的に成熟してきたことを示している。中国の中東との結びつきは、1960年代に密かにミサイルをサウジアラビアに売って以来、水面下で発展してきた。最近サウジアラビアはさかんに中国に投資を持ちかけていて、また中国が福建省の太平洋岸に建設中の巨大な石油化学コンビナートに出資している（＃1）。アラブの首長たちは、政治的に危険がともなうアメリカとの取引を好んでやっているわけではなく、欧米のように他国を従属させることなく大国になった中国に感心している。中国は中央集権化した政治機構がアラブ諸国とよく似ているうえ、人権の抑圧を外交上の問題にすることがないのでつき合いやすい。

石油が発見されるまで、アラビアはただの不毛の荒れ地だった。1950年から1970年までのわずか20年間に起きた変化は、イギリスで言えば中世のはじめから現代に至るまでに起きたのと同じくらいの大変化だ。さらに1970年代の石油ブームは、湾岸諸国の首長や王家を世界的な新興財閥に押し上げた。

だがサウジアラビアでは、オイルマネーは単に政府を膨張させただけだった。彼らは王家の親族を長官につけるだけのために、無用な省庁を無数に作った。だが荒れ野から大豪邸への急上昇は10年続かなかった。1980年代になると、OPECは加盟国の生産量をコントロールできなくなり、石油価格が急落した。それに人口の急増が重なり、サウジアラビアの国民平均所得は富裕国とは言えないレベルにまで落ち込み、メキシコと同じくらいになってしまった。

ところが2001年にアメリカで同時多発テロが起きると、また棚ぼたが訪れた。原油価格が再び急騰し、それとともに1970年代の石油ブームを思わせる状況が再びやってきたのだ。それは再び巨額の軍事支出につながり、たとえば2005年には総額400億ドルを超えている。だが西側の銀行の厳しい監査にさらされたアラブ資本は、以前よりずっと賢くなっている。アフリカなどでは、先進国からの援助や投資で流入する資金のほとんどは大規模建設プロジェクトの発注などで再び先進国に環流してしまうが、アラブのオイルマネーの70パーセントは、今やアラブ世界内部で投資されている。現在、サウジアラビアを含む湾岸諸国は、海水の淡水化、大学や病院や新しい港湾施設の建設、産業地帯の建設などに総計1兆ドルの投資を決めている。

とはいえ、彼らが再び金持ちになったからといって、再びヘマをしないという保証はない。1970年代の繁栄を潰した王室の部族民的な古い面は、今でも当時とほとんど変わっていないからだ。湾岸諸国の王室に詳しいドバイのアナリストはこう心配する。

「ここの中世並みの社会構造は、アラブ人の基準から言っても世の中を退化させますよ」

オイルマネーのおかげで国民には社会福祉が与えられているが、それと引き替えに、働いていない王族が国のすべてを支配するという国の形は、国家と社会が力のバランスを取ることを不可能にする。カタールとアラブ首長国連邦では、首長たちが互いに地位を奪い合う無血クーデターをくり返しているが、その理由は、だれがだれより偉いかといったようなつまらないプライドや、退屈しのぎに刺激を求めてのことにすぎない。これらの国の繁栄は、彼ら自身の労働によって得たものではなく、外部の大国から保護されて与えられたものだ。努力せずに得た特権はいずれ衰弱し、タダで福祉が得られる社会は退廃的になる。だがひとたび石油価格が下落すれば、怠惰な社会には火がつく。はたして、歴史はまたくり返すだろうか？

【原注】#1：クウェートもまた、広州市の石油精製施設に80億ドルを投資している。
【訳注】＊1：湾岸諸国＝この章で述べる湾岸諸国とは、ペルシャ湾西岸のサウジアラビア、クウェート、カタール、オマーン、アラブ首長国連邦、バーレーンの6ヵ国。これらの国が「湾岸協力会議」を構成している。
＊2：バーレーンとカタールとアラブ首長国連邦＝バーレーンはペルシャ湾のサウジアラビア沖に浮かぶ小さな島国、カタールはサウジアラビアからペルシャ湾に突き出た小さな半島の国で、その西側の沖にバーレーン諸島がある。アラブ首長国連邦はアラビア半島が南東に大きく突き出ている部分のペルシャ湾側にあり、カタール半島の東岸に近い。サウジアラビアとバーレーンは橋で結ばれている。それぞれの位置関係は地図を参照。
＊3：ドバイ＝アラブ首長国連邦の首長国の一つ。
＊4：湾岸戦争＝第23章を参照。
＊5：アメリカ中央軍＝第13章のパキスタンの項を参照。
＊6：アメリカ第五艦隊＝ペルシャ湾、紅海、アラビア海、アフリカ東岸の北半分が管轄。
＊7：エアバス社＝ヨーロッパの多国籍航空機製造会社。主体はフランスとドイツにあり、それにイギリスとスペインのメーカーが参加している。旅客機の開発・販売でアメリカのボーイング社と激しい競争を演じている。
＊8：グワダルの港＝第13章を参照。

サウジアラビア——カネの世界とイスラム原理主義の本拠地が同居

紅海とペルシャ湾の間に横たわるサウジアラビアは、世界最大の石油埋蔵量と膨大な資産を持つばかりでなく、戦略的にも重要な位置にある。最近ではエジプトとヨルダンをパートナーにしてレバノン、イラク、パレスチナ紛争の調停にも動いている。また、ＯＰＥＣの方針をまとめたり、高圧的なアメリカの要求、絶え間なく責め立てる国際社会、国内の不安定要因、などの難問をなんとか調整し続けている能力は、賞賛されてもよいかもしれない。

ペルシャ湾沿いのアブカイク油田とラス・タヌラ精製基地だけで世界の石油消費量の10パーセントを生産し、その近くにあるカタールとバーレーンを合わせると、この地域だけでＯＰＥＣの生産量の70パーセント近くにもなると言われる（ただし、バーレーンは産出量が少なく、ＯＰＥＣに加盟していない）。石油施設は厳重に警備されているが、２００６年にはアブカイク地区でアルカイダによる自爆攻撃があった。

だが、石油価格は常に変動する。エネルギー消費国はサウジアラビアの石油を望むが、それと同時に、この国の石油を支配するサウード家の機能不全ぶりを極度に心配している。

サウード家とイスラム原理主義者の関係

サウジアラビアの支配者、サウード家は、18世紀半ばまではアラビア半島中部の小さな首長にすぎなかった。それが１７４４年にイスラム教スンニ派系ワッハーブ派（＊9）の祖師アブダル・ワッハーブと同盟を結んでから急激に台頭し、ワッハーブ派の宗教的権威に支えられたイブン・サウード（＊10）が１９０２年にリヤドに打ち立てた王朝が現在も引き続きこの国のすべてを支配している。それはこの国の国旗に、サウード家の刀とワッハーブ派の教義を示すコーランの一節が描かれていることによく現れている。

旧ソ連がアフガニスタンに侵攻したことで始まった１９８０年代のジハード（イスラム聖戦）以

来、サウジアラビアはパキスタンからインドネシアに至る世界中のイスラム過激派に資金を提供してきた。エジプトとヨルダンは過激派を1970年代に追放したが、サウジアラビアは彼らを教師として受け入れ、アラブ民族主義に代わるものとしてイスラム主義を推し進めた。そして21世紀の今、アメリカの占領者と戦うために、何千人ものジハード戦闘員がこの国からイラクに流入している。

だがワッハーブ派は、今ではサウード家との権力闘争に突き当たっている。支配者サウード家がアメリカとの心地よい同盟関係にぬくぬくと浸っている状態は、ワッハーブ派の指導者にとってはとんでもないことである。それで彼らは、25年前にソ連がアフガニスタンを侵略した時と同じように、欧米の異教徒たちがアラブの土地を占領していることへの抵抗を呼びかけ、それに呼応して新世代の過激派戦闘員が続々と誕生している。こうして宗教の衣をまとった時代の逆流が起き、イスラム原理主義者にとって「自国の独裁者」と「外国の侵略者」という二つの敵が生まれたのだ。

事情は南隣のイエメンでも同じだ。イエメンはアラビア半島南端にある第三世界の国で、ほぼサウジアラビアに匹敵する大きな人口がある。これまでその政権は、部族の首長やイスラム聖職者たちをカネで手なずけてきたが、それが彼らにますます力を与える結果になっている。サウジアラビアではサウード家の王族以外に国家権力が渡るシステムが存在せず(＊11)、東部地方にいる少数派のシーア派は押さえ込んでいるものの、スンニ派系ワッハーブ派の原理主義者を押さえ込むのは非常に困難だ(＊12)。

「どうやって過激派を見分けたらよいと言うのですか。外見からではわかりませんよ。みなと同じ格好で町や村を動き回っているのですから」

オフィスの窓からリヤドの街を見下ろしながら、王族の一人がいら立った声で言った。

ここサウジアラビアでは、時間は完全に異なる二つのスピードで動いている。一つは現実世界の時間が過ぎる速さで、もう一つは宗教的な世界の時間だ。毎日5回、しているすべてのことの手を止めて祈らなくてはならず、暑さで倒れそうになる果てしない砂漠に暮らしている人々の社会では、文明の進歩には限度がある。ラマダン（イスラム暦の9月）の間は日の出から日没まで一日中断食して休まねばならず、昼と夜が逆転してしまう。一方、聖地メッカの管理者であるワッハーブ派は、自分たちこそ真のイスラムを実行している唯一のイスラム教徒だと自負している。そのためサウジアラビアの文化は、純粋なイスラムの黄金時代に戻ることを目指す彼らによって、意図的に古いまま押さえられている。彼らは預言者ムハンマド以前の時代に作られたすべてのものを破壊し、古い村のいくつかは焼き払われた。

原理主義者にとって、宗教的権威と非宗教的な政治権力の区別はない。最高権威は宗教権威であり、したがってワッハーブ派にとってサウード家との同盟は、自前の軍隊を持てないために耐えねばならない汚れた同盟だ。この国の過激派の行動は、「現代社会に適応するか、それとも拒否するか」という選択に、この国の社会全体が耐えている深い苦しみを示す症状だと言える。

ノーベル文学賞を受賞したエジプト人のナギーブ・マフフーズ（＊13）は、作品のなかでこう書いている。

「師よ、お教え下さい。無知であるがゆえに自分は神聖だと思っている者と、コーランをよく知っていて自分の目的のために利用する者と、どちらがより悪質でしょうか」

【訳注】＊9：ワッハーブ派＝第23章285ページを参照。
＊10：イブン・サウード＝第23章284ページを参照。
＊11：サウジアラビアの政治機構＝サウード家による専制君主制で、サウジアラビアには国会も内閣も存在しない。
＊12：ワッハーブ派を押さえ込むのは困難＝スンニ派系ワッハーブ派はサウジアラビアの国教になっている。
＊13：ナギーブ・マフフーズ＝エジプトの小説家。アラビア語で書かれた作品の著者として、世界ではじめて1988年に

ノーベル文学賞を受賞した。2006年に94歳で没。

国内の現実

国が宗教的伝統で社会を維持しようとする時、その宗教に則ったモラルの押しつけがよく行われる。だがサウジアラビアでは、その手法は国民のモラルの衰えにほとんど効果がない。この国では1000万人にのぼる外国人労働者がほとんどの仕事をしており、サウジアラビア人の私生活は昔ながらの伝統を守り閉鎖的だ。

だが彼らが〝現代〟というものに遭遇した時にうまく機能できないことは、あちこちで見られる。たとえば、イスラムが飲酒を禁じているため巨大な酒類の闇市場があり、酒酔い運転や路上レースや暴走運転をして砂丘に突っ込む事故が絶えない。女性がドライブしたり一人で外出することが禁じられているため、サウジの中年女性は家の修理などに来た外国人の男性をレイプすることが知られている。イスラム法で鞭打《むちう》ちの刑に処せられるにもかかわらず、男性の同性愛は花盛りだ。

エリートたちの物欲はとどまるところを知らず、彼らがダイヤをちりばめたコードレス電話を後生大事に愛用しているのは象徴的だ。世界中から巡礼者が訪れるメッカでは、宗教的な景観を害する豪華絢爛《けんらん》なホテルがイスラム大寺院の近くに林立している。性産業は外国から送り込まれてくる女性たちで成り立ち、単純労働に従事する外国人労働者はほとんど奴隷のような状態で搾取《さくしゅ》されている。犯罪者の首をはねる公開処刑が毎週行われているが、処刑されるのは多くが貧しい外国人労働者だ。その罪状には、薬局から薬を盗んだというものもあった。だが、外国人労働者が処刑されようが抑留されようが、サウジアラビア人は気にも留めていない。

現代文明とイスラムの関係

サウジアラビア内部の文化の衝突にはこのように明らかな偽善性があるため、欧米人はそれを理由にイスラム教徒のアラブ人を独善的に見下し、イスラム信仰が過去の遺物であるかのように考える。だが現実はまったくそうではない。〝現代性〟というのはその時々の短い時間内に示される一つの側面にすぎず、信仰は時代とは関係がなく永遠のものだ。

イスラム教徒がどのようにして現代社会にイスラム教を適応させるか(または適応するのを拒否するか)を決める時、試されているのはイスラム教ではなく現代社会のほうだ。イスラム教は遊牧民が適応したことによって世界的な宗教となり、現在も世界中の進んだ地域(都市)でも遅れた地域(へき地)でもともに急速に広がり続けている。その理由は、イスラム教徒の出生率の高さと、その教えのアピールの強さのためにイスラム教に改宗する人が増えているからだ。

イスラム教徒の顧客をねらって、アメリカやイギリスの銀行はイスラム法に準拠した金融商品を開発し、ジーンズメーカーはイスラムブランドを作り、ナイキはイスラム教徒の女性のための運動着をデザインし、やはり女性用に全身を覆う水着も売られている。これらはすべて、西欧文化がイスラムに合わせていることの現れであって、イスラムが西欧文化に合わせているのではない。ヨーロッパに住むイスラム教徒の多くがこういう形で適応しており、彼らは将来、世界のイスラム教徒が科学などの非宗教的な学問を勉強したり、女性の社会進出を促進したり、派閥主義をなくしてゆくためのモデルになれるかもしれない。

文化は世代から世代へと伝えられてゆく。ワッハーブ派の人たちは何世代にもわたって、自分たちが好むコーランのごく一部分だけを子供に教え、イスラムの本質や、イスラムの説く社会福祉や相互扶助の大切さを教えてこなかった。だがこれからは、サウジアラビアが持つ保守主義そのものが、過激主義に対抗できる最も大きな希望になるかもしれない。

サウジアラビアは原理主義を世界に広めていることで国際的な信用を失墜し、またスンニ派のリーダーとしての立場を失っている。だが国内でもワッハーブ派の武闘路線は国民の支持を失いつつある。最近、アブドゥラ国王はテレビに出演して、自分自身の信仰心の厚さを使って過激派を非難するキャンペーンを行っている。国王肝いりでイスラム評議会が強化され、最近の投票では過激派の候補者ではなく社会の改革を主張する平和的なイスラム主義者が当選している。こうして正統的なイスラム主義の力が増してゆけば、過激主義と欧米の物質万能主義の両方を乗り越えることができるかもしれない。

サウジアラビアは少しずつ変わりつつある。1970年代の石油ブームの時には、ほかの湾岸諸国もサウジアラビアも、国民に雇用を与える産業を何も育てなかった。そのため今の仕事のない若者は〝失敗した世代の怒れる息子たち〟と呼ばれている。この国の高い出生率が今後も続けば、リヤドが1000万都市になる日も遠くない。今度ばかりは、この国も失敗するわけにはいかないのだ。

アラブ首長国連邦（UAE）――シンガポールとラスベガスが合体

アラブ首長国連邦は、ペルシャ湾に面するアラビア半島東岸の七つの首長国から成る連邦で、アブダビとドバイの二つで面積と人口の大半を占めている。

1990年代はじめに東ヨーロッパ諸国が共産主義を捨てて民主化を始めた頃、ドバイにはまだ下水設備すらなかった。そのためこの地域の気候をよく知らない外国人は、雨が降る季節になると、大して降るわけでもないのにひざまで水に浸かる道路を運転しなければならないことに戸惑った。現在街の中心部を貫いている大通りは、当時はまだ両側に建物がわずかに建っている短い道にすぎず、周囲には砂漠がペルシャ湾の海岸近くにまで迫っていた。

それからわずか15年、今日のドバイ市はアラブ世界唯一の華やかな国際都市へと変貌した。もう一つの首長国アブダビは面積が最も大きく、その首都アブダビ市はアラブ首長国連邦の首都でもある。世界中でこの二つの都市ほどたくさんの金持ちが住んでいるところも珍しい。

この連邦は、かつては密輸と海賊で生き延びていた貧しい七つの部族の首長に英国石油（＊14）が出資して、石油産業の開発のために生まれた。アブダビが連邦の石油のほとんどを管理し、ほかの六つの首長国にそれぞれの収入を分配している。

ドバイは１９８５年に税金、ビザ、不動産その他の所有に関する必要条件などの面倒なことを一切廃止した経済特区を作って以来、外国からの直接投資が進み、石油以外の分野の躍進が著しい。ホルムズ海峡は石油タンカーがひっきりなしに通過する海の要衝で、ドバイの二つの港は今やシンガポールと香港に匹敵する、世界で最も進んだ港になっている。

【訳注】＊14：英国石油＝ブリティッシュ・ペトロリアム。現在のＢＰの前身。

繁栄する国際都市

この国のきらびやかな金融街は、東西に流れる運河沿いにある。何世紀も前から、この運河はペルシャ湾を通ってアフリカや東アジアへ行き来する通商に使われていた。今日でも昔ながらの独特な形の小型帆船が行き交い、年間何百万トンものタバコ、植物油、ティーバッグ、冷蔵庫、車のタイヤ、自動車などを、パキスタンやイランに運んでいる。

現在イランは経済制裁を受けているが、ドバイをはじめ湾岸諸国は素知らぬ顔で貿易を続けている。イランにはペルシャ湾沿いに二つの大きな港があるが、それとは別に、ドバイの斜め対岸にキッシ島という自由貿易特区がある。この島はイラン最大の貨物集散拠点で、集まる荷のほとんどが湾岸諸国から送られて来る。ドバイでは家を買えば外国人でも居住者になれるため、外国からの不動産投資が盛んで、イラン人も数千人が不動産を買っている。ここではイスラム世界の主導権争いどころか、サウジアラビア人もイラン人も、首長国連邦の人たちとともに水面下で活発にビジネスを行っている。

この国はシンガポールとよく似ていて、絶え間なく新しいビジネスを見つけ、外国から資本とアイデアを引き寄せている。アブダビの投資省は、パリのルーブル美術館とニューヨークのグッゲンハイム美術館の巨大な分館を建設するために人工島を作って５０００億ドルを上回る資金を動かし、石油があふれているにもかかわらず太陽熱発電にも巨額の投資を行っている。この小国ドバイの不動産、建設、ホテル、観光、金融、メディア、消費財、エンターテインメントなどの業界に流れ込む投資額や観光客の数は、全インドのそれを合計したより大きい。流入する資金のほとんどはアラブマネーだ。

ここではまた、水のない砂漠を克服する夢が大きなビジネスを生んでいる。日本企業が建設した淡水化プラントが海水を真水に変え、砂漠の奥深くまで灌漑を行っているのだ。ペルシャ湾沖合には奇抜な形の人工島が作られ、豪華マンションの建築がラスベガスより速いペースで進んでいる。輸出用の陶器や太陽電池の生産などのベンチャービジネスも成長しつつあり、インドの映画産業のための撮影用映画セットまである。外国人観光客が砂漠ツアーでベドウィンと記念撮影をし、アラブ人が屋内スキー場で人工雪のスロープを滑っている。ドバイやアブダビでは、見本市、スポーツイベント、フェスティバルなどが一年中行われ、ホテルは数ヵ月先まで予約でいっぱいだ。

西ヨーロッパ人は、貧しいアラブ人が大量に移住してくることを恐れているかもしれないが、発展しているアラブ社会は、そうでないほかの地域の貧しいアラブ人の不幸によって豊かになった。ドバイは1980年代にレバノンが内戦で崩壊していった時に発展を始め、1990年のイラクのクウェート侵略で大ブレークしたのだ。その時にレバノン人資本家の才能とクウェートの資金が流入したのが始まりとなり、今でも毎年3万人ものレバノン人が移住して、銀行の管理職からテレビニュース番組のアンカーに至るまで、多様な仕事をしている。エジプト人の技術者、ヨルダン人の計理士、チュニジア人の運転手なども、より良い収入と生活を求めてやってきた人たちだ。

こうしてドバイは、あらゆる地域からアラブ人が集まってくる、さまざまなアラブ人のるつぼとなった。彼らはたやすく打ち解け合い、経済活動とメディアを中心とした大衆レベルの新しいアラブ主義を生んでいる。

繁栄の光と影

だが、昼間のドバイはテクノロジーの先端をゆく未来都市だとしても、夜のドバイはおそらく世界で最も罪深い都市へと姿を変える。中国人とロシア人のマフィアが売春組織を仕切っていて、政府も大きな売春宿やホテルから税金を徴収することでグルになっていると言われている。ほかの国ではこっそり遊んでいる外国人ビジネスマンも、ここでは大手を振って歩いている。この国で資本主義がイスラムにまさっている姿は、社員が祈りに費やした時間の分だけ給料から引かれることや、沖合の公海上に人工島を作ってカジノを作る計画があることにもよく現れている。

発展し始めたのがごく最近だということは、自分で研究開発や技術革新を行わなくても、カネさえあれば世界中の最新のものが買えるということだ。人目を引くデザインの都心部のビルも、郊外の高級邸宅地も、みな欧米人の建築家の設計によるものだ。ドバイは頭脳すらカネで買う。世界中のトップレベルの大学のドバイ・キャンパスを1ヵ所に集めた〝知識村〟ができ、首長は教育基金に100億ドルを寄付すると宣言している。裕福な男たちは、アラブの白い民族衣装を着てアメリカの野球帽をかぶり、ポルシェを運転して、高級レストランで寿司を食べている。

しかしこれほどカネがあるドバイだが、彼らはアラブ民族の能力を、世界の頂点に登りつめた東アジアの国々のように高めようとはしていないように見える。七つ星ホテルを買うことはできても、世界の高度な文化をカネで買うことはできない。50年前に石油産業を興した時、湾岸諸国の首長たちは西洋の助けを必要とした。それと同じように、これから非石油セクターを育てるには西洋のノウハウが必要だ。この地域のアラブ人のリーダーたちは、外国人コンサルタントに研究やリサーチをしてもらい、書いてもらったレポートを発表しているだけだ。ドバイのムハンマド首長は、保身に身を固めている官僚たちと事を荒立てるのを避けるため、交通局や金融局と同じ仕事を実際にする部局を別に作るはめになった。

湾岸諸国のアラブ人は、資金を出すだけで自分はめったに仕事をしない。実際、会社に来ないでもらうために給料が支払われていることがよくあり、本人たちもそれで異存はない。湾岸諸国のシンクタンクはカイロのシンクタンクの20倍の予算があるかもしれないが、分析レポートはその4分の1しか作らない。街全体を考えた都市計画なしに好き勝手な建設が行われたため、ドバイの宅配業者は、配達する時に寺院や薬局や木を目印にしなければならない。

1940年代にアラビア半島とカタールの砂漠を横断したイギリスのウィルフレッド・セシジャーという探検家は、旅行記にこう書いている。

「アラブ人ほど欲が深くて、あれほどカネが好きな人種がいるだろうか」

ドバイの交通渋滞のひどさは、ブレーキのかからない経済に流れ込んで来るカネを象徴している。

投資は投機でしかなく、要は博打《ばくち》をしているのと変わらない。

首長たちは、自分がオーナーをしている大手建設会社の株が高くなりすぎると、所有する株を捨て値で大量に売り、安くなったところで再び買い戻すので、そのたびに一般の投資家は損害を被っている。WTOのマネーロンダリング（資金洗浄）に関する規則は完璧に無視され、不動産の価格を高いまま保つためにロシア、イラン、アフガニスタンから入って来る麻薬密売による現金を受け入れている。また最近では、レバノンやイラクの古代遺跡から盗掘された遺物を海外に売り飛ばすための中継地にもなっている。

悲惨な外国人労働者の境遇

ドバイにはヨーロッパから専門知識やテクノロジーが流入し、アジアからは安い労働力がいくらでも入って来る。そのため、ここは第一世界と第三世界が合体した世界ができている。実質的にタダに近い労働力と何十億ドルものカネ、それに所有者がいない砂漠の土地があるドバイ市は、2015年までに今の3倍のサイズになると言われている。パリのエッフェル塔はわずか300人の鉄塔職人によって建てられたが、現在のドバイには好きなように使えるアジア人の労働者が30万人もいる。上海と同様、過去10年間にここで昼夜の別なく動いていたクレーンの数は、世界中の商業用クレーンの20パーセント以上に相当する。ドバイの西15キロほどのところには、企業の高層ビル、豪華な住宅地区、高級ホテルなどが立ち並ぶ〝ニュードバイ〟と呼ばれる街が出現した。

インドがイギリス領だった時代には、この地域のアラブ人は仕事を求めてインドに渡り、わずかな収入のなかから故郷に送金した。今では逆にインド、パキスタン、フィリピンから貧しい移民が新天地を求めてやって来る。だが、これらのアジア人の労働者の数をあてにしている限り、いくらカネがあっても湾岸諸国は永遠に第三世界のままだろう。彼らの第一世界的な富は、大量の貧しい労働者が悲惨な状況のなかで働く世界の上に乗っかった薄っぺらなものだ。

ここでは今、三つの階級がある奇妙なアパルトヘイト現象が起きている。一番上の階級はおよそ50万人のアラブ人のドバイ国民で、ほかのグループとは目と鼻の先の距離に住んでいるが外国人とは交流せず、国際結婚などタブーとされている。二番目が、主にインドやアイルランドから移住してきた専門職を持つ数十万人の永住者たちで、最下層が100万人以上いる季節労働者だ。彼らは現代の奴隷のような状態で働かされ、人間以下の扱いを受けている。

今日に至るまで、外国人労働者に対するこの国の組織的な搾取は、一般人の想像もつかないほどの残酷さがある。まともな労働法すら存在しないため、政府は監督責任を問われて告発されても相手にしない。これらの労働者が住む街はずれのテントや移動式簡易住宅が集まっている地区をドライブすると、アフリカのへき地の村を訪れた時のような気持ちにさせられる（#2）。多くの外国人労働者は、ドバイ空港に到着するとすぐにパスポートを取り上げられ、給料は決められていたより少なく、既定の給料日も守られていないという。彼らにとって、ドバイのオアシスは蜃気楼《しんきろう》にすぎない。

さらに、すべての湾岸諸国は人身売買を禁じるWTOの条約に違反している。ただ、ラクダ競走の騎手に幼い少年を使っていたのをロボットに替えたのは進歩かもしれない。今後、湾岸諸国の労働事情の偽善性が暴かれていけば、彼らが欧米の外交政策の不正を非難してもだれも耳を貸さなくなるに違いない。欧米の刑務所で屈辱を受けているイスラム教徒と同じくらいの数の非イスラム教徒が（そしてさらにそれ以上の数のイスラム教徒が）、ドバイの外国人労働者収容所や売春宿で搾取されている。

だが支配者たちの自信は衰えない。郊外にある豪華リゾートで、不動産会社の重役が不快なダミ声で言い放った。

「なあに、テロがあっても観光客は減らないよ」

この地域ではははじめイギリスが、そして次にアメリカが石油を守ってきたが、今では中国がほかの超大国のできないことをしている。やって来たのは大量の安い商品と、それを売る中国人の大群だ。南アジア人の販売業者は怪しげなブローカーに頼らねばならないが、中国人は自前の貿易ルートを持っているのでへりくだる必要がない。

組織的な中国人の大軍団が巨大な中国人専用アパートを建て、中国製品直輸入の店が長さ1キロ半にわたって連なる〝ドラゴンマート〟と呼ばれるマーケットでもやはり大軍団が働いている。そこではかつらからトラクターに至るまで、あらゆるものを売っていて、湾岸諸国の商人はそこに行けば中国まで買い付けに行かなくてすむ。だがあまりに粗悪品ばかりで、壊れてばかりいる。中国の建設会社はしばしば欧米の会社の半額で入札する。同様に、今や旧ソ連圏から来た女たちと同じくらいに数が増えた中国人売春婦も、競争が激しいため料金が半分だという。

ドバイは売りに出ている。アラブ人のこの地に対する忠誠心もカネ次第だ。

【原注】#2：カタールでも事情は同様で、総人口は90万人ほどあるが、地元のアラブ人の人口は15万人ほどで、残りはすべて外国人労働者だ。ここでは外国人労働者が身体的な暴力を受けずに不服の訴えを起こすことが認められているが、国が発表する公式の気温はいつも摂氏48度で、気温が50度になると労働者は仕事を中断して休むことができることから、それより意図的に低く発表していると言われている。

〈パートⅣのまとめ〉

西洋人のなかには、アラブ社会は遅れていて知的でないと言う人がいる。アメリカの保守派はイラク戦争を肯定して、「独裁政権を倒すために侵攻は必要だった」「イスラム原理主義者は言葉で言っても通じない。武力を使う以外にない」と言う。

しかし欧米は、彼らが〝単純〟だと決めつけるアラブ文化に対して生産的に対処することができなかったことにより、アラブを見下した彼らの理論こそまさに知的でなかったことを明らかにした。アラブ世界は、将来の成功も失敗も、自分たちがその中心になるのだということを十分よく知っている。将来、アラブ世界が置き去りにされることはないだろう。

アラブ世界の混乱に欧米が気をもんでいる間に、アラブ人自身による秩序が頭をもたげ、今ではそれがこの地域の将来を決めつつある。石油による膨大な富に加え、発達したマスメディア、アラブ世界に共通する鬱憤《うつぷん》、自分たちの国境線がヨーロッパの大国によって勝手に決められたものだったと気づいたことなどから、アラブの大衆はアメリカの対外政策の真意を疑い、自分の国の指導者の正統性を問うようになってきている。特に若い世代は、交換学生プログラムや活動家のミーティング、インターネットのブログなどを通じて、これらの気持ちを広めている。政治変革を求める幅広い動きが下から起こりつつあり、ほかのどの地域でも見られないほど一貫性のある大きな流れが形成されている。軍事教育ではなくリベラルな教育を受けた次世代のリーダーたちは、クーデターなどによらずに政策を変えてゆくかもしれない。

アラブ民族主義が力を持っているところでは、宗教に対する包容力もまた大きい。だがアラブの民主勢力は、次の世代を担う若者の心を獲得するために、アルカイダなどの過激派の扇動と競争しなければならなくなっている。欧米に対する武闘を聖戦として英雄視するイスラム主義者の影響力がアラブ世界全域に広まり、それをおして欧米が将来も永遠にアラブ社会と関わり合いを持ち続ける保証はない。欧米社会はテロ攻撃に戦々恐々となっている。もしイスラム過激主義との戦いのストレスが今後10年間も続くようなら、アメリカとEUはこれまでの損失を切り捨てて、アラブ地域を封じ込めて内戦が進行するままに放置し、彼らがエネルギーを使い切るまで待つことに決めるかもしれない。

だが、アラブ民族主義とイスラム原理主義のどちらが勝っても、どのみちアメリカは敗ける。なぜなら、アラブ民族主義もイスラム原理主義も、彼らはアメリカのやり方ではなく彼ら自身のやり方で問題を解決しようとするからだ。アメリカはこの地域を戦略的に重要と考えているが、だからといって武力介入の権利が保証されているわけではない。なぜなら、テロや紛争が起きる主な原因は、アラブ人の性格的な欠陥ではなく、アメリカの政策の失敗によるところが大きいからだ。アメリカの政策はこれまでずっと、民主主義を広めることより、後先を考えずに軍備を増強することではるかに一貫していたのだ。

現在のアメリカの新帝国主義は、いまだに「砂丘を登る一番良い方法は、横向きに少しずつ歩くことだ」という最も基本的なアラブの自明の理がわからず、へたな思いつきで拙速に事を進めているように見える。EUと中国もまたそれぞれの計画を進めている今、アメリカがそのどちらかの協力なしに単独で進むことはできそうにない。

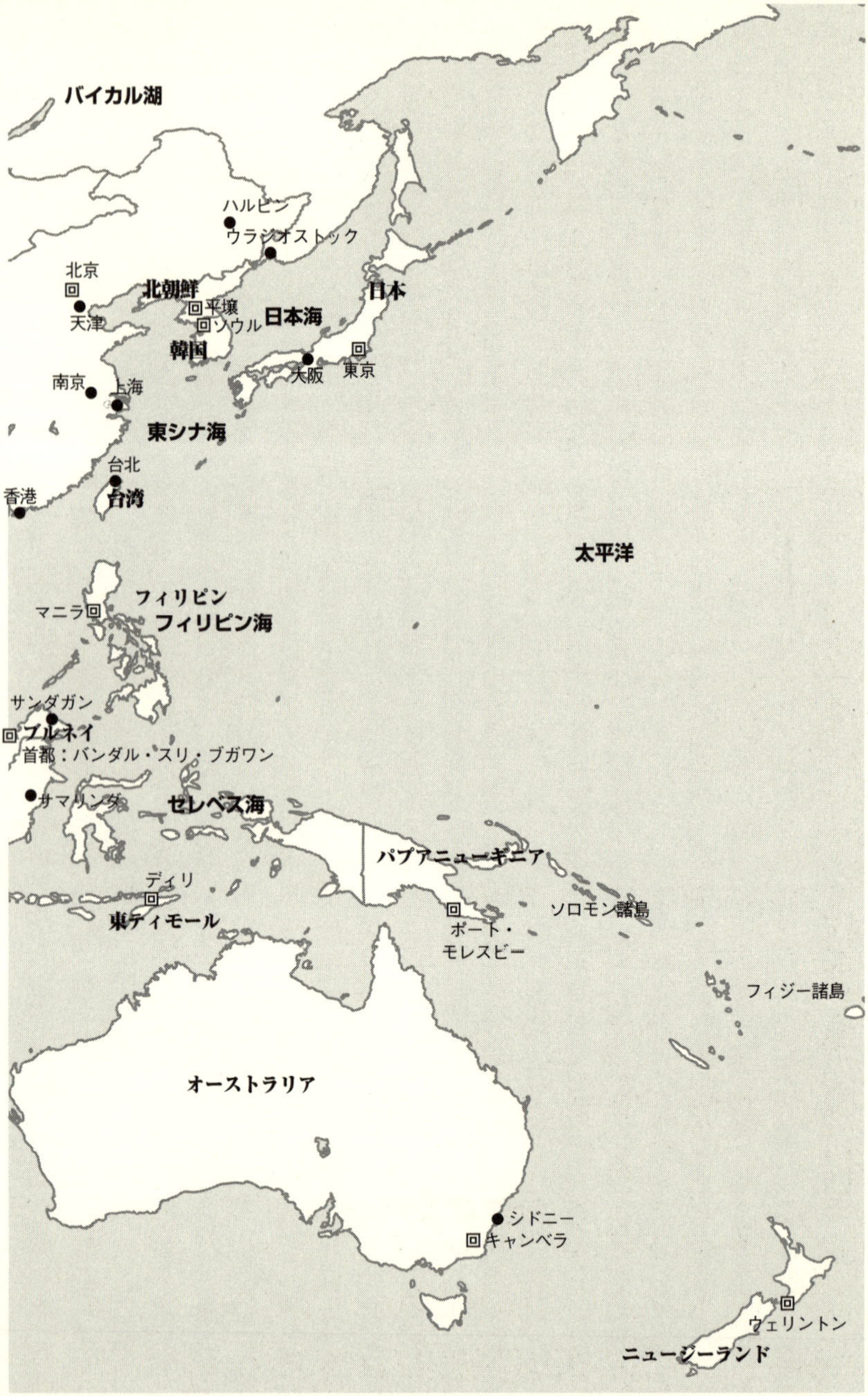
バイカル湖
ハルビン
ウラジオストック
北京
北朝鮮
平壌
天津
日本海
日本
ソウル
韓国
東京
大阪
南京
上海
東シナ海
台北
台湾
香港
太平洋
フィリピン
マニラ
フィリピン海
サンダガン
ブルネイ
首都：バンダル・スリ・ブガワン
サマリンダ
セレベス海
パプアニューギニア
ディリ
東ティモール
ソロモン諸島
ポート・
モレスビー
フィジー諸島
オーストラリア
シドニー
キャンベラ
ウェリントン
ニュージーランド

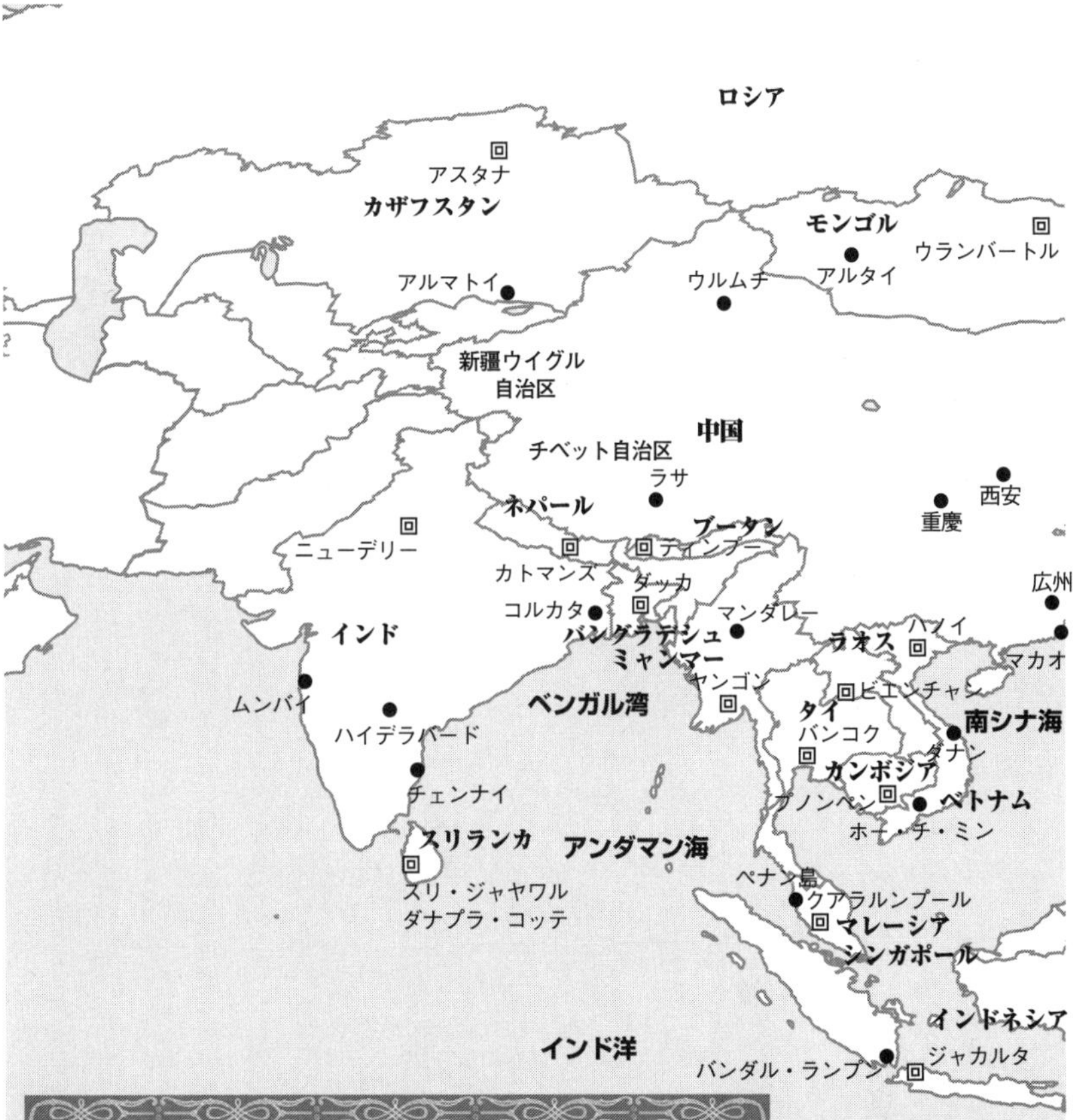

パートV
アジア人の手によるアジア

第27章 アジアの底流

中国が第三世界から第二世界に上がって来たのはつい最近のことだが、中国は経済力も軍事力もまだ貧弱だったころから、あたかも大国のように振る舞うことができた。それは第二次世界大戦後に国連ができた時に、第三世界の国で唯一、常任理事国の座席を与えられていたからだ。

1960年代半ばには文化大革命（*1）の混乱のなかでソ連と袂を分かち、中国は国際共産主義運動の主導権をソ連と競い始める。1970年代になると、アメリカのニクソン政権は中国を世界革命の震源地にとどめておかず国際社会に引き入れる必要があると考え、さらにソ連の影響力の拡大を阻止することも視野に入れて、中国との雪解けをはかった。

それから20年後、1990年代はじめにソ連が崩壊するとともに、中国が台頭を始める可能性は確実となった。

シンガポールで会ったジャーナリストがこう強調した。

「中国は、地図の上でこの地域の中央にあるだけではありません。ここではあらゆる出来事の中心ですよ」

中国は、地球上で最も人口が多くて経済活動がさかんな東アジアの、ちょうど真ん中に位置している。日本、インド、オーストラリアを頂点とする三角形の中に入る国で、中国の侵食に持ちこたえられる国はない。世界の人口の約半分が住むアジアの人たちは、以前にも増して、アジアの安定はアメリカでなく中国の覇権のもとに生まれると見るようになってきている。

バンコクのホテルで行われた国際会議で会ったタイの外交官が説明する。

「アメリカ人は来てもまた去って行きます。ここに根を張っているわけではないのです。でも中国は永久に隣にあります。私たちの将来がどうなるかは、最終的には中国が何を決めるかにかかっています」

中国の影響力の拡大は、ＥＵの拡大のアジア版のようなものだが、その外交スタイルには、ＥＵとは違った古代中国のやり方と現代的なスタイルが同居している。

中世の西ヨーロッパに都市国家ができる何世紀も前に、アジアはすでに皇帝を頂点とする階級制度で統治されていた。中国の皇帝はその中心にあって、周縁の王国はみな中国に貢ぎ物を献上するのがならわしだった。当時、通商と外交は同義で、中国は受け取ったものより大きな贈り物を相手国に返す雅量を示していた。

忠誠はカネで買われ、努力によって得られる。今日の国家主権は献上外交の時代から見れば大きな変化のようだが、じつは本質は変わっていない。貢ぎ物をさせることによる支配では相手国の領土を占領する必要がなく、直接支配が及ぶ範囲を超えて影響力を行使できる。

今日の東京、ソウル、シンガポールなどの大都市は、ＥＵに対するロンドン、モスクワ、アンカラなどと似て、中国帝国に対する防波堤としての役を果たしているが、日に日に優位性を失いつつあると感じている。国連は東アジアでは重要ではない。なぜなら国連は、アジア人の二つの主要な関心事である安定と物質的な富を保証してくれないからだ。

中国人が外交儀礼に異常なほど感情的にこだわるのは、献上外交時代のなごりと考えられる。彼らは政策について批判されたりすると、「中国人民の感情を傷つけた」などと言って腹を立てる。だが中国は野心がないようなことを言って思慮深い印象を与えながら、歴史上の出来事を巧みに取り上げては他国を責め立てる。

だが、その注意深いレトリックに気を取られてばかりいると、中国人の〝数〟を忘れがちになる。グローバル化が進む今、海外在住の中国人（華僑）の力もまた忘れてはならない。おもにアジアの周縁国に住むおよそ5500万人の華僑は、本国にいる中国人と比べると天候を変えるほどの力がある。

今日、これらの華僑のつながりは国境を越えて再び活性化している。中国東部と韓国、日本、台湾、そして中国南東部とメコン川流域地帯には歴史的なつながりがあり、平和な時代にも戦争の時代にもごく自然に経済領域を形作ってきた。それに加え、中国では男女の数に大きなアンバランスがあるため（それは一人っ子政策と、親が男の子を好む中国人の歴史的な偏見から生じている）ベトナムや北朝鮮で花嫁を〝募集〟しており、それがまた多様性のある漢族の血をさらに薄める結果となっている。

【訳注】＊1：文化大革命＝第31章を参照。

中国の非論理性

中国は、西洋の合理的な考えでは理屈に合わない矛盾も、まるで気にとめないように見える。一例をあげれば、国の最も根本的な方針として、〝平和的な台頭〟という、人類の歴史始まって以来聞いたことのない、おそらく最も自己矛盾する言葉を用いている（＃1）。また、過去の歴史を通じて、台頭しつつある強国はますます好戦的になるのが普通だが、中国は自信を深めるにつれ、次第に外部に対して協調的になってきている。

クアラルンプールの高級中華料理店で一緒に食事をしながら話し込んだ、マレーシアの戦略アナリストが自信ありげに言った。

「中国は、どの一線を越えたらいけないかを学んだのですよ。それでアジア諸国は、以前ほど中国を脅威として見なくなってきています。中国の台頭が、アジア諸国に経済発展の機会を作り出していますからね」

【原注】#1：後にこの言葉は、より穏やかで、かつ国内の発展に意識を集中していると強調できるように、〝平和的な発展〟に改められた。それにはまた、〝平和的な台頭〟では台湾の独立を容認しているともとれるメッセージを外部に与えかねないという判断もあった。

〝リムランド理論〟のアメリカ

アメリカは100年前にスペインからフィリピンを奪って以来、ずっと太平洋を支配してきた。現在のアメリカ太平洋軍（＊2）は、アメリカ以外の世界中のすべての国の海軍と空軍を合計したより強大で、アメリカ以外のすべての国の艦船を同時に沈めるほどの力がある。アメリカがパシフィック・リム（環太平洋）を重視しているのは、アメリカの根本戦略がニコラス・スパイクマンの〝リムランド理論〟（＊3）をもとにしているためだ。「中央アジアのハートランドを支配する者が世界を支配する」というマッキンダーの〝ハートランド理論〟（＊4）に対して、スパイクマンはペルシャ湾からインド沿岸を通って太平洋に至るユーラシア沿岸を最も重要と考え、「リムランドを支配する者がユーラシアを支配し、ユーラシアを支配する者が世界を制する」と主張した。

冷戦時代、アメリカはソ連と中国を〝外から中へ〟封じ込める政策を取り、オーストラリア、ニュージーランド、日本、韓国、シンガポール、フィリピンとの同盟を強めた。だがそれらの国との同盟は、常にアメリカを中心とした放射状に作られ、アメリカはこれらの国と強く結びついていたが、これらの国同士が直接結びつくことは牽制された。その結果、アメリカは現在も、これらの国との経済的な強い結びつきを維持している。

だが、リムランドにおけるアメリカの影響力は衰えつつある。多くのアジア人は米軍を歓迎していない。

「アメリカが、その〝戦略的利害〟のために必要だと言って、空母を含む艦隊をアジアの海に停泊させているのはいったいどういう意味なのか、ぜひ聞きたいものです」

と嫌味たっぷりに言ったのは、北京で会った中国人の軍事アナリストだ。

「我々の地域は我々の手で管理できるのです。むしろアメリカの過剰反応のほうが心配ですよ」

アメリカの力の衰退が最もよく見えるのは、ペルシャ湾ではなく東アジアだ。かつてアジアの安定の保証人を自認していたアメリカの信用は、今では日本と台湾の軍事的な保護者として以外は、マレーシアとインドネシアの小競り合いや、北朝鮮の核問題などの調停者くらいの役割しかなくなっている。

だが中国は中央アジアで〝ハートランド〟に侵入しているうえ、長大な海岸線を持つ太平洋岸では〝リムランド理論〟の対象になる最大の国になっている。シルクロードが中国と西洋を結ぶ内陸のルートだったように、南シナ海とマラッカ海峡は、東アジアとペルシャ湾や西洋を結ぶ海上ルートの重要な部分だ。そのため東アジアの戦略的構図は海に発展し、中国は東南アジア諸国を取り込む必要から、通商条約や海軍の相互協力関係の構築をはかるなど、精力的に各国に働きかけている。東南アジアの多くの国は、これまでアメリカと中国の間を揺れ動いていたが、次第に中国のほうに傾き始めた。

こうして、〝外から中へ〟封じ込める時代が終わりを告げるとともに、中国は積極的に〝中から外へ〟拡大を始めた。その目的のために中国が用いる外交は、お互いに相手のメンツを立てることができる共通の利害を見つけ、争点やアメリカに押しつけられたテーマはなるべく扱わないようにするという助言・忠告型だ。

だが、それでこの地域に軍事的衝突がなくなるかと言えば、そうではない。深刻な争いは陸にも海にも残ったままだ。それでもあるシンガポールの外交官は「この地域に銃声はあまり聞こえなくなった」と言う。アジア人は西洋人の歴史的なパターンである軍事対決を望んでいない。

とはいえ、アジア人はヨーロッパのソフトなカムバックぶりは歓迎している。植民地を放棄してから50年、ヨーロッパはソフトパワーとともに戻ってきた。かつてアメリカに安全保障を頼ったアジア諸国は、今では文化と経済の繁栄を求めてヨーロッパのほうを向いている。この動きは、１９９７年に香港がイギリスから中国に返還されて以来、加速した。中国人の多くはヨーロッパから知識を得ようとしている。ＥＵは中国や東南アジア諸国にとってアメリカより大きな市場であり、アジア諸国はみなユーロ建ての外貨準備を増やしつつある。

【訳注】＊2：アメリカ太平洋軍＝アメリカ統合軍の一つで、主に太平洋、インド洋を管轄する。
＊3：スパイクマンのリムランド理論、＊4：マッキンダーのハートランド理論＝ともに序章を参照。

自信をつけるアジア

しかし、今の中国や東南アジア諸国は、単に自分たちの秩序の建設を急ぐために西洋の知識を吸収しているにすぎない。アメリカの識者のなかには、「アジア諸国はお互いの競争が激しいため、一致団結することは不可能だ」という人もいるが、アジア人の自信は高まる一方だ。２００５年にマレーシアのクアラルンプールで開かれた初めての東アジアサミットにアメリカは招待されなかった。マレーシアのある高官は厚かましくも、しかし真顔でこう言い放った。

「黄色とか茶色が集まって一緒に何かをするのは簡単ですけどね、白が混じるとややこしくなるんですよ」

東アジアはいかにして急激な変化を可能にしたのだろうか。過去の歴史を見れば、西ヨーロッパ諸国は常に東洋の文化に感嘆してきた。両者の物質的なレベルの差が広がったのは、西ヨーロッパに産業革命が起きてからだ。それ以来、アジアは遅れていると見なされ、中国は大きすぎるうえ封建制が強く、ほかのアジア諸国も古いしきたりに縛られすぎていると考えられた。

だが、知識とモノが適切に与えられさえすれば、大きな人口を持つことは自信につながる。アジアには古い文化と、世界のどの地域より大きな人口と、ある意味で最もたくさんのカネがある。アジアは世界の行く末を形作りつつあり、その過程で、西洋文明の偉大な物語の欠陥を暴《あば》きつつある。東洋が台頭したおかげで、西洋は自分の運命を自分たちだけで決めることができなくなった。

〝テクノロジー〟と〝金融〟の二つは、世界支配のための主要な手段だ。冷戦後、東アジアの人たちは、アメリカが覇権を維持するためにこの二つを握ったままでいようとしていると見て、世界のほかのどの地域の人たちより素早く、それらを自分たちでマスターする努力を始めた。今日のだれにも止められないグローバリゼーションは彼らに味方し、重要な知識をものすごいスピードで広めている。テクノロジーは、ひとたび完成すればそれを作り出した人たちの文化を素早く離れて一人歩きを始める。〝近代化〟と〝西洋化〟は出発点は同じだが、到達点は明確に異なる。西洋が近代化する前から西洋だったのと同じように、東洋も、近代化を成し遂げた後も東洋であり続けるだろう。

ニューヨークから香港に引っ越した中国人投資家が言う。

「今の中国や東南アジアは、昔の西洋がそうだったように、とどまるところを知らない野望であふれています。私たちが西洋の投資を受け入れているのは、西洋の市場が飽和状態になっているからです」

20世紀末に発展した台湾、韓国、シンガポールのモデルは、19世紀に西洋のやり方を取り入れて台頭した日本だった。彼らは国内産業を守りながら輸出を促進して富を築き、欧米先進国と異なる形の資本主義を示した。それが次の波となった中国、マレーシア、ベトナムを目覚めさせたのだ。

さらに、1997年から1998年にかけて起きた通貨危機（＊5）をきっかけに、アジア諸国はあからさまにIMF（＊6）を避けるようになった。IMFには煩わしい条件がついていて、アメリカ財務省の道具になっているからだ。そして東アジア諸国の多くは短期間のうちに力強く復活した。彼らは巨大な流動資本を技術革新に投資し、今やアジア内部での貿易量が北米との貿易量を超えているため、IMFではなく彼ら自身のルールを作ることが可能になっている（＃2）。

【原注】＃2：ASEAN諸国（＊7）と中国との間の貿易額は、1997年から2005年までの8年間に、それまでの5倍の1050億ドル（※約10兆円）に急増した。中国は毎月150億から200億ドルを買い入れることで人民元の交換レートを人為的に低くしており、東南アジア諸国も自分たちの通貨の人民元に対する競争力を高いまま維持するために国際的な通貨レートの調整に参加していない。現在、外国から中国へ流入するすべての直接投資の80パーセントが製造業に向けられているが、今後、中国、日本、韓国の高齢化が進むため、長期的に見れば東南アジア諸国の製造業は

将来も潜在力を維持できると考えられる。

【訳注】＊5：1997年のアジア通貨危機＝アジアの多くの国の通貨が実体経済にそぐわないほど高くなっていたところへ、ヘッジファンドに大量の空売りを浴びせられて暴落した。通貨危機はさらに金融危機へと拡大した。
＊6：IMF（国際通貨基金）＝為替相場を安定させるために短期の融資などを行う。世界銀行とともに、第二次世界大戦後の資本主義世界のシステムの根幹をなしてきた。
＊7：ASEAN諸国＝第28章を参照。

東アジア諸国の特徴

マレーシアの大学で行われたセミナーで、中国系マレーシア人の歴史家が述べた。

「東アジアの国には、植民地時代以前から根づいている歴史と文化があります。それで私たちは、植民地時代の後に国ができたアフリカやアラブの国々と比べて、はるかに安定しているのです。私たちには、一つの国が繁栄することがほかの国と争いを起こすことになる理由がありません」

日本と中国は、しばしば永遠の敵対関係にあるように見られがちだが、実際には、この二つの国は東アジアが経済発展するための両輪だ。この2国にシンガポールと韓国を加えた四つの国が、全世界の外貨準備の3分の2にあたる2兆ドル（約200兆円）を、主にアメリカドルで持っている。100年前、アメリカの大統領ウォーレン・ハーディングは、国内の争いをおさめるために、「世界を武力ではなく、平和的に、商業的に征服しに行こうではないか」と演説した。今や東アジアの人たちは、彼のアドバイスに従っているかのようだ。

だが東アジア諸国には、社会は開かれていても政治がオープンでないという特徴がある。彼らにとって、民主主義は最上位に位置すべき最も重要なことではなく、目的を達成するためにいくつもある手段のうちの一つにすぎない。皮肉なことに、東洋のこの考えは、古代ギリシャの哲人プラトンがに根ざしている。

『国家論』で「国家は賢人哲学者の王によって支配されることを理想とする」と述べたのと同じ考えに根ざしている。

今日のアジアで好まれる政治スタイルは、シンガポールやマレーシアの自由主義的な準民主主義だ。これらの国には野党もあるし選挙もあるが、野党は政権が取れないし、最高指導者は選挙でなく後継者を指名することで決められる。集団的エゴイズムと呼んでもいいこの方法は、多民族国家のマレーシアに代表されるように、多数民族の利権に国が乗っ取られることを防ぐためだ。シンガポールやマレーシアの事実上の一党独裁政治は、民主主義のフィリピンなどよりはるかに国民に対して責任を負うし反応も速い。フィリピンの指導者は選挙で選ばれるが、民主主義ではあっても反自由主義的で、クーデターばかり起きる。タイや台湾も民主主義だが、選挙でわずかな差で勝っても勝者が全部を取ってしまうシステムのため、非合法的な争いや大統領の弾劾やクーデターがやはり絶えない。インドネシアでも民主主義が国を不安定にしているうえ、腐敗がひどいこの国をほかの国が羨ましがることはあり得ない。

「西洋式の民主主義は時間の無駄ですよ」

とマレーシアの外交官が吐き捨てるように言った。

東アジアの古い伝統では、市民権や国民の政治的権利より社会全体の利益や国の経済が優先される。だがそれが個人の自由や言論の自由を憲法で守らないことを正当化する結果となり、それがまた人権に関するアメリカの考えと対立する。

古代中国の儒学者、孟子は、「食物や物質的な利益への権利を犯すことは、政治的な権利を否定することより大きな犯罪だ」と述べた。中国では華々しさやエゴイズムではなく、謙譲と思いやりが美徳とされ、〝孝行〟の大切さは東アジアの多くの国で法律で定められている。個人主義ではなく、家族のような形の社会が理想的であると多くの人たちが考えており、中国では一人っ子政策のため、子供(特に男の子)は文字通り一家の将来と見なされている。

もちろん、東アジアは問題もたくさん抱えている。ごく一握りの人たちの発展がことさら宣伝され、それがほかの多くの人たちが依然として貧困にあえいでいることを隠すために使われることも多い。儒教は毛沢東主義や共産主義の防波堤にならなかったし、中国、カンボジア、ベトナムでは、過去50年間に戦争や争乱で合計1000万人近くの人々が命を落とした。中国、台湾、日本の組織暴力犯罪集団の活動はとどまる所を知らず、彼らと比べればアメリカのギャングなどアマチュアに見える。また政府と企業の癒着による特権階級の温情主義的な腐敗の根は深く、職業的な能力ではなく血縁や上下関係や恩義などの人間関係で物事が決まることが多い。とはいえ、これらの欠陥には、彼らの試行錯誤の過程にさらなる自信を吹き込んできた面もある。

中国系マレーシア人の学者がこう批判する。

「今や、経済成長も社会的安定も手にしているわけですから、国の指導者や警察や企業の幹部は、責任ある行動が取れないことの言い訳はもう言えなくなったということです」

しかし、欧米の一流大学で学んだマレーシアや中国やシンガポールのエリートたちですら、国の安定と自分たちの個人的な利益を守る儒教的なタテ社会には忠実だ。シンガポールの議員があっさり言ってのけた。

「私たちはカネのことではリスクも冒しますが、主義や信条のためにリスクは冒しませんよ」

第28章　東アジア・西太平洋地域と中国

　中国は第三世界ばかりでなく第一世界とも活発に関係を深めているが、特に地元の東アジア・西太平洋地域の第一世界である日本、韓国、シンガポール、オーストラリアとの関係を重視している。これらの国は、中国との相互依存が進むとともに、徐々に、しかし明らかに、軸足をアメリカから中国寄りに移しつつある。

日本と中国の関係

　第二次世界大戦で日本が無条件降伏して以来、アメリカは日本を、アジアに共産主義が浸透するのを防ぐ自由世界の防波堤として位置づけてきた。だがテクノロジーも組織も世界で最も進んだ国の一つである日本は、これまでずっとアジアの秩序を形作るリーダーであり、主に製造業で東アジア全域にわたって巨額の投資を行ってきた。そして開放政策に転じた中国は、当然ながら最大の投資先となった。

　改革開放政策が始まった初期、中国人にビジネスへの目を開かせるのに手を貸したのは、日本に住む40万人の華僑だった。そして毎年数千人の中国人留学生が日本に群がって学び、改革開放政策の推進に貢献した。北京空港は日本の援助で作られたものだし、２０００年以降に日中間の緊張が高まった時ですら、日本の中国に対する投資は減るどころか最高額に達している。中国からの輸入もまた急増し、たとえば果物は年間消費量の半分が中国からの輸入だ。今や上海には数万人の日本人が住み、300億ドル以上の投資が行われている。

世界的な経済大国である日本は、世界最大規模の人道支援を行っている国でもある。そしてアメリカとの同盟関係のなかで、ハイテクを駆使した海軍（＊1）と、アメリカと共同開発のミサイル防衛計画を持ち、国家予算に占める防衛予算の比率が非常に小さいにもかかわらず、大国のなかで最もへりくだったこの国の安全保障を十分満たしている（もっとも、民族主義者のなかには、アメリカや中国との軍事力の不均衡を心配する声が上がっているが）。だが日本は、たとえ核武装したところでアジア諸国から忠誠を得ることはできないし、中国に一歩譲って満足しなければならない。その中国は、日本が国連安全保障理事会の常任理事国になることを阻止し続けている。

けれども両国の指導者たちの間には、双方向的な新しい思考の力学が頭をもたげている。両国はともに東アジアの政治・経済の両輪となる責任を負っており、両国の関係正常化はそのために必須の前提条件だ。東シナ海の油田や天然ガス田の問題でも、両国は過去の対立を乗り越えて共同開発の可能性を模索している。

【訳注】＊1：日本の海軍＝自衛隊の英語による正式な呼称はSelf Defense Forcesだが、私は30年間の在米生活で、その言葉が用いられているのを一度も見たことがない。世界のほとんどの人はそのような名称があることすら知らないようだ。本書の筆者も知ってか知らずかNavyと書いているが、特に政治的な意図があるわけではない。

韓国は、日本に次ぐアジアのサクセスストーリーの二番手だ。国際援助の受託国から上昇し、最近、第一世界の仲間入りを果たした。とはいえ、アメリカへの忠誠心がぐらついているという点で、韓国は日本以上だ。自信をつけるにしたがい、韓国は半世紀に及ぶ米軍の駐留についてアメリカと対立するようになり、駐留軍の縮小を要求している。韓国内のアメリカ軍基地はかつて治外法権の砦《とりで》だったが、今ではアメリカ軍がなぜそこにいるのかについて韓国人社会が疑問を抱いている。

韓国は経済発展のほとんどすべてを中国に依存している。今や韓国最大の貿易相手は、アメリカを抜いて中国だ。２００４年に中国の経済成長率が鈍化するという予測が出されると、たちまち韓国の株価が急落した。中国は韓国のエレクトロニクス製品のレベルにほぼ追いついたが、中国のほうが人件費が圧倒的に安い。そのため中国がパーツだけでなく完成品を作るようになるにつれ、中国で組み立てられた製品に付加価値をつけることで成り立っている韓国の現在の役割は、近い将来なくなってしまう可能性もある。

とはいえ、両国は北朝鮮を資本主義で取り込むという点では歩調を合わせている。中国はすでに北朝鮮の鉱山と鉄道を買い取っており、もし北朝鮮が崩壊すれば、中国と韓国が実質的に分け合うことになるだろう。

オーストラリアと中国の関係

第二次世界大戦中、オーストラリアはアメリカと力を合わせて日本の侵略に備えた。だが今日の中国の勢力拡大は、昔の日本の軍事力による拡大と違って純粋に経済的であり、オーストラリアに微笑みを起こさせている。オーストラリアは彼らの貿易パートナーとして最近急激に関係を深めつつある中国が、歴史的な同盟国であるアメリカに挑戦していることをよく知っているため、外交政策が二方向に分裂している。

今や中国は、オーストラリアのウラン、鉄鉱石、マンガン、液化天然ガスの最大の輸出先だ。オーストラリアの北西大陸棚から中国の広東省に送られる液化天然ガスは、オーストラリアの歴史始まって以来の規模になっており、オーストラリアでは中国の人権抑圧に対する批判が影を潜めてしまった。

さらに、オーストラリアはアジアの平和維持活動のリーダーとしての信頼を維持するため、ASEAN（＊2）の相互不可侵条約に署名しており、将来アメリカへの義務を果たすうえで問題を生じる可能性がある（＊3）。そこでオーストラリアは、アメリカと中国のどちらの側にも立たずに仲介・調停者の役を演じることができると主張している。一方で、今やオーストラリアを訪れる団体旅行客の75パーセントは中国人だ。

【訳注】＊2：ASEAN（アセアン）＝東南アジア諸国連合。現在の加盟国はインドネシア、シンガポール、タイ、フィリピン、マレーシア、ブルネイ、ベトナム、ミャンマー、ラオス、カンボジアの10ヵ国。

＊3：ASEANの相互不可侵条約＝ASEANが近隣国に署名を求めているもので、日本も署名している。オーストラリアはこの条約に署名したため、もし同盟国アメリカが将来なんらかの事情で東南アジアに武力介入することになった場合、困った立場に立たされることになる。

シンガポールと中国の関係――中国が「第一世界」に入りたくなった理由

1965年にシンガポールがマレーシアから追放される形で独立した時、リー・クアン・ユー（李光耀、後の首相）とその移民グループは軍隊も持たず、そこには〝マレーの海に浮かぶ中国人の島〟と呼ばれた小さな島があるだけだった。リーは植林コンテストを行って国民に自立の大切さを根気よく説き、外国からの投資を招いてインフラを整備し、シンガポールを国際都市国家に築きあげた。

シンガポールはまさにグローバリゼーションそのものだ。独立以来数十年にわたって変身を続け、石油が一滴も出ないにもかかわらず、石油精製と石油採掘リグの建設の中心になった。最近ではバイオ科学研究のための〝バイオポリス〟と呼ばれる研究開発センターを作り、宗教団体などから妨害されずに研究ができる環境を求める欧米の研究者を引きつけている。天然資源がないこの国では外貨準備が資源だ。国営の持ち株会社〝テマセク・ホールディングス〟を通じてアジア各地の主要企業の株を所有し、ほかの国が始めるよりずっと前から中国に投資を続けて深い信頼関係を築いている。

リーの「タダのものはない」という価値観のもとで、国民はみな料金、罰金、手数料、罰則のプレッシャーをかけられ、過剰消費を奨励された。この国の有名な、囚人の刑期に鞭打《むちう》ちの刑を加える政策は、実はイギリス人から教えられたものだ。リーの考えでは民主主義そのものに価値はなく、過程より常に結果が大事とされた。シンガポール政府の実力出世制度は、ロイヤル・ダッチ・シェル（*4）をモデルにしている。

議員の給料は世界一高く、実質的に腐敗は起きないとされている。彼らは近隣諸国の首都を訪れては責任感や効率や実用主義の大切さを説くが、民主主義について語ることはない。シンガポールにも選挙区制度諮問委員会はあるが、必ず与党が勝つように割り当てられる。このやり方は東南アジア諸国が好むやり方のモデルになっている。

だがリーは、身体的な弾圧を加えることは強く批判していた。こうして実質的な独裁政治を行ったリーだが、死ぬまで首相を続けるほど強欲ではなく、1990年に後継者に首相の座を譲って顧問になった。現在の首相は3代目で、息子のリー・シェンロンだ。

シンガポールは国家運営が成功したため、権威主義的な国の割には、国民に欲求不満のはけ口としての自由を多く与えることができた。だがあまりにも管理が行き届いた社会のため、住民には高級ホテルに住んでいる人のような、退廃的な気取った雰囲気があると言う人もいる。実際、この国はあまりにも退屈なため、国民の多くは子供を作る気がせず、離婚率は世界一高い。

リーははじめ、シンガポールが台湾に次ぐ〝第3の中国〟となることを望まず、英語を国語にして、中国人が中国人であることを許さない国を作った。ほかの国に住む多くの華僑と同様、冷戦時代は共産中国を恐れ、中国も資本主義者であるシンガポールの華僑に疑いの目を向けていた。そのため彼らのほとんどは北京語を話せず、訛りの強い方言のような独特な英語を使う。国際都市国家らしく、軍隊はイスラエルとインドに訓練を依頼し、新たに建設した巨大な港はフィリピンの母港を失ったアメリカ海軍が使用することを念頭においている。そのためこの島国を〝アメリカの浮沈戦艦〟と呼ぶ人もいる。またシンガポールは毎年、東南アジア諸国の軍の高官を招いて防衛会議を主催しているが、中国は招待されていない。

だが、シンガポールのある新聞社のデスクは言う。

「最近では、私たちの内面にある中国人としての意識が自覚されるようになってきています。同じ中国人なんだ、という同胞意識が、大きな衝撃を持って戻ってきているんですよ」

彼がいみじくも言ったように、最近の中国系シンガポール人の中国への関心は高まる一方で、シンガポールを英語と中国語の両方を使うバイリンガルの国にしようと考える人が増え、英語で育った子供を中国に留学させたり、中国を旅行したり中国に投資したりするようになってきている。中国政府も海外に住む華僑に対する態度を軟化させていて、彼らが中国に投資しやすいように法をゆるめ、将来は二重国籍を与えることも視野に入れている（だが中国政府は、それが原因で相手国政府との関係が悪化したり、反中国人感情が高まったりすることのないよう気を配っている）。

中国が今後のアジアを形作っていくという見方に関して言えば、シンガポールだけは例外だ。というのは、シンガポールの華僑はシンガポールを運営しているだけでなく、中国を形作ってもいるからだ。そこで興味深い問いは、はたして中国とシンガポールのどちらのスタイルが成功するだろうか、というものだ。過去20年間に起きた中国の政策の大きな変化を見ると、シンガポールが一定の影響を与えたと考えられるケースがいくつもある。鄧小平は、シンガポールを訪問した後、中国の門戸を開放する決定を下した。その理由は、シンガポールに住む中国人が本土の中国人より優秀ではるかに成功しているのを目の当たりにしたためと言われている。

トインビーは半世紀前にこう書いている。

「シンガポールはイギリス人が作ったが、今では中国人の町である。この町は将来、〝中国人による共栄圏〟の首都になるだろう。そしてそれはきっと長く続くに違いない。なぜなら、それは軍事力によってではなく、ビジネスの能力によって築かれることになるからだ」

この観察は、今では当時よりずっと当たっている。

【訳注】＊4：ロイヤル・ダッチ・シェル＝石油メジャーの一つで、オランダとイギリスの資本による国際企業。シェル石油の名で世界中にガソリンスタンドを展開している。

〈コラム〉インドは本当に台頭するのか

最近のインド洋は、まるで太平洋の西側に突き出た巨大な湾のように見える。その西岸、つまりアフリカ東部、アラビア半島、イランから東アジアに向けて輸出される天然資源は増加の一途をたどり、また逆にそれらの地域は東アジア諸国からの投資と輸出の市場になっている。今や世界の海運の過半数はインド洋と西太平洋をむすぶ地域を東西に行き交い、南アジア（インド、バングラデシュ、パキスタン、スリランカなど）は中国を中心とする東アジアに付随した第三世界になっている。インドの輸出入の半分以上は東アジア諸国との間で行われ、日本、韓国、シンガポールの3国が最大の投資国となっている。

イギリスの統治時代、インドはアラビアからマラッカ海峡に至る広い地域で最も力があったが、その影響力もイギリスの統治が終わるとともに消滅した。北には大山脈地帯、南には大海が広がっているため、インドはそれほど大きな軍隊を持っていないにもかかわらず、外部からの大規模な軍事的脅威を受けることがほとんどない。アメリカはインドの台頭を「西半球以外で初めての多民族・多宗教国家による大規模な民主化」と賞賛して支持しているが、中国に対する防波堤と考えていることは言うまでもない。

だが今のインドは、冷戦時代の非同盟主義（米ソのいずれとも同盟を組まない）と違い、〝多同盟〟主義だ。インドは「わが国とアメリカは民主主義のツインタワー」だと宣言したかと思うと、中国と一緒になって「世界の秩序を再構築するために力を合わせる」という声明を出している。アメリカはインドを味方につけるため、ハイテク産業への投資、原子力発電所の建設、戦闘機の共同生産を含む軍事協力、インド人移民の受け入れ枠を増やす、などを提案している。中国も両国の通商上の共通の立場を強調し、石油の共同開発、ヒマラヤ越えの道路の建設、年間200億ドルにのぼる貿易計画、そしてやはり原子力発電所の建設を持ちかけている。インドのIT企業はソフトを生産するために中国からハードを輸入しているが、中国に業務を委託して操業している最大の外国企業はインド人が所有している。

だが、中国がインドにソフトな態度を取っているのは、アラビア海に到達するためにインドを封じ込めてインド洋を自由に使うという大きな戦略のためだ。かつて英領インドの一部だったビルマは、今ではミャンマーと名を変えて中国の強い影響下にあり、インドが提案した天然ガスの東西パイプラインの案を破棄して中国向けの南北パイプラインを建設することになった。バングラデシュから流入する非合法移民を防ぐためインドが国境にフェンスを築くと、中国はバングラデシュの首都ダッカにモダンな「中国・バングラデシュ友好会議センター」を建てた。そしてインドがバングラデシュの重要な水源であるブラマプトラ川から自国のガンジス川へ水路を作って水を引き込むと脅しをかけると、中国はその川の水源が中国領（正確にはチベット内）にあることを理由に介入した。

また中国はインドの意思に反して、インドが主要メンバーである「南アジア地域協力連合」（＊5）にオブザーバーとして参加したが、中国が大きな影響力を持つことが確実な「東アジア共同体」構想（＊6）におけるインドの影響力は非常に小さい。

「この地域では、インドのことなどだれも気にしませんよ」と、マレーシアの外交官がこっそり打ち明けた。

インドは大きな国だが、重要な国ではない。欧米の企業からの委託業務が急増しているが、ごく一部の人たちが最先端の生活をしているのを除けば、ほぼ完全に第三世界であり、いまだに10億人以上の人たちが貧困のなかに暮らしている。ムンバイ（旧ボンベイ）市だけで国の経済活動の3分の1以上を占め、そこの一部の住民は世界でも最も家賃が高い高級アパートに住んでいるが、1000万人以上が住むスラムもまた世界最大だ。

一部企業が急成長し、億万長者が民間セクターの力強さを見せているが、政府が約束したインフラ整備が計画に追いつくにはまだ20年かかると言われており、民間企業の成長は今後も乱高下が激しいだろう。人口の増加が止まらないため、経済が成長しても帳消しになってしまい、今後もまだ数十年にわたって世界一貧しい大国のままにとどまるだろう。農業は全経済活動の30パーセントを占めるが、7億人の人たちがいまだに雨季の天水に頼る農法をしている。だがインドの地下水は枯渇しつつあり、借金が払えなくて自殺する農民が後を絶たない。

中国には秩序があり、いつか民主主義を実現する日も来るかもしれない。インドはすでに民主主義の国だが、国中が混乱しているため実を結ばない。中国では貿易と国の発展が結びついているが、インドではその結びつきがほとんどない。国土と人口の大きさに比較して、インドの政府はあるかないかわからないほど弱体で、国家予算は人口500万人に満たないノルウェーと同じほどしかない。

中国人は自らの手で国を統一したが、インドはイギリス人によって作られた。しかも、統一国家とは言うものの、しばしばそれは国民の意識の上ではなく、地理的な意味でしかないように見える。中国は民主主義ではないが、ある意味で民主主義のインドよりも自由がある。インドには民主主義や自由があっても、大衆は貧困のためにそれを享受することができない。つまり、インドと中国の違いは、単に経済改革の時代が訪れたかまだ訪れていないかという時間的な違いではなく、国家組織のもっと根本的な能力の違いだ。たとえ将来インドが台頭することがあっても、それは中国のルールに従ってのことになるだろう。

【訳注】＊5：南アジア地域協力連合＝南アジアのインド、パキスタン、バングラデシュ、ネパール、スリランカ、ブータン、モルディブ、アフガニスタンが加盟している。
＊6：東アジア共同体＝EU（ヨーロッパ連合）にならって東アジア諸国の共同体を作ろうという構想。戦前の大東亜共栄圏に似た発想とも言えるが、中国の道具となることが確実なためか、日本は消極的と言われている。

第29章
マレーシアとインドネシア
——中国による大東亜共栄圏

1967年にASEANが結成された頃（*1）、東南アジアはベトナム戦争をはじめとして紛争だらけだった。最初の首脳会談を行う場所にタイのバンコクが選ばれたのは、当時、タイは創設メンバーのなかで紛争に関わっていない唯一の国だったからだ。ASEANはその後も反植民地主義の同盟であり続けたが、この地域では農民に共産主義が根強かったため（当時、タイ国軍の3倍の勢力があった）、アメリカはそれに対抗するために軍事支配を強めた。

米ソ冷戦が終結した1990年代以降は、アジア通貨危機（*2）、インドネシアの大規模な山火事、東ティモールの分離独立、そしてSARS（*3）の発生、と難問が続出した。だが大きな問題が起きるたびに加盟国の協力関係が試され、結びつきが強化されてゆくとともに、地域全体の開発が急速に進んでいった。

今日、総計5億人の人口を持つASEAN諸国間の往来にビザは不要となり、問題が起きた場合の協調介入が基準化されている。加盟国のなかには今でもアメリカと防衛協定を結んでいる国があり、アメリカはそれらの国が中国の軍備拡張の防波堤となる多国間ブロックを形成することを期待している。

だが、ちょうど中南米がアメリカの裏庭であるように、東南アジアは中国の裏庭だ。中国はアメリカの包囲を突き崩すため、ASEAN諸国を一つまた一つと自分の方へ引き寄せ、今やASEAN諸国は加盟国間の結びつきより中国との結びつきのほうが強くなりつつある。

ASEANの元役員だったタイの外交官がこう説明する。

「ASEAN諸国が中国にへつらうのは、中国の機嫌を損ねたくないためだけではないのです。中国は、我々が困った時に見捨てないと約束しています。アメリカは、アジア通貨危機の時に我々をあっさり見捨てましたからね」

こうして〝ASEAN〟という言葉は、今や〝中国の周縁〟と実質的に同義になった。中国にとって、シンガポール、マレーシア、ブルネイは〝豊かなパートナー〟であり、タイ、インドネシア、ベトナムは〝戦略的に重要な資産〟、ミャンマー、カンボジア、ラオス、フィリピンの第三世界の国は〝子分またはお客〟だ。中国は原材料を輸入し、相互防衛協定を結び、外交的に中国側につくこととひき替えに、これらの国により広範な中国市場を与え、貿易で赤字を維持することによってこれらの国に記録的な利益をもたらしている。また、引退したヨーロッパ人が老後を過ごすために北アフリカ沿岸に移住しているのと同じように、引退しつつある中国の団塊世代がマレーシアのペナン島やインドネシアのバリ島に隠居用の不動産を買っており、中国の大東亜共栄圏を広げている。

【訳注】＊1：ASEAN（アセアン）＝現在の加盟国は第28章を参照。
＊2：アジア通貨危機＝第27章を参照。
＊3：SARS（サーズ）＝重症急性呼吸器症候群。2002年に中国で発生し、2003年まで東南アジアをはじめ、多くの国で感染者が続出した。

マレーシア――隣人で友人

シンガポールからマレー半島西岸の国道を北上して行くと、ヤシとゴムのプランテーションを通り過ぎ、産業地帯に入るとまもなくプトラジャヤ市とサイバージャヤ市の標識が見えてくる。これらはともにクアラルンプールの南に開発中の新都市で、プトラジャヤ市はマレーシアの新首都になり、サイバージャヤ市はハイテク産業都市になることが期待されている。

第二次世界大戦後に独立した東南アジアの旧植民地のなかで、マレーシアは物質的な発展の重要性を最もよく理解していた。そのことは、この国の紙幣の図柄に歴史上の指導者などでなく列車や建物が使われていることに象徴的に表れている。

この国の独立時代の指導者たちは、エジプトのように植民地時代のインフラをダメにすることなく、イギリスの統治スタイルを継承して有効的に使った。さらに、シンガポールの繁栄がこの国の目を開かせた。プトラジャヤはかつてプランテーションがあった場所に築かれ、繊維製品をはじめ欧米向けの輸出製品を生産している。マレーシアはイスラム教国で、新都市プトラジャヤのモダンなヨーロッパ調の建築にも、特徴あるイスラム色が強く現れている。この街のイスラム寺院や橋はイランのスタイルに影響されている。

マレーシアの成功の象徴は、なんと言ってもクアラルンプールにあるペトロナス・タワーだろう。ツインタワーとも呼ばれるこの双子ビルは、最近まで世界一の高さを誇っていた。国営石油企業ペトロナスの投資で建てられたこのビルにも、デザインにはイスラム色が強く出ている。

政府の広報担当者が誇らしげに言った。

「私たちは欧米以外で唯一、〝石油の呪い〟(＊4)にやられなかった国です」(#1)

マレーシアの石油ブームは1970年代に始まったが、この国はすべてを石油に頼ることなく、電気製品の組み立て工場を外国から誘致し、林業やゴムの生産も続けている。石油は次の20年で枯渇すると言われているが、それに代わる膨大な天然ガスを埋蔵している。首都圏と地方の格差が大きく、教育制度が弱体のため、なかなか韓国並みのレベルに達することができないが、最近では教育に大型の長期予算を組んで、製造業と知的産業を伸ばす目標をたてている。

【原注】#1：もう一つの例外は小国ブルネイである。
【訳注】＊4：石油の呪い＝〝資源の呪い〟とも言い、石油をはじめとする天然資源に恵まれた国のほとんどが破綻していることをさす。その原因としては、利権を巡って国の指導者たちが争い合うこと、技術革新などの努力をしなくなること、国の運営が天然資源に依存してしまうためほかの産業が育たず、国際市場で輸出資源の価格が急落すると経済が破綻すること、国が放漫経営になりやすく負債が増えること、国営企業や国際企業などの大企業と労働者の2極に分かれてしまい、中産階級が育たないこと、大国の介入を招くこと、役人が腐敗しやすいこと、などが指摘されている。

マハティールの〝アジア型イスラム〟

どの国でもそうだが、指導者によって国は大きく変わる。マレーシアの飛躍的な成長はマハティール・ビン・モハマドが首相になってから始まった。マハティールと彼の補佐官たちは、グローバリゼーションは国が管理しなければ危険であることを悟っていた。１９９７年に先述のアジア通貨危機が起きた時、マハティール政権は自国通貨を守るために強硬策をとった。第二世界のほかの国々のリーダーたちは、それを見てグローバリゼーションには国家による強硬な管理が必要だと思い知り、マレーシアを見習うようになった。

支持者から〝ドクターM〟の愛称で呼ばれたマハティールはイスラム教徒で、イスラムと儒教には互恵の精神や忠誠心など共通する美徳があると説き、アジア的価値観の擁護者として、シンガポールのリー首相に次いで有名だった。イスラム教の宣教師とアラブの商人は13世紀に遥《はる》かフィリピンにまで到達しているが、このようにアラビアから遠く離れた土地まで何世紀もかかって伝わってくる間に、イスラム教もかなり変化している。マハティールとその後継者、アブドゥラ・バダウィ（現首相）は、アラビアから遠く離れた東南アジアのイスラムはアラブのイスラムと同じではなく、地域と民族に合ったものでなければならないことを理解していた。彼らは教義の厳格な押しつけをせず、ペルシャ湾岸のイスラム主義は破壊的であるとして、独自の〝文明的なイスラム〟と呼ばれるものを作り出した。そのためマレーシアのイスラムでは、社会の発展、正しいリーダーシップ、正しいモラル、個人の自由、環境の保護、科学的な教育などが強調され、またアラビアの保守的なイスラムと異なり男女同権が認められている。

マハティールは2003年に首相の座を退き、ペトロナスの会長に就任してから、以前より多少は民主主義に肯定的になったように見える。皮肉にも、今では後継者のバダウィ首相を、野党に十分発言させないといって批判している。しかしマハティールは、この国の微妙な人種的バランスを不安定にする危険を冒してまで、民主主義を実行することに価値があるとはけっして思わなかった。国民の多くも同様に考え、国が豊かになった今でも、以前にも増して権威主義的な政策を支持している。

この国の実用主義的なイスラム教は、イスラム諸国会議機構（*5）における彼らの行動によく表れている。マレーシアは加盟国の関心を教義論争からそらして、貿易や投資などの共通のテーマのほうに向けさせ、イスラム国から貧困をなくすために教義を用いるよう説いている。

マレー人のある学者が語気を強めて言った。

「経済成長を遂げても、マレーシアがさらにイスラム的になることこそあれ、イスラム的でなくなることなどあり得ないのです」

世界中のイスラム教徒の過半数は、アラブ世界ではなくアジアに住んでいる。マレーシアがイスラムを犠牲にすることなく近代化を成し遂げたことは、アラビアで生まれたイスラム原理主義がアジアに勢力を拡大するのを阻止する防波堤になった。

このようにマレーシアはオープンで包容力があるが、政治的には保守的な国だ。この国の成功は政教分離によって成し遂げられた。政治はイスラムの助言を受けるが、それに支配されることはない。大部分のイスラム教徒にとって、イスラム法は憲法より上位にあるが、イスラム教徒でない人たち、つまり中国系やインド系の人たちには、非宗教的な世俗主義の法律が存在している。マレー系の人口は中国系よりはるかに速いスピードで増加しているので、マレーシアが成功を続ける理由をすべて華僑のためだと言うことはできない。

とはいえ、マレー人の間にアラブ的なイスラム主義の影響が浸透し始めているのもまた事実だ。最近、頭にスカーフをかぶるマレー人女性が増えているのが目につく。イスラム警察によるクアラルンプールの有名なナイトクラブの手入れも起きている。

【訳注】 ＊5：イスラム諸国会議機構＝第20章を参照。

多民族が共存する国

マレーシアは、経済成長を基盤に異民族同士が（協調しあうまではいかなくても）許容しあって共存しているよい例だ。この国が多民族国家になったのは、植民地時代にプランテーションや鉱山の労働力として、多くのインド人や中国人がマレー半島に移住したためだ。マハティールの父親はインドのケララ州からの移民で、バダウィ現首相の先祖は父方がアラブ系で母方は中国南部出身だ。独立時に中国系もインド系も市民権を与えられたが、都市に集中する中国系に国が支配されるのを防ぐため、非中国系をまとめる努力がなされ、１９６５年には中国系が支配するシンガポールを追放した。１９６９年にはマレー人と中国系の間で流血の暴動も起きている。今では表立った反目は見られないが、内心では快く思っていないことが容易に感じ取れる。その原因は、中国人が経済を握り、何でも商売としてしか考えないからだとマレー人は考える。

このように表に出ない不和はあるものの、引退したある官僚はこう打ち明ける。

「政府は公式にこんなことは言いませんが、もし中国人がいなかったら、この国はいまだに経済的に第三世界ですよ」

マハティールはマレー人中心主義を強硬に推し進めたが、彼の最も親しいビジネスパートナーはみな中国人だ。中国からの投資を呼ぶために、彼はボルネオに特別経済地域すら作っている。中国との結びつきは年々強まり、主にクアラルンプールに住む華僑はこの国の経済を支配し、人々は中国人を〝アジアのユダヤ人〟と呼ぶ。

だがそれでもこの国は、中国から戦略的な脅威は受けていない。マレーシアは東南アジア諸国のなかで初めて、1974年に中国を承認しているのだ。中国への石油、天然ガス、ヤシ油、エレクトロニクス製品の輸出が急増しており、自分の貿易パートナーである日本とアメリカに中国が追いつこうとするのに手を貸している。それとひきかえに、マレーシア国民は中国で不動産を100パーセント所有することが認められているほか、発電所への投資のような政治的に微妙な投資もできるようになった。さらに、ペトロナスやマレーシアの製材会社は、中国の国営企業がリビアやスーダンやインドネシアで天然資源を強奪する後ろに隠れて参加している。

だがその一方で、マレーシアはアメリカとの強い軍事的結びつきも維持している。アジア主義をかかげたマハティールの反米的な発言は有名だったが、実は現実的なこの強い結びつきがあったからこそ、それも許容されていたのだ。

マレーシアは、イラクやパレスチナの人々を苦しめたとしてアメリカの指導者たちを裁く模擬裁判すら開いている。そしてこの国も、サウジアラビアやリビアやカザフスタンなどのイスラム産油国と同様、すべての大国とつき合う〝多同盟主義〟をマスターしている。そして韓国やオーストラリアやタイやインドと同様、中国の気分を害することは何もしない一方で、アメリカには味方であると静かに告げ、しっかり中立を維持している。

インドネシア——天然資源の宝庫

火山の噴火、地震、津波、伝染病、通貨危機、民族間の衝突……インドネシアは常に天災と人災に襲われてきた。そして、そのすべてになすすべがないこの国は、常に崩壊する危険をはらんでいる。国家として存在すること自体に大きな困難がつきまとうこの国が、将来も現在の形のまま生き残れるかどうかは未知数だ。

第二次世界大戦でこの国を占領した大日本帝国は、オランダによって投獄されていた反植民地運動のリーダー、スカルノを解放した。スカルノは戦後もオランダに対する独立闘争を続け、インドネシアは1949年にようやく独立を勝ち取る。だが、国際社会から認められて法的に独立国になっても、東西5000キロにわたって広がる1万4000以上の島からなるこの国を統治するのは、独裁政権であろうが民主主義であろうが現実的に不可能だ。

軍部が経営する国

この国の軍部と政府が一体であることは、ジャカルタにある武装された省庁ビルを見ればよくわかる。この国は、いわば植民地から解放された後、自分たちで自分の国を植民地にしたようなものだ。

１９６８年にスカルノに代わって大統領に就任したスハルト陸将は〝新秩序〟の名のもとに国の主権より身内の利益を追求し、軍部が支配する独占企業の重要ポストに自分の子供たちを就かせ、30年にわたって独裁を続けた。インドネシアの国家予算のうち税収によってまかなわれているのはわずか12パーセントにすぎず、軍部が運営する１５００社ともいわれる営利目的の会社が、半自治権の与えられた広大な地域で法律の規制を受けずに事業を行っている。

タイでは軍事政権がある程度の近代化と強固な国の建設の両方を行うことができたが、インドネシアの軍部ははじめから経済を握ることだけに心を奪われ、安定した文民政府を作ることなど頭になかった。だがこの国の軍部は不動産や林業から鉱山に至るあらゆる産業を支配しているので、政権からはずすことは事実上不可能だ。

広大な地理的広がりと、２億４０００万人にのぼる世界第4位の人口を抱えるインドネシアでは、各地で事業展開する外国企業がそれぞれの地域を事実上所有しているようなものだ。なかでも石油企業が国と結びついている地域では、行政も比較的うまくいっているように見える。

ボルネオ東岸にある東カリマンタン州の首府サマリンダの郊外には、国際石油企業の社員のための近代的な住宅街が広がっている。しかし中心部から離れるにしたがい、自然破壊と少数民族の抑圧がひどくなる。ニューギニア島のパプア州では鉱山会社と軍が結託して乱開発を行い、川が大量の廃棄物で汚染され、深刻な人権の侵害が起きている。

インドネシア政府は地方の自治要求運動を弱体化させるために、各地の選挙区を都合良く変更し、一方で軍部は事業を行うために土地の住民の分断支配（＊6）を続けている。そして資源の支配権が軍の元将校たちに分配され、彼らとつながりのある中国人、マレーシア人、アメリカ人、そしてインドネシア軍が所有する会社が、森の乱伐や魚介類の乱獲を進めている。

だが、中央が地方を犠牲にして経済的利益を得ようとすれば、当然の成り行きとして、地方は中央から脱退して分離独立を望むようになる。1999年には東ティモールがインドネシア支配から独立し（承認は2002年）、スマトラ北部のアチェ州やニューギニア島のパプア州でも自治の要求が高まり、さらに二つの島を領有する法的正当性をマレーシアと争って敗れたことなどは、この国が将来にわたって今の形のまま存続できないかもしれないことを示している。

実際、インドネシアの主だった島は経済的、民族的、宗教的に異なる方向に向かって分裂しつつある。スマトラ、ボルネオの西カリマンタン州、ジャワ島西部は、繁栄するマレーシアの影響圏に引き寄せられ、住民がキリスト教徒のスラウェシ島（旧称セレベス島）はやはりキリスト教国のフィリピンに、そして統治が崩壊しているパプア州など東部の州は、住民が同じメラネシア系のパプアニューギニアとともに実質的にオーストラリアに管理されるようになるかもしれない。シンガポールは目と鼻の先にあるインドネシア領ビンタン島をすでに実質的に所有しているも同然で、自然の残る砂浜をリゾートとして運営し、山の土を削って自国の埋め立てに使っている。

このように、一時は成功しかかったインドネシアだが、発展するチャンスを1960年代に逃し、今や再び経済が悪化してますます貧しく、ますます不安定になっている。1997年の通貨危機がきっかけでスハルト独裁政権は崩壊したが、それ以来、国全体が機能しなくなったまま回復していない。

【訳注】＊6：分断支配＝序章を参照。

台頭するイスラム原理主義

この国では昔からキリスト教徒、仏教徒、ヒンドゥー教徒、イスラム教徒が共存してきた。古代のジャワ、タイ、マラヤ、カンボジアの宗教はインドから伝わったものだ。かつて「インドネシア人を引っ掻《か》けば、中からヒンドゥー教が出てくる」と言われたという。インドネシアの国営ガルーダ航空の名は、ヒンドゥー教の神であるヴィシュヌ神の乗り物だった神鳥ガルダからきている。

しかし現在のインドネシアでは、多様な価値観や伝統的文化を駆逐するかのように、アラブ的なイスラム原理主義が台頭している。国家としての統一性の弱さのため、世界的に広がりつつあるアラブのイスラム過激派に心の基盤を置く人たちが増えているのだ。

マレーシアが現代的な〝アジア的なイスラム〟を作り出し、ムスリム資本の投資や観光客や留学生を受け入れているのとは対照的に、インドネシアでは外部から過激派が流入して国内の過激派と結びつき、〝ジハード列島〟になりつつある。アラブ人の若いイスラム主義者がインドネシアやタイに散らばり、教育や仕事がなくて影響されやすい貧しい若者をリクルートして、フィリピンのアブ・サヤフやモロ解放戦線などの武装勢力の兵士に仕立て上げている。スラウェシ島ではキリスト教徒との衝突も起きている。

インドネシアのアナリストはこう言っている。

「マレーシアのイスラム過激派が爆弾作りに協力し、タイ人とフィリピン人の仲間が運び、インドネシア人が自爆攻撃を実行する」

インドネシアにはイスラム法を学ぶための〝プサントレン〟と呼ばれる寄宿学校やイスラム寺院が1万4000ヵ所近くあり、中東のイスラム主義集団から資金の提供を受けている。プサントレンはパキスタンのマドラサ(*7)に似たイスラム法学校で、学生たちはアラビア語のままコーランを読むことを教えられ、暗誦させられる。

上から下まで腐敗している国では、貧困に押しやられたイスラム教徒の大衆は草の根のように下から広がるイスラム運動に希望を見いだし、ジハードが生きる意味と栄光を与えてくれる。元イスラム学者だった政治家は言う。

「イスラム主義者のネットワークは、本来政府が与えるべきものを大衆に与えているのです」

エジプトのムスリム同胞団（＊8）やトルコの〝公正発展党〟（＊9）と同様、インドネシアのイスラム主義者は質素な生活を営み、腐敗撲滅《ぼくめつ》をキャンペーンの旗印にしている。だが精神的な堕落を防ぐのはよいとしても、イスラムの厳格すぎる倫理観が押しつけられれば、公共の場で男女が手をつなぐことすら禁じられてしまう。ポルノ追放のあおりを受けて女性がへそを出す服を着ることが禁止されれば、インドネシアの伝統的な民族舞踏ができなくなってしまう。もしこのようなイスラム法が徹底され続ければ、インドネシアでリベラルな場所はヒンドゥー教徒の島であるバリ島だけになってしまうだろう。しかしそのバリ島でも2002年と2005年の2回にわたり、ディスコとレストランが大規模な爆弾テロに見舞われた。

だがこの国の民主勢力はあまりに弱く、経済的に余裕のある人たちは外国で教育を受けてシンガポールの企業に就職し、エアコンのきいたジャカルタの高級住宅街に住んで、インドネシア人ではないような暮らしをしている。したがって、残っている穏健な勢力は穏健派のイスラム主義者しかない。インドネシアは世界最大のイスラム人口を持ち、世界のイスラム組織の中で最大のものと二番目に大きなものはともにインドネシアにある。これらの組織は世俗主義の国家を標榜しており、今日のインドネシアで、イスラム過激派に対抗できる最も信頼できる勢力なのだ。

政府の仕事をしているイスラム教徒の男性が眉をひそめて言った。

「貧しい農民たちは、昔はみな共産主義に惹かれたものです。今ではそれがイスラム過激派になったわけですよ。過激派のイスラム主義は、我々の伝統的な宗教であるイスラムとはまったく違う宗教です」

国のアイデンティティーが次第に薄れていくなかで、この国の民主主義はますます存在する場所がなくなっている。1998年にスハルトが失脚して以来、腐敗、富の不均衡、民族と宗教の分裂、分離主義者による暴力事件のすべてが増加している。それ以来、この国の政治は漂流を続け、二人の大統領が短命政権をつないだ後、スカルノの娘メガワティ・スカルノが大統領になったが漂流は止まらなかった。

イスラム政党が勢力を増せば、それ以外の政党は恐怖を感じるが、もし民主主義を推し進めれば、多くの州が完全自治を要求し始めることが目に見えている。国の主流派はシンガポールのリーやマレーシアのマハティールのような強いリーダーを望むが、そのような人物が現れそうな気配はなく、この国はこのまま分裂を続けてゆきそうだ。この国で将来も実質的にインドネシアであり続けるのは、首都ジャカルタがあって人口の70パーセントが住むジャワ島だけかもしれない。

【訳注】＊7：マドラサ＝第13章を参照。
＊8：ムスリム同胞団＝第22章を参照。
＊9：公正発展党＝トルコは政教分離を基本にすえているが、2007年の選挙で圧勝した公正発展党は中道右派・イスラム政党と見られている。エルドアン首相もこの党に所属している。第5章を参照。

中国との微妙な関係

しかしそのジャカルタも、今後とも引き続き機能していくためには、中国という新しい植民地主義者の力に頼らねばならない。

インドネシアと中国の関係は古代まで遡《さかのぼ》るが、本格的な関わり合いが始まったのは、オランダの植民地時代に大量の中国人労働者がサトウキビのプランテーションで働くためにやって来てからだ。

そのような形で大量に移住した中国人に対して、インドネシア人は初めから強い反感を持っていた。中国人は反中国人感情を和らげるため、政治家に賄賂《わいろ》を使って会社を興し、インドネシア人を表向きの経営陣に据えて、自分たちは目立たないように裏で実際の経営を行うようになった（#2）。

1965年にスカルノを退陣させたクーデターは、実際には中国人排斥運動だったのだ。その理由は、スカルノは共産圏とつながりがあり、当時の共産中国がインドネシア共産党に武器を供給していたからだ（*10）。この時期の騒乱で50万人の中国人が追放されて本土に戻ったが、その多くはインドネシアで生まれて中国の土を踏んだことのない世代だった。こうして中国人の人口が減ったため、現在インドネシア経済の70パーセントを支配する華僑の人口はごくわずかだ。もしこの国が昔から民主主義だったなら、これらの中国人はすべて消滅していただろう。

だが、スカルノ失脚の後に実権を握ったスハルトは、自分の利益のために中国人との居心地の良い関係を保った。今日のジャカルタの印象的なビル群を作ったのは、優れたビジネス感覚を持つ中国系の銀行だ。その光景はシンガポールとよく似ている。1998年に起きた暴動ではチャイナタウンが焼き討ちされて消滅し、数千人の中国人が殺されたが、この時も中国系銀行のネットワークが華僑の商売を救った。その後、彼らは安全のために多額の資金をジャカルタからシンガポールに移したが、それでもなお、もしここに華僑の資金がなければ今でもインドネシアは完璧に第三世界だ。

こういった歴史的ないきさつを知れば、たとえインドネシア国籍を持っていても、この国に住む華僑が昔からインドネシアより中国のほうに忠実なのも納得できるだろう。1998年の暴動の後、中国政府はインドネシア政府に華僑の保護を強く要求した。だがジャカルタのチャイナタウンは焼け落ちてしまってもう存在しないので、中国人はかつてなかったほど広範囲にインドネシア人と混ざり合って暮らすようになった。華僑の若い世代は古い世代よりずっと質素で、富を見せつけることがない。かつてはパスポートに中国系であることを記さなくてはならなかったが、今はその規則もなくなった。今では華僑の人口は8パーセントにまで回復し、この国の少数民族のなかで4番目に大きな人口を持つようになった。中国の経済的・文化的な重要性に目覚めるインドネシア人も増え、今では中国に留学する学生の数はアメリカに留学する学生より多くなった。

インドネシアは徐々に、中国のアメリカに対する緩衝地帯になりつつある。その役割は、ちょうど第二次世界大戦中に日本がこの列島に持たせようとしたものと同じだ。この国の軍政府による人権の抑圧はいっこうにおさまらないが、それを理由に米軍が軍事協力を一時的に中断したところ、その隙をついてたちまち中国が軍事協定をもちかけ、中国海軍はこの列島まで行動範囲を広げることになった。

マラッカ海峡の主な利用者は日本と中国の船だ。世界中で運搬されている石油の約半分と、その他の海上輸送の3分の1がここを通過する。この海峡を海賊やその他のテロリズムから守るため、シンガポールとインドネシアとマレーシアの3国は、アメリカによるパトロール強化の提案を少しずつ排除しつつ、日本製の高性能ナビゲーション機器を装備した警備艇を使って自分たちでパトロールを始めた。この3国共同による海上警備機構の本部はクアラルンプールに置かれ、アメリカは一切関わっていない。

ジャカルタの豪華ホテルで、インドネシアの外交官と朝食を共にする機会があった。彼は私的な話としてこう打ち明けた。

「2004年の津波の時には、アメリカから慈悲深い迅速な援助をしてもらい、私たちはとても感謝しています。しかしアメリカの善意は短期的でした。援助はその時だけのことです。わが国の国民は、アメリカの長期政策を反イスラムと受け取っています」

中国はまた、この国への投資額の規模でアメリカと入れ替わりつつある。石油、天然ガス、石炭その他の鉱山、林業などに、次の数十年間に300億ドルを注ぎ込む計画だ。極東ロシアと同様、中国企業はボルネオ島の熱帯雨林を徹底的に乱伐しており、すでにその半分が失われたともいわれる。だが、やはり熱帯雨林が減少しているアマゾンを抱えるブラジルと違い、ここでは環境問題に対する意識が低く、規制は進んでいない。アメリカ、EU、日本、オーストラリアの先進国は農業に投資し、平和的なイスラム組織を支援し、国家警察を訓練し、彼らの国の企業がインドネシア人の従業員に妥当な賃金を支払って医療保険を与えるよう指導している。しかしそれでもなお、この国が安定した列島であり続け、中国の影響下にある切れ切れになったベルトにならないようにするには十分ではないかもしれない。

【原注】#2：トインビーは著書『東から西へ』のなかで、中国系以外のインドネシア人が自分の感覚で経済を動かすことができない様子を次のように書いている。「中国人の店員はけっして後ろに引き下がらず、必ず前に出てくる。……中略……彼らはけっして大きな態度でからいばりすることがない。彼らはいつも身構えていて、チャイナタウンの鉄のシャッターや鉄格子の後ろで暮らしている。チャイナタウンは、西洋のキリスト教国でいえばゲットーに相当する。彼らは、経済活動の力で彼らにかなわない東南アジアの人々が怒り狂って仕返しに来るのではないかと常に恐れている。彼らは地元の人たちのために働いているが、また同時に搾取しているからだ。……中略……大虐殺をしようが差別的な法律を制定しようが、この物静かで途切れることのない中国人の洪水のような流れを止めることはできない。……中略……ヨーロッパ人の帝国建設者も、日本人の征服者も、東南アジアの民族主義者も、みな自分たちが働くことが、じわじわと巧みに入り込んでくる中国人のさらなる利益のためになるとは知らずに働いてきた……」

【訳注】＊10：1965年のクーデター＝当時はベトナム戦争が本格化する直前で、ドミノ理論（1国が共産化すると、ドミノ倒しのように隣国が次々と共産化していくという理論）をとるアメリカは、共産主義者が攻勢をかけているベトナムのすぐそばに、すでに社会主義の国であるインドネシアがあることは危険だと考えた。そこでスカルノを失脚させて傀儡軍事政権を作ることが計画されたと言われている。それで天然資源の宝庫であるインドネシアを手に入れれば一石二鳥だった。

第30章 インドシナ——東南アジアの三角地帯

ミャンマー——今や中国の一地方

この国の名をビルマからミャンマーと変えたのは軍事政権だ。それ以来、この国は20年にわたって国際社会から取り残され、いまだに時代遅れの未開発国のままだ。

だが、ベンガル湾に臨むその地理的な位置は、マラッカ海峡を通らずにインド洋に出たい中国にとって非常に重要だ。1988年に全権を掌握した軍部は、かつてイギリスと日本が作った植民地の秩序を、世界で一つしかない軍事政権による仏教国に作り変えた。彼らは2007年に、〝王朝〟を確立するためとして首都を海沿いのヤンゴン（旧称ラングーン）から内陸のネピドーに移したが、その馬鹿げた経済政策のために国民は苦しむばかりだ。支配者たちは〝外部からの脅威〟を国民に喧伝して支配を続けているが、この国の自治に対する主な脅威は中国から来ており、それを最も歓迎しているのが軍事政権だ。

この国が国際社会から孤立しているために中国の〝依存国〟となっている姿は、ウズベキスタンやスーダンとよく似ている。軍事政権の現金収入は麻薬の生産と密輸で、彼らはそのカネで中国から武器を買っている。だが彼らがその見返りに中国から得ているのは、外交的な支持ばかりでない。中国人そのものだ。１９５９年にトインビーはビルマについて、「（人があふれている）中国のすぐ隣に、人が住んでいない広い土地があるということは、人で満たしてくださいと頼んでいるようなものだ」と書いている。

中国からどれくらいの人間が移住しているかについては数える方法がないが、中国人は確実にこの国の少数民族を形成している。北部では現地人と結婚したり土地を取得したりすることによってすべての村に中国人がたくさん住んでおり、看板や標識がみな中国語で書かれている。中部の町マンダレーでは中国の企業が豪華なホテルを建設したが、その目的は門戸を開いて海外からの客に泊まってもらおうというのではない。このホテルは年々増え続ける中国からの訪問者のためのものなのだ。

一部の中国人はすでにこの国を〝南雲南省《うんなん》〟と呼んでいる。雲南省とはミャンマーと国境を接する中国内陸部の省で、中国の奥地はこの雲南省のようにいまだ第三世界のレベルにある。そこでそれを今後開発していくために、陸続きのミャンマーが戦略的に重要な意味を持ってくる。この戦略に基づき、中国はミャンマーを実質的に経済的に併合しているのだ。

中国はミャンマーのほとんどの木材を買い占めることで森林を強奪している。貴石類の鉱床も同様だ。さらにこの国の天然ガスを次の30年間に１８００億立方メートル買い取る計画で、そのほとんどはパイプラインで雲南省に送られる予定になっている。今やミャンマーは実質的に中国の一地方とほとんど変わらない。

ミャンマーはＡＳＥＡＮ加盟国だが、ミャンマーの人権抑圧をやめさせようとするＡＳＥＡＮの圧力も、ＥＵやアメリカの経済制裁も、中国はまるで意に介していない。だが中国は将来、反動を受ける可能性もある。もし中国がミャンマーの利益になることをもっとしなければ、反中国人感情が高まって、今は恩恵を受けている軍事政権ですら、中国を金づるでなく脅威と見なすようになることもあり得るだろう。

麻薬と病気は常にペアになってやって来る。ミャンマー東部からラオスにかけての〝黄金《ゴールデン》の三角地帯《トライアングル》〟と呼ばれる地域では、今でも麻薬や覚醒剤の密造が止まず、麻薬中毒とエイズを周辺諸国に広めている。エイズ感染率が最も高いのはタイ、カンボジア、ミャンマーだが、性産業に従事する女性を中国やその他の諸外国に送り出しているのもこれらの国々だ。密輸組織にとって最も収益率が高い商品は、麻薬と性産業に従事する女性なのだ。

だが、中国政府はミャンマーとの長い国境をコントロールすることが、もはやできなくなっている。さらに、かつてこの地域の内戦の時に中国が流した機関銃や手榴弾などの小火器類が犯罪組織や反政府組織の手に渡っており、それが将来、中国内に逆流してくる可能性もある。

南アジアと東南アジアを流れる主要な川の水源はみな中国の山岳地帯（正確に言えばチベット）にある。中国はタイ、ミャンマー、ラオス、カンボジア、ベトナムの2億人以上の生活を支えるメコン川の上流に水力発電ダムをいくつも作り、またこの川を使って下流域の国々に物資を輸出している。中国のダムは下流域の水位を下げ、人々の生活に大きな影響を与えているが、中国はこれらの国からの批判を受けつけようとしない。ラオスは小さなダムと水力発電所を作って電力をタイに売っている。ミャンマーのようなインドシナ半島の第三世界の国にとって、中国の下流に位置していることは生活をあまり楽にしないようだ。

タイ――北に向かって微笑む

第二世界の国においては、大国の支配を防ぐためだけでなく、大国から利益を引き出すためにも外交能力が必要となる。タイ王国は、何世紀にもわたってヨーロッパ列強の植民地にされずに生き延びた経験からその能力を身につけた。

トインビーによれば、第二次世界大戦中のタイは、イギリスが支配したインドやビルマと、フランスが支配したベトナムとの間にはさまれていた地理的な幸運のお陰で、両者の緩衝地帯となり、破壊から救われたという。〝微笑みの国〟と呼ばれるこの国を救ってきたのは、歴史的に王室、上流階級、軍部がそろってすべての相手に微笑み、〝強風には逆らわず柳のようになびく〟能力があったためだ。

1949年に共産中国が誕生すると、中国を恐れるタイはアメリカから巨額の軍事援助を受け取り、1960年代にはベトナム戦争のために基地を提供した。だがベトナム戦争が終わってアメリカ軍がいなくなるや、ベトナムを恐れるタイはただちに1975年に中国との関係を正常化し、旧北ベトナムが統一した新生ベトナムを封じ込めたい中国（＊1）と同盟を結んだ。その見返りに、石油ショックで石油価格が急上昇していた当時、中国はタイに〝お友達価格〟で石油を提供した。

タイとアメリカの友好関係は200年前にまで遡《さかのぼ》る。南北戦争時代、タイの国王ラマ4世は、南北戦争に役立ててもらおうとリンカーンに象を贈ることを提案している。現在、バンコクにあるアメリカ大使館は、世界のアメリカ大使館の中でバグダッドの大使館に次いで2番目に大きい。だがタイは、1994年にはすでに、6隻の海軍艦船をタイの港に配備したいというアメリカの要望を断っている。タイのその決定は、マレーシアとインドネシアが支援していた。

またタイは、1997年のアジア通貨危機の時に、アメリカがそのわずか3年前にはメキシコの通貨危機を救ったにもかかわらず、何もせずに放置したことに深く侮辱されたと感じた。その時アメリカが示した理由は、「タイはアメリカと国境を接していないから」というものだったのだ。それに続く金融危機では、欧米の企業は資産の売却を強要し、タイ経済が崩壊していくなかで底値で買いあさった。だが中国はそれと対照的にただちに関税を引き下げ、慈悲深さを強く印象づけた。

それから10年、タイの中国との貿易額はアメリカとの貿易額に追いつきつつあり、タイを訪れる中国人観光客の数はアメリカ人観光客の数をしのいでいる。また、中国からラオスを通ってタイに通じる大動脈となる道路ができたため、中国とタイは直接つながり、今やタイは中国が製品を迂回輸出するための重要な国になった。

さらに中国は、タイの地形すら変える野心的なプロジェクトを計画している。マレー半島を南に延びるタイの領土の、幅が最も狭い部分であるクラ地峡と呼ばれるところに運河を建設し、東岸と西岸を結ぼうという計画だ。これができればマラッカ海峡を通らずに南シナ海からインド洋に抜けることができ、タイの港は戦略的に重要になる。

だがこの運河は現在のシンガポールの地位を脅《おびや》かすことになるので、当然、シンガポールは猛然と反対しているが、マレーシア西岸のペナン島（＊2）やランカウイ島（＊3）は繁栄することになる。問題は、マレー半島ではイスラム武装勢力の力が強いことで、もし彼らがいなければこの計画はすでに始まっていたかもしれない。この運河ができると、タイ南部の三つの小さな県が切り離されてしまうことになる。

タイと中国は単に地理的、経済的だけでなく、文化的、心理的にも深く関わり合っている。インドネシアやマレーシアやシンガポールと同様、タイでも華僑は都市の商業の中心だが、タイはほかの国と違って華僑を受け入れて同化させている。

19世紀以来、華僑は金融機関を動かす中心で、タイ軍部はこれを保護してきた。１８５０年までに華僑はバンコクの人口の半分を占めるようになり、彼らはタイ王室に従順に従っただけでなく、姻戚関係も結ぶようになる。西洋人がタイ企業を支配していた時代でさえ、ビジネスを動かしたのはタイの文化や風習をよく知る中国人だった。

今日、華僑はタイの米、材木、スズの重要な輸出を握り、タイ人と中国人はビジネスで強く団結している。中世のタイ王室が中国皇帝に貢ぎ物をしたように、今日のタイ王室の人たちはしょっちゅう北京を訪問している。元首相のタクシン・チナワットもしばしば北京を訪れているが、タクシン自身、華僑で、中国人の先祖を持つことを誇りにしていると公言している。そのタクシン政権は2006年のクーデターで倒されたが、中国は意に介することなく、その後も武器の輸出とタイ軍への協力関係は増加している。タイは以前にも増して北に向かって微笑んでいる。

【訳注】＊1：ベトナムを封じ込めたい中国＝ベトナム戦争の初期には、中国は北ベトナムに兵器を供給するなどの支援もしたが、北ベトナムはソ連と強固な同盟関係にあったため、中ソ対立が深まるとともに、中国はソ連から北ベトナムへ軍事物資を運ぶ列車を止めるなどして妨害した。ベトナム戦争が終わると中国はカンボジアの悪名高きポル・ポト政権を支援し、ソ連に支援されたベトナムは1978年にカンボジアに侵攻してポル・ポトを倒した。ベトナムの強さを知っている中国は、ベトナムが強大になることを望まない。

＊2：ペナン島＝マラッカ海峡にある島。

＊3：ランカウイ島＝マレーシア西岸北部の、タイとの国境近くにある島。税金のかからない自由貿易地区で、リゾートとして発展している。

ベトナム――新たな綱引き

15世紀から1979年の国境地帯での激しい軍事衝突に至るまで、ベトナムは中国が侵略を試みて征服できなかった唯一の国だ。だがソ連というパトロンを失ったベトナムは、中国との関係改善をはかる以外に道がなくなった。

ハノイで会ったベトナム人政治アナリストが要約する。

「ベトナムは今でも強固な反植民地主義ですが、反資本主義ということではけっしてありません」

ほとんどのベトナム人は、今彼らに起きているグローバリゼーションが、この国だけでなく世界中で起きていることを知らないが、彼らはグローバリゼーションを利用するのに第三世界の国の中で最も有利な立場にいると考えている。

香港在住の中国系アメリカ人の金融アナリストが言う。

「目端の利く連中はベトナムに投資していますよ。共産主義政権で、農業も工業もあるところは小さな中国のようなものです。ベトナム人は優秀なので、じきにタイやインドネシアを抜きますよ」

中国沿岸地帯での製造コストが上昇しているため、最近では日本や中国の製造業がつぎつぎとベトナムに大型の投資を行って工場を建て、新型のトラクターを輸入して米やコーヒーを増産して輸出している。そのため国民一人当たりの収入も急速に上昇し、世界で最も経済成長率が高い国の一つとなったベトナムは、今やかつての宗主国フランスよりたくさんのセメントを消費している。長大な海岸線を持ち、水深の深い港がたくさんあるため、将来は地域ごとの輸出産業を育てやすいと考えられる。

また、アメリカのカリフォルニアにはベトナム戦争以降に移民したベトナム人とその子孫がたくさんいて、その多くが今のベトナムの産業育成に積極的に関わっている。この国でもベトナム戦争を知らない若い世代が増えつつあり、彼らは生まれる前にここであった戦争を〝アメリカ戦争〟と呼ぶ。

ベトナムの政権は、明らかに中国の「政治は一党独裁による中央集権、経済は開放政策」を好んでいるが、それがもたらす結果、つまり富の不均衡、腐敗、政治の透明性や自由への要求などが高まることなどについては警戒している。

だがこのように中国と多くの共通性を持つベトナムだが、中国を中心にした秩序に吸収される意思は毛頭なく、最近では皮肉にもアメリカに接近している。アメリカはベトナム戦争終了後25年を機に関係回復を進め、今では軍需産業が兵器や人工衛星を売り、民間からも多くの企業が進出している。最近ではインテル社がコンピューターチップの生産を始めた。米軍関係者も招かれて再びベトナムの土を踏んでいる。

一方、ベトナム沖の南シナ海では、中国による他国への侵入と微笑み外交の両方がよく見える。南沙諸島と西沙諸島の周辺の海底には石油・天然ガスが眠っていると言われ、あちこちで中国、ベトナム、マレーシア、インドネシア、台湾、フィリピンの各国が領有権を主張して争ってきた。だが南沙諸島の30年にわたる争いの後、中国は南シナ海の波を荒立てるよりは静めたほうが得策と気づいた。

ある政治アナリストが説明する。

「中国は、強引に島を占領することはできないとわかっています。島そのものに価値はないのですから、上陸して国旗を立てる競争をしても意味がないわけですよ。それより、調停者となってみんなから信頼され、この海域を自由に使えるようになったほうが得でしょう。どのみちこの海を最もたくさん使うのは中国なのですから」

こうして中国は、この海域をめぐる争いを平和的に解決するためのASEANの行動規約に署名し、ベトナムやフィリピンと共同開発を始めた。中国はこのプロジェクトに一番たくさん出資することを約束している。中国はベトナムとその隣接する海域を征服したことは一度もないが、征服せずに欲しいものを手に入れる方法を学びつつある。

カンボジアとラオス

タイとベトナムにはさまれたカンボジアとラオスは、インドシナ半島の第三世界だ。欧米はこの2

国に対して細々とした支援と、それにともなう民主化の要求を行ってきたが、今では条件をつけない中国の援助がそれに取って代わった。

一筋縄ではいかないこれらの国の政権は、条件をつけない中国の援助を歓迎し、アメリカは軍の改革や反テロ作戦など、彼らにとってどうでもよいことに注文をつけてばかりいると思われている。中国人がカンボジア軍部と共謀してカンボジアの熱帯雨林を乱伐しているため、カンボジアでは大量の農地が失われ、土地が侵食され、水質が悪化し、食料危機が起きる可能性が指摘されている。しかしまた同時に、中国から携帯電話などの安い消費財が大量に入ってきているので、多くの人が中流階級のような暮らしができるようになった。

「中国の戦略は、経済的な結びつきを強めることによって、これらの国の政権がどう変わろうと影響力を維持できるようにすることです」

と言うのはバンコクに住むアナリストだ。

「だれが政権を取ろうが、中国にとってはどうでもよいことです。中国はその政権とビジネスをするだけですよ」

〈コラム〉オセアニア

オセアニアは中国にとって、インドネシアとフィリピンの外側に広がる外輪だ。天然資源の獲得だけではなく、近い将来ブルーウォーター・ネイビー（＊4）を展開させたい中国にとって、これらの島々と友好的な関係を築くことは重要だ。中国はこれらの小さな島国を武力で征服する必要はまったくない。カネで買い取ればよいのだ。これらの島国に外国からの投資を制限する法律があっても、中国の国営企業にとっては問題ではない。彼らはむしろ、鉱山の試掘、道路などのインフラ建設、車両の購入などに必要な資金を融資することでコントロールすることを望む。

中国はパプアニューギニアで熱帯雨林の乱伐を劇的なスピードで進めており、このままのペースが続けば2030年までにほとんど消滅してしまうと危惧《きぐ》されている。実際に伐採しているのが中国企業であろうが現地の会社であろうが、どのみちほとんどの木材は中国に運ばれている。

中国がターゲットにしているのは、第二次世界大戦中に日本が進駐したのと同じ島々で、メラネシア（パプアニューギニアとソロモン諸島。ともにオーストラリアと結びつきが強い）、ポリネシア（歴史的にニュージーランドと結びつきが強い）、ミクロネシア（アメリカと同盟関係にある）だ。中国はこれらの島国に対する援助額でも日本を追い抜いた。さらに中国は宇宙開発計画の一環として、キリバス共和国（＊5）の島に衛星追跡レーダー施設を建設した。

はたしてアメリカは、今後どれくらい太平洋を支配し続けることができるだろうか？

【訳注】＊4：ブルーウォーター・ネイビー＝自国の近海だけでなく、遠洋航海を行って外洋で作戦が遂行できる艦隊のこと。

＊5：キリバス共和国＝ミクロネシアからポリネシアにまたがる広大な海域に散在する隆起珊瑚礁の島国で、ギルバート諸島、フェニックス諸島、ライン諸島などがある。

第31章 大きさこそすべて

――中国帝国の実力

中国とアメリカは国土の大きさも緯度もほぼ同じで、ともに東岸の中部から南部にかけては台風（アメリカではハリケーン）や洪水に見舞われることが多く、北西部は雪が深く、西部には月面のような荒涼とした砂漠や荒野や山が続くなど、土地の形状も特徴がよく似ている。

だが中国はＥＵの３倍、アメリカの４倍半の人口を持ち、第三世界的な封建制度に第一世界的なエリート集団が結びついている点が大きく異なる。中国を地理的に分けて眺めれば、香港と上海がある南東地方に富の60パーセントが集中し、都市はアメリカやＥＵとほぼ同じくらい発達している。

北京を含む華北や東北地方も今では第三世界的な状態から抜けだし、工業化とインフラの建設が急速に進んでいる。内陸の中央部と、新疆《しんきょう》とチベットを含む西部は今でも広大な第三世界で、ここに眠る天然資源と７億人の貧しい農民がこの帝国を養っている。これに海外に住む５５００万人の華僑を加えたものが、第二世界の超大国となった今の中国を構成している。

数千年にわたる中国の歴史は、この広大な土地を一つの政権のもとにまとめようとする努力の連続だった。19世紀半ばに阿片戦争に破れてイギリスから屈辱的な不平等条約や治外法権を押しつけられ、第一次世界大戦後のベルサイユ条約ではドイツが植民地にしていた地域を日本に譲渡された。このようないきさつから、昔からの専制政治主義に愛国主義が加わり、中国が強い反西欧感情を持つようになったのはごく自然の成り行きだった。アメリカは中国を植民地にはしなかったが（当時のアメリカ国務省には極東を扱う部局すらなかった）、ヨーロッパの列強が中国でつぎつぎと商業利権を拡大させているのを見て、ヨーロッパに負けてはいられないとばかりに、その権利はすべての国に平等にあると主張して〝門戸開放政策〟（＊1）を唱えるようになった。

中国共産党は1921年に上海で結成されたとされている。その後、毛沢東が率いた共産軍は山村や農村を拠点に活動を続けて次第に力をつけ、第二次世界大戦後、国共内戦（＊2）に勝利する。毛沢東は次の有名な言葉を残したと言われている。

「革命は晩餐会でもなければ文学的な修辞でもない。絵でもなければきれいな刺しゅうでもない。それをそっと、少しずつ、注意深く、思いやり深く、ていねいに、礼儀正しく、地味に、控えめに行うことはできない」（＊3）

毛沢東は〝近代化〟と〝世界革命の勝利〟の名のもとに、当時の中国の3億人の国民をすべて犠牲にする用意があった。事実、1950年代末から始まった大躍進政策（＊4）の失敗と1960年代末の文化大革命（＊5）の混乱と内部の粛正で、餓死や過労死を含めれば7000万人が死亡したと言われている。この数は、ヒットラーとスターリンに殺された人の数を合計したよりはるかに大きい。この混乱から抜け出すため、1970年代に入ると周恩来は農業、工業、国防、科学技術の〝四つの近代化〟をかかげ、国家としての自信のなさを克服しようとした。そして1970年代末に鄧小平が実権を握ると、「改革開放」（内政の改革と外部へ門戸を開く）の歴史的な政策転換が始まる。

だが中国を第三世界からようやく引き上げたのは、現在のリーダーたちの継続的な努力だ。1980年から2010年までの30年間は、西欧によって不当に奪われた領土を回復し、めざましい発展を遂げた歴史的な30年として後世に記憶されるだろう。2008年の北京オリンピックはその象徴となる大事業だったのだ。

中国の指導者たちにとって、発展の継続は至上命令であり、彼らは過去の時代の無上の栄光を常に意識している。この国の長い歴史から見れば、共産主義は一時的な野望だったにすぎない。だがそれが「屈辱の19世紀に破壊された過去の栄光を取り戻す」という、共産主義よりはるかに大きくて本質的な目標への道を開いた。

19世紀の停滞さえなければ東アジアの大帝国であり続けたはずだと信じる中国にとって、今やその道を再び進むことになんら動揺はない。最近、2049年に統一100年を記念して超大国達成の大祝賀会を開催することが決められた。帝国は、支配する権利を自ら信じた時にスタートする。中国にとって、その名の通り〝世界の中心の王国〟の地位を取り戻すということは、封じ込まれていた状態を破って世界に向けて拡大することを意味した。

【訳注】＊1：アメリカの門戸開放政策＝この言葉は紛らわしいが、アメリカの門戸を開放するという意味ではなく、中国でヨーロッパの列強や日本に遅れをとることを危惧したアメリカが、「中国の門戸はアメリカに対しても開かれているべきだ」と主張したもの。それまでアメリカはモンロー主義による不干渉政策を唱えてきたため、このような言い方をした。

＊2：国共内戦＝第9章を参照。

＊3：毛沢東の言葉＝この有名な言葉は、「革命とは暴力である」と宣言したもの。

＊4：大躍進政策＝毛沢東の命令で行われた農工業の大増産政策。時期的に、旧ソ連でやはり大失敗に終わった自然改造計画とほぼ重なる。

＊5：文化大革命＝大躍進政策の失敗などから中枢部で指導力を失いつつあった毛沢東が、権力を取り戻すために行った一大権力闘争。紅衛兵の暴走などで粛正の嵐が吹き荒れ、国内が大混乱に陥った。

〝超大国〟の中国的解釈

中国人にとって、中国は宇宙そのものであり、世界最大の自己充足的な文化的空間だ。文学も、哲学も、劇的な国家の形もすべてであり、外部から文化を輸入する必要もなければ、外部に対して自分を説明する必要もない。

過去3000年のほとんどの時代がそうだったように、今の中国は再びアジアの文化と貿易の中心になり、多くの人が海外に出て活躍している。1000年前、中国はグローバリゼーションの中心だった。世界の三大発明といわれる羅針盤、火薬、活版印刷はすべて中国人によって発明され、それが東から西へと伝わっていったのだ。

鄭和の大航海

15世紀はじめ、明朝時代の鄭和《ていわ》という武将は、皇帝の命を受け、大艦隊を率いてジャワ、タイ、インド、アラビア、さらにアフリカ東岸に至る、計7回の大航海を行っている。これに比べれば、バスコ・ダ・ガマやコロンブスも見劣りするほどだ。この航海は膨大な国費を消費するためその後廃止されたが、もし続けていたら中国は海の帝国になっていたかもしれない。中国では、鄭和の航海は侵略が目的ではなく、貿易と文化的吸収のためだったと考えられており、今日の中国が平和的で善意の国であることを示しているとされている。また鄭和がイスラム教徒だったことから、中国人の国際性を表しているともされる。

だが、鄭和の物語を詳しく調べてみると、中国人のナショナリズムの正当化できる面と、事実が歪曲された面の両方が見えてくる。特にここ数年、中国が東アジアの中心であるとする見方を強めるために、歴史のねつ造がピッチを上げている。たとえば、胡錦濤《こきんとう》主席は２００３年にオーストラリア議会でスピーチをした時、「鄭和の航海が中国とオーストラリアの何世紀にもわたる接触のきっかけになった」とかなり怪しげなことを述べたが、これは作り話であり、将来オーストラリアの支配権を主張する口実に使われるかもしれない。

さらに、鄭和はただの〝友情の使者〟ではなく、ジャワやスリランカでは戦争もしているし、一時はスリランカの王を捕らえて奴隷にしている。またマラッカ海峡沿岸部にいくつも駐屯地を作り、今日のミャンマーや雲南《うんなん》省あたりの地域から明朝皇帝への献上品を大量に集め、ベトナムでは抵抗を受けると残虐な暴力で押さえつけることを指示している。鄭和の物語は、昔の中国文化が戦略的に暴力を使用していたことを証明している。

中国の言う〝調和のとれた世界〟とは何か

今日、世界各国はアメリカやＥＵの政策や経済を見つめるのと同じように、中国の政策や経済を注意深く見つめている。そして中国はアメリカやＥＵと同じくらい、専門家の批判に反駁《はんばく》して論陣を張る能力を持っている。中国はアメリカの戦略や政策レポートを綿密に調べ、アメリカの投獄率の高さや収入の不平等さや暴力犯罪の多さを批判する人権レポートさえ出している。大学や省庁にはリサーチ専門の研究所があり、政府の世界政策の決定に関わっている。

北京の知識人が自慢げに言った。

「旧ソ連の社会科学アカデミーがなくなった今、わが国の社会科学アカデミーは世界最大のシンクタンクですよ」

今や中国政府内部では、ワシントンやブリュッセルで交わされているのと同じくらい激しい論争が交わされ、その結果が世界の秩序に大きな影響を与えている。

中国が言う〝平和的な台頭〟(＊6)とは、世界の頂点に立つために他国を押し分けて突き進むことを正当化する新しい統治の理論だと言う人もいる。だがもし中国の考えが〝中国による世界秩序〟を築くことだったとしたら、その戦略はどんなものになるのだろうか。中国は単にアメリカの覇権と入れ替わろうとしているだけではないのか?

中国が示している政策でそれを判断する材料となる唯一のものが、胡錦濤の言う〝調和のとれた世界〟だ。だがそれは大胆だが欠陥があり、野心的だが中身は空虚だ。胡錦濤はそのなかで、国家の主権を完全に尊重することを説いているが、その考えは今では第三世界諸国ですら次第に放棄しているものだ。というのは、それをつきつめていけば国家間に争いが起こり、国内紛争が国境を越えて周辺国に波及することになるからだ。

これからの世界に必要なのは、国々が自分の主権ばかり主張することではなく、協力しあって共同で行う活動だ。だが胡錦濤の言う〝調和の取れた世界〟では、〝多国参加主義〟とは国々が共同で問題解決にあたることではなく、新しい世界権力(つまり中国)が台頭してアメリカを阻止することを意味する。

中国の〝調和のとれた世界〟は、特に地域間の貿易を通じて、中国との経済の共同発展を支える。中国はアフリカで開発プロジェクトや低金利借款を増やしているが、間違いなくこれは多くの貧しい国にとって発展のために重要になっている。だがそれはまた同時に中国の重商主義を推し進め、それが壊滅的な環境破壊に結びついたり、第三世界を永久に資源輸出に依存させてしまうことにもなる。

中国が進める〝調和のとれた世界〟とは、それほど良い世界ではないかもしれない。

だがこのスローガンは、外部に対する発言であると同時に、中国内部に潜伏しているナショナリズムをなだめるための国内向けの発言でもある。これまで中国政府は、繁栄や余暇を求める大衆のエネルギーをより高尚なものに向けさせることなく、信用を失った共産主義に代わる手段として国家的プライドを煽り（鄭和の物語はその一例だ）、国民のナショナリズムを特に反米の方向に向くようにしてきた。実際、アメリカは中国人の〝最も嫌いな国〟に毎年選ばれている。

【訳注】＊6：平和的な台頭＝第27章を参照。

アメリカとのせめぎ合い

アメリカ人は100年以上前から中国を訪れている。最初は宣教師、それから貿易商、石油採掘技術者などと続き、最近は留学生もいるし、外交官、学者、建築家、芸術家などさまざまだ。また中国からは多くの優秀な人たちが頭脳流出してアメリカに移住している。だがそれと同時に、アメリカに住む中国人スパイは何十億ドルにも相当する情報を盗み出し、一方でアメリカの基金は中国国内で高度な科学研究のスポンサーになっている。もしアメリカの存在がなければ、中国は今より何年も遅れた状態のままだろうと言う人は多い。

だがアメリカはまた、中国人が議論の余地がないと信じる中国の偉大さを復活させる計画を、ひっくり返すことのできる唯一の超大国でもある。そこで多くの中国人にとって、アメリカは〝人民の敵ナンバーワン〟となる。いんぎんな外交儀礼の裏で、アメリカは密かにチベットを支援し（これは1971年に終了した）、台湾に兵器を売り、ミサイル防衛計画を進め、1999年のバルカン紛争ではベオグラードの中国大使館を爆撃した（＊7）。そして2001年には南シナ海でEP－3電子偵察機の事件を起こし（＊8）、伝えられるところでは中国要員がアメリカを訪問する時の扱いのレベルが下げられているという。これらすべてのことが、両国の対立感を増幅させる要因となっている。多くのアジア人は、アメリカは中国を意図的に刺激しているのではないかと疑っている。

だが、この手の出来事はいつまでも際限なく続く。なぜなら、アメリカの軍事力にまさる軍隊は世界に存在しないからだ。一方、中国が力を入れている宇宙開発は平和目的と軍事目的の区別がほとんどなく、将来はアメリカのミサイル防衛システムを突破する宇宙兵器を配備しようとするかもしれない。中国はすでに人工衛星を打ち落とす実験に成功しているのだ。だがアメリカはアジアで信用が落ちていることから、このように中国に非があることでも効果的に非難することができなくなった。

真実の守護神のようなポーズをとる中国は、ほかの世界権力と妥協する時も、そうすることが正しいからするのではなく戦術としているだけなのだと考える。それはかつてのソ連との同盟がよい例だ。同様に、中国がアメリカを超大国として認めているのも、それを認めて現状維持を受け入れるということではまったくない。

かつて毛沢東は「野望を隠し、爪を隠せ」と言ったが、中国は国力が十分になったと思うまでその戦略を続けるつもりだろうか。それとも〝平和的な台頭〟を守り、「戦わずして勝つ」という孫子の兵法に従うつもりだろうか。中国はすでに核兵器を実戦配備して核を拡散している。巡航ミサイルも、無人攻撃機も、軍事衛星も持っている。実際に攻撃しなくても、中国は極東米軍の運用コストを増大させ、経済的負担を強いている。さらに、対米貿易への依存度が下がるにつれ、中国が冒険的な行動に出ることを自制させるためのインセンティブも減少している。しかしそうかといって国際社会から閉め出せば、かつて日本に対する石油禁輸措置が日本の第二次世界大戦への参入を招く一因となったのと同じように、中国を第三次世界大戦に向けて突き進ませる危険が生じる。

今やアメリカと中国はお互いを知り尽くしているが、相手が次に何をするかだけはわからない。冷戦時代に米ソの間にあったような、国のトップ同士が直接話ができる軍事ホットラインが将来必要になってくるかもしれない。

最近アメリカは中国を〝悪〟のように見るのをやめて、より人間的な目で見るようになってきている。ワシントンは何段階にも分かれた〝封じ込め〟と〝関わり合い〟の両方の政策をとることで落ち着き、〝関わり合い〟を持つことで中国が責任ある大国として行動するようになることを期待している。

しかし、予見できる将来における限り、中国は自国と周縁部をまとめたいと望んではいるが、全世界をコントロールしようとは考えていない。もしアメリカが２０２０年の時点でまだ中国を軍事的に取り囲むことができ、中国が経済的な共栄圏を築き続けているなら、その結果はかなり安定した拮抗状態になっている可能性が高い。それまでにアメリカが中国を内部から変えているということはないだろう。

【訳注】＊７：ベオグラード中国大使館〝誤爆〟事件＝アメリカは、コンピューターに古いデータがインプットされていたために起きた誤爆だったとして中国に謝罪した。だがわざわざアメリカ本土から最新鋭のＢ－２ステルス爆撃機を飛ばし、ベオグラードまで無着陸往復飛行を行った作戦でそのような稚拙なミスのために誤爆したとは考えにくく、この爆撃は意図的だったという説が有力である。バルカン紛争で中国は密かにセルビアを支援しており、ベオグラードの中国大使館がその活動の拠点になっていたと言われているが、この爆撃はアメリカが中国に送った警告のメッセージだったのかもしれない。

＊８：ＥＰ－３電子偵察機の事件＝海南島沖の公海上（中国は排他的経済水域だったと主張）を飛行していたアメリカの電子偵察機にスクランブルをかけた中国の迎撃戦闘機が接近しすぎて接触し、中国機が墜落してパイロットが死亡、アメリカ機も破損して海南島の滑走路に緊急着陸した事件。排他的経済水域内でも航行や上空の飛行は国際法で認められているが、中国は例の「人民の神経を逆なでした」の理屈で激怒した。だが海南島には、崖をくり抜いて作った巨大な洞穴に、中国海軍の原子力核弾道ミサイル潜水艦の基地がある。アメリカが何をさぐっていたのかは明白かもしれない。

ＥＵの関わり方

一方、ＥＵはソフトパワーで中国を変えることができるか、もしくは少なくともアメリカの戦略よりは自分たちの戦略のほうがより多くを達成できると考えている。ＥＵの対中国貿易額はアメリカのそれを凌いでおり、中国のＥＵ諸国への輸出額はアメリカのＥＵ諸国への輸出額より大きい。中国は〝市場経済の国〟として世界から認められることを渇望しているが、ＥＵは中国に対して「もしその地位を得たければ、ＥＵの介入を受け入れなければならない」とすでに明言している。今や中国は、民主化、人権、経済改革に関するアメリカの圧力には耳を傾けないが、ＥＵのガイダンスは歓迎している。実際、中国がモデルにしているのは、西ヨーロッパでは当然のことになっている国家資本主義（＊９）と社会民主主義であり、それはそれらが中国の社会主義イデオロギーと共通のルーツを持っているからだ。中国はアメリカに送るよりはるかに多い外交官や専門家や留学生をヨーロッパに送っている。

アメリカと同様、ＥＵも中国に対する兵器禁輸をしているが、いくつかの国は２００５年にもう少しで解除しそうになった。実際、ヨーロッパ諸国は兵器そのものは売らなくても、ハイテク兵器技術はすでに売っている。民間のガリレオ衛星システム（＊10）には中国の参加を受け入れていて（中国はそれとは別に、自前の全地球測位システムの開発も進めている）、アメリカはそのことが中国のミサイルの命中精度を向上させることに使われるのではないかと心配している。またＥＵは、紛争で殺戮《さつりく》を行ったり国民を武力弾圧している政権に中国が見境なく武器を売っていることに対して、なんら条件やペナルティを科していない。これらのことは、ひとたび自分たちの利益がかかるとなると、西ヨーロッパ諸国はモラルのリーダーとして弱いことを示している。

【訳注】＊9：国家資本主義＝企業に完全な自由を与えるのでなく、政府が金融機関や重要な産業をコントロールする資本主義の一形態。
＊10：ガリレオ衛星システム＝アメリカのGPSに対抗するヨーロッパの測位システム。30個の衛星が打ち上げられて2010年代に稼働する予定。

中国に味方するグローバリゼーション

すでに書いたように、中国の指導者が言う〝調和のとれた世界〟というレトリックは時代遅れに聞こえるが、彼らのグローバリゼーション戦略はまったくそうではない。アメリカの保守派は中国の軍事的な脅威を警戒するが、ビジネスの世界では、アメリカ人を含む世界中のほとんどの人が中国を機会ととらえている。

日本は自力で発展したが、中国の驚異的な台頭は外国からの投資と技術で実現した。今や中国は外国からの投資額でアメリカを抜き、世界一の貿易立国の地位を日本から奪い、日本を上回る1兆ドル以上の外貨準備を持っている。国営企業を通じて行う海外市場への投資は増え続け、それによって自国経済の不安定さを埋め合わせるとともに、原材料への飽くことのない需要に応えている。さらに、最新技術を得るため、国営企業に出資してアメリカのトップ企業の株を買いあさらせている。

先進国のノウハウを〝丸ごと利用〟

中国の戦略のもう一つの柱は、第一世界の優秀な企業のしていることを丸ごとコピーして、その相手を出し抜くというものだ。たとえば、シンガポールのテマセク・ホールディングス（＊11）の協力で江蘇《こうそ》省蘇州《そしゅう》市に工業団地を建設した時、中国はそれをそっくり丸ごとコピーした施設を別の場所に作る計画を同時に並行して進めており、すでに投資を集め始めていた。上海の空港と市の中心部を結ぶマグレブ高速鉄道（磁気浮上式リニアモーターカー）を建設したドイツのシーメンス社は、そのプロジェクトを受注する条件として、中国がその技術を習得するのを助けるために研究所も建てなくてはならなかった。中国は近い将来、その技術を使って上海と北京を結ぶマグレブ高速鉄道を建設する計画だ。

また中国は、機能していない株式市場を立て直すため、自国の銀行のために香港とシンガポールに資本を集めさせた。そして長年の無計画な融資のために利潤が上がっていない膨大な資産に対処するため、外国の大手銀行にさらに大きな資産を買わせてリスクを分散させるとともに、それらの銀行の財務処理能力を利用した。

このように中国は外国のノウハウを使って膨大な利益を得ており、第一世界諸国は対抗するのに大変な苦労をしている。少し前までは、外国企業が中国の工場に請け負わせていたのは低賃金の部品組み立て作業だけだったが、それはもう過去の話だ。今では電気製品の組み立てやコンピューター用モジュールなどの生産でシンガポールや台湾と競争し、ドイツの技術者はかつて技術を教えた中国人と競争しなければならなくなっている。

さらに中国はヨーロッパの兵器を分解して技術を研究し、コピーが作れるようになると、そのヨーロッパのメーカーはもう要らないといってつき合わなくなる。上海の自動車メーカーはそのうちに中国で販売しているアメリカやドイツの自動車メーカーを廃業に追い込み、そっくりなものを作って格安でアメリカで売るようになるかもしれない。

だが多国籍企業が国内で操業し、何百万人もの中国人に雇用を作り出していることについては、中国にとってまったく異論はない。ほとんどの外国企業は、そもそも出口戦略（＊12）などはじめから持っていないのだ。

かつて、中国の国営企業は多くが内陸のへき地で操業していた。そしてそれらが閉鎖された時、仕事を失った人たちが大量に都市に流入して社会不安を引き起こした。そのため一部の地域では、へき地の農村から都市に移住した人たちを、強制的に農村に再移住させねばならなかったほどだ。

だが現在中国で操業している外国企業は、たとえばアメリカのウォルマート（＊13）の工場だけでも20万人が働いている。そしてどの会社の工場だろうが鉱山だろうが、中国人労働者は労働者の権利などほとんどないに等しい状態で働き、今や〝過労死〟という言葉が頻繁に使われている。それでも10億人以上の人たちが基本的な生活物資を持てるようになり、中国は大量生産・大量消費の巨大経済圏を形成しつつある。

こうして彼らが物を買うたびに中産階級が拡大し、それがまた国内市場を拡大する。それが意味するのは、この巨大市場にアクセスするためなら、外国企業はほとんどどんな条件でも呑むということだ。かつて中国では、1ヵ月に20ドル稼ぐ人は金持ちだった。今では100万ドル以上の資産がある人、つまり億万長者が30万人もいる。中国がEUとアメリカに次いで世界第3位の高級消費財の市場になる日も遠くはないだろう。

「金持ちになるのは素晴らしい」

と共産党の鄧小平が言ったのは有名だ。

【訳注】＊11：テマセク・ホールディングス＝第28章を参照。
＊12：出口戦略＝企業などが、状況がおもわしくなくなった場合に備えて、事業を撤退させる時のために前もって立てておく戦略。軍事作戦でも用いられ、「アメリカは出口戦略もなくイラク戦争を始めた」のように使われる。
＊13：ウォルマート＝世界最大の規模を持つアメリカのディスカウントストアーチェーン。

海賊版の無法地帯

世界のグローバリゼーションは中国が決める条件で進行している。市場を開放せよというアメリカやEUの圧力を受けつけず、中国はWTO(*14)の基準を受け入れるのにも条項によって選択している。

それが最もよく表れているのが、知的所有権の分野だ。中国ではあらゆる製品の海賊版が洪水のように流通している。音楽や映画のCDやDVDは言うに及ばず、タバコ(しかも有害物質が入っているため本物より命を縮める)、薬品、電池、時計、アパレル、それに車まである。BMWの高級スポーツセダンの完全コピー車が、上海の街を堂々と走っている。

流通する量の多さは、質の悪さをカバーする。中国政府はアメリカやEU諸国の苦情を静めるため、時おり北京などで、大量に山積みした海賊版DVDをトラクターでつぶすイベントを行っているが、そのようなジェスチャーをしてもだれも感銘を受けない。なぜなら、中国政府は世界最大の海賊版制作業者の手入れを行わないからだ。行えるわけがない。それは人民解放軍なのだから。

人民解放軍は国内のあちこちにある工場でマルチメディア関係の製品の偽物を大量に制作し、それを販売した儲けを予算の足しにしている。もし中国人が知的所有権を尊重する日が来るとしたら、それは彼らが先進国のあらゆるものをコピーして、海賊版の力で第一世界にのし上がることができてから後のことだろう。

ところが中国は、ひとたび自分のパテントが侵害されたとなると、驚くべき速さで行動し、自分の市場を守ろうとする。中国に対する巨額の貿易赤字を抱えるアメリカとEU諸国は貿易戦争に反撃を開始したが、上海のあるエコノミストはあからさまにこう言った。

「もし我々が、知的所有権などというものを本気であざ笑おうと思ったら、欧米が制作できるものなどなくなってしまいますよ」

【訳注】 ＊14：WTO＝世界貿易機関。序章を参照。

格差を縮める努力

中国の発展の本当の奇跡はまだ始まったばかりだ。1980年の時点ではまだ1960年代の文化大革命の混乱から癒えておらず、国民の3分の2が荒廃の中に暮らしていた。だが当時5億人もいた1日1ドルで暮らす極貧層も今では5000万人にまで減り、中国はもう貧困を減らすための国際機関の援助を受けていない。中国では家族がお互いの面倒をみるので、人口が同じくらい多い第三世界の国インドと比べると、ホームレスや物乞いをする人たちが圧倒的に少なく、秩序や尊厳のレベルもずっと高い。

これまでの諸外国からの投資は、その80パーセントが太平洋岸地方に集中してきたため、内陸部との間に大きな貧富の差を生じさせた。へき地から沿岸部の大都市に移住した人たちは、それまで見たこともない新世界にやって来たようなものだ。彼らはゴミ捨て場を漁ってでも田舎の貧農暮らしより多くのカネを稼ごうとするが、都市の金持ちは彼らを動物の群れのように見下している。当然、この不平等は犯罪発生率の上昇となって現れる。

へき地から3億人もの人々が大移動して来るのを止めることは不可能だが、中国政府は彼らの生活環境を向上させて教育する努力をしている。目下たくさんの億万長者が誕生している中国だが、政府は下層の人たちを押し上げなければならないこともよくわかっている。400億ドルを投じて地方のレベル向上をはかるプロジェクトを進めているが、地方の農村部ではかつての社会主義がまだ根強く残っているため、政府は「新しい社会主義を築こう!」というスローガンを使っている。中国政府のこうした政策に加えて、太平洋岸の都市に出て働いている人たちからの送金が、8億人以上の農民が住む内陸部の貧困を減らすのに貢献している。

このような人口大移動の典型が、四川省東部の重慶市だ。重慶は今や人口3000万人を超える世界最大の都市となり、今後も400億ドルを投資して工業地帯を刷新し、35の市を包み込む1億人の経済圏を作る計画だ。この人口だけでもヨーロッパのどの国より大きい。ちなみに、中国には現在人口100万人以上の中規模の都市が100ヵ所以上ある。この急激な開発の規模の巨大さは、鉄鋼の生産量によく現れている。現在中国は世界の鉄鋼の総生産量の3分の1を生産し、アメリカやEUの2倍の量を消費している。

止まらない環境汚染

だが、急激で大規模な工業化の代償は、都市に住む中国人の肺に蓄積される有害物質の急激な増加に現れている。炭坑や製鉄所が極度に非効率なため、都市は濃いスモッグに覆われ、空港の視界不良で飛行機が着陸できなくなる事態すら発生し、黒い雪が降る町もある。世界で最も汚染がひどい都市のワースト10のうち、6都市が中国にある(*15)。大気汚染は中国内部だけにとどまらず、まもなくカリフォルニアの大気汚染の3分の1が、中国からジェット気流で運ばれてくる煤煙によって引き起こされる事態になると言われている。

中国は欧米先進国を追いかけているのだから、このまま豊かになって行けば当然環境問題にも先進国のように取り組むことになるだろうと考える人もいるが、問題は、ほかのすべてのことと同様、中国では汚染の規模も進行の速さもけた違いにスケールが巨大だということだ。西欧の工業化は200

年という長さをかけて徐々に進行したが、中国はその過程を経ずに、主に外部からの投資と援助によっていきなり結果だけを得た。そして10年間でアメリカに次ぐ世界第2の公害発生国になった。だがそれはまた、ほかの国が中国の安い労働力を求め、中国を〝世界の工場〟として大喜びで使った結果でもあるのだ（#1）。

【原注】#1：統計によれば、中国の国民一人あたりが使える資源の量は世界の平均のわずか半分であるにもかかわらず、産業界が他国と同じ量の生産をするために消費するエネルギーは日本の7倍、アメリカの6倍で、インドと比べても3倍にものぼる。中国は国内で生産を行っている外国企業に、生産のための燃料代を支払うよう強制しているが、それは中国が海外のエネルギー資源を確保するための行為をそれらの企業に支持させ、また中国に通じるシーレーンを維持するための巧みな策略だと考える人もいる。しかし公害発生の最大の原因は中国の工場が非効率なためであり、多国籍企業の責任ではない。

【訳注】＊15：２００８年秋には、世界の大気汚染ワースト20都市のうち16都市が中国にあると発表されている。

一国二制度の行方

一国二制度という言葉はもともと〝中国本土と台湾〟という意味で用いられたが、今では〝市場経済主義的レーニン主義〟という二元論的な意味合いのほうが強い（＊16）。西洋の常識では、資本主義が独裁的権威主義の政府と両立できないのは自明の理だが、今の中国ではそれがまさに現実として存在しているのだ。過去の長い歴史を通じて、外部のどのような大国も、中国の不可解な朝廷政治を理解できたことは一度もなかった。したがってこれについても、「これが中国なのだ」とあきらめて受け入れる以外にない。

過去半世紀の間に中国共産党が犯した誤りを数えあげればきりがないが、中国でそれが問題になったことは一度もない。〝党〟（＊17）の唯一のゴールは、あらゆる方法をもって〝使命〟（＝革命）を遂行することだとされている。したがって、天の使命を帯びている〝党〟が他者から挑戦を受けることはほとんどあり得ない。毛沢東主義は失墜しても、毛沢東の残した「政治権力は銃身から生まれる。したがって〝党〟は銃を支配しなければならない」という格言は論争にもされない。

【訳注】＊16：一国二制度＝かつて中国は台湾を武力で奪い返すと言っていたが、鄧小平はそれを改めて平和的な手段で統一すると唱え、統一後も台湾には資本主義制度を残して、「本土は社会主義、台湾は資本主義」という二制度を併用するとした。その後、香港とマカオが返還されると、「一国二制度」は「本土と香港・マカオ」の意味にもなったが、ここで著者は、今や中国本土そのものが、実質的に二制度が重複する状態になっているという意味でこの言葉を使っている。

＊17：党＝中国では、中国共産党は単に〝党〟と呼ばれる。それ以外に政党が存在することがあり得ないからだろうか。

儒教の復活

天安門事件と旧ソ連の崩壊はほぼ同じ時期に起きたが（天安門事件は1989年、ソ連崩壊は1991年）、その後の中国とロシアは非常に異なる道を歩むことになった。共産主義を捨てた中国が選んだのは、ロシアのような新権威主義的で世紀末的な資本主義ではなく、〝アジア的なスタイル〟を作り出す変遷への道だった。

中国共産党は、国共内戦に勝利して権力を握った後に急いで組織を作ったにもかかわらず、最近では〝民主的な中央集権主義〟などという明らかに自己矛盾するキャッチフレーズを、あたかもそれが何千年も前から受け入れられてきた英知であるかのごとく声高に宣伝している。

だがある意味で、それは何千年も前から受け入れられている英知なのだ。今の中国には、〝党〟の正統性を示すのに間に合わせるかのように、儒教が戻って来ている。儒教は、国家資本主義と社会民主主義という、〝党〟の二つの柱を広く正当化し、安定、権威の尊敬、実力主義、手本を示すことによるリーダーシップなどの大切さを説いている。北京のエリート大学、精華大学のキャンパスにある蓮華池には、それを象徴するかのように孔子の銅像が立っている。

それでもやはり一党独裁

だが、〝党〟がイデオロギーをどのように変更しようが、いくつかのタブーは変わらず残ったままだ。たとえば、4000万人のキリスト教徒にも、3000万人のイスラム教徒にも、宗教の自由はない。それに関する限り、マルクスの「宗教はアヘンなり」が今でも厳然として生きている。そして領土問題でも妥協はない。その代表が、台湾、チベット、新疆だ。

一党独裁支配を続ける現在の中国共産党は、これまでの中国の歴史上のどんな王朝よりも力がある、洗練された複雑な組織だ。だが鄧小平後の時代になると、カリスマ的な指導者は現れなくなり、新世代の官僚出身者が増えてくる。彼らは実力主義で影響力の競争をしあい、これまでの指導者たちよりずっと大きな責任を負っている。〝党〟の役員にも、じきに任期制が導入されるようになるかもしれない。

もちろん、野党が存在する国より、一党独裁の国のほうが腐敗がひどくなるのは当然だ。中国の組織的な腐敗は、昔から〝立ってはいるが中が腐っていて実がならない木〟にたとえられてきた。賄賂《わいろ》を受け取って行政府の役職を売る、役人が企業に介入する、公共事業の資金を抜き取る、製品の安全基準が存在しない、貧しい農民の土地を没収して勝手に開発業者に売り飛ばす、銀行の運営がでたらめである、地方行政官が地位を悪用して安ホテルや病院を経営する、軍が営利事業を行っているなど、政治と資本主義の合体が横道にそれた例を数えあげればきりがない。

それでもなお、中国の人々は、外国に搾取《さくしゅ》される弱い政府よりは、強い政府のほうがよいと考えている。西洋では、法は弱い大衆を権力者から守るために機能するが、中国では歴史的に、支配者が大衆に指図するために上から下へと下される。

2004年の統計によれば、報告されているだけで7万4000件のデモがあったが、そのほとんどが物価の値上がりや土地の強制収用への反対や、職場での権利を要求したものだった。つまり、中国共産党に対する世論のうねりのような反対はまったく存在しない。またこの国では昔から貧しい農民の反乱が頻繁に発生しているが、それは国の指導者がかかげる理念や社会の分配システムに反対だからではなく、それを実行する役人の仕事ぶりの悪さに対する反乱だ。

自己犠牲の精神は今でも多くの人々に強く残っており、国家に対する忠誠心が常に育てられ、衰える気配はまったくない。中国共産党は多くの誤りを犯し、さまざまな問題を抱えているにもかかわらず、人気は衰えるどころか増しているように見える。

2050年まで民主化はない

中国は民主国家ではない。だが国民が〝同志〟と呼ばれていた時代から〝市民〟に変わる過渡期は、天安門事件が起きる前にすでに始まっていた。今では何百万もの家族が初めて不動産を所有する権利を認められ、全土が開放されて消費世界が生まれつつある。賄賂を受け取る腐敗役人や悪質な警察官が逮捕され、罰せられる様子も国民に報道されるようになった。倫理規定のハンドブックが配布され、省庁の予算がインターネットのホームページ上に掲載されている。地方では100万以上の村ですでに選挙が行われている（もっとも、不正が行われることが多いので、まだ今はテスト期間中だ）。大衆の意見や要求を聞くために、調査会社と契約してアンケート調査をしている市もある。

だが中国には、中産階級の人口を2050年までに一定の数まで引き上げるという大目標があり、これが達成されるまでは、民主化であろうが何であろうが、構造的な変化を求める声に政府が耳を傾けることはないだろう。実際、将来もしこの国に完全な民主主義が訪れることがたとえあったとしても、それまでにはまだ1世紀か、あるいはそれ以上かかるかもしれない。しかも、もしそうなった場合でも、そのための争いは純粋に内部で行われ、外国に口をはさむ余地は与えないだろう。

だが一方で、中国人が社会的、市民的な秩序にプライドを高めていることは、情報公開の環境を増やすことにつながる可能性がある。国の統制が強力なので、メディアに独立した権力を与えることなく政府への批判をある程度許すことができるのだ。

だがそうは言っても、シンガポールと同様、〝党〟の自信はまだ十分ではない。国民にインターネットの普及が進むなかで、中国政府は数多くのウエブサイトをブロックしている。自主規制を行った者は報奨を与えられ、メディアは自然災害の報道ですら事前に政府の承認を受けねばならない。

しかし、メディアが報道の自由を持つ環境こそ、健全な議論や、透明性や、大衆の教育に欠かすことができないものだ。多くの著名な中国人の映画監督や作家が、真実を語ることが危険なこの国を逃れて今も海外で亡命生活を送っているが、彼らが世界中の人々から尊敬を得ているのを中国政府が止めることは、もはやほとんどできなくなっている。少なくともこの分野に関する限り、中国は西洋の教えを取り入れたほうが、今よりはるかに賞賛されながら東洋のリーダーになれるに違いない。

おわりに――世界に力の〝平衡〟は可能か

21世紀はじめの世界の流動性の激しさは、いくら強調してもしきれない。アメリカは国際社会を避けたり歓迎したりと揺れ動き、中国共産党政治局はブラックボックス（＊1）のままであり続け、EUは注意深く戦略的な力を行使している。さらに、これら三つの帝国が牛耳る世界にまた別のシナリオが加わることも考慮しなくてはならない。

今後アメリカは、今までのような過剰消費がもうできなくなるかもしれない。EUは拡大を続けることができなくなるかもしれない。中国は環境破壊と国内の問題が手に負えなくなってくるかもしれない。アメリカも、EUも、中国も、世界に対して負っている責任が果たせなくなるかもしれないし、周縁国との混合（＊アメリカとラテンアメリカ諸国、EU諸国とアラブ諸国その他、中国と東南アジア諸国との混ざり合い）があまり重荷になってきたら、帝国を縮小していくかもしれない。だがどのようなことになっても、人類の歴史の宿命である興隆と没落のサイクルが止まらず続いてゆくことだけは間違いない。

これまでのアメリカの、世界規模の自信と自己を押し進めてゆく行動の大部分は、「軍事力による〝自由〟の守護者」、「世界で最も豊かな社会」、そして「ダーウィンの進化論的な意味で最も活気のある民主主義国家」という地位に基づいていた。だがアメリカはダーウィンをずっと誤解し続けてきた。ダーウィンは自然淘汰《とうた》説のなかで、荒々しい力を持った強いものが最も長く生き残るとは、ひとことも言っていない。彼は、「生き残るのは最も強い種《しゅ》でもなければ最も知的な種《しゅ》でもなく、変化に対して最もよく対応できる種《しゅ》である」と書いている。つまり、勝利するのは、世界の変化に対して最も適応性のある政治システムであるに違いない。

今アメリカは、そのハードパワーもソフトパワーも効果的に機能せず、歴史は誰にでも平等に、アメリカにすら起きることを学びつつある。伸ばした輪ゴムが切れる時には、伸ばしていった時よりはるかに素早く切れるのと同じように、帝国の輪ゴムも、伸びることができる限界まで伸びきった後は、崩壊するまであまり時間はかからない。アメリカは、アジアとヨーロッパの強国から安全に離れたままでいたいと願い、だが同時に、距離を保ったまま指図していたいと願っている。それは、今からおよそ100年近く前、第一次世界大戦を終了させるために行われたパリ講和会議の後に、ハロルド・ニコルソン卿（＊2）が、「アメリカは大西洋でへだてられているお陰でヨーロッパの戦乱から永遠に守られ、自分は責任を逃れつつ、ひとりよがりな正義感を満足させたいと願っている」と非難した状態からあまり変わっていない。

だが地理的に離れていることが利点となるのは、同盟国が重荷を分け合って背負ってくれる場合だけである。アメリカ帝国は世界を遠くから間接的に支配するシステムを作り上げたが、最近では同盟国を徐々に失い、いわゆる〝有志連合〟（＊3）なるものもみな自国の利益だけを追求する戯《たわむ》れのようになりつつあり、それとともに世界での投資による利益も減少している。今のアメリカは世界のリーダーどころか、ますます単独で行動せざるを得なくなってきており、NATOを〝民主主義の枢軸〟に作り変えたところでこの状況をひっくり返すことはできないだろう。

イラク戦争という大冒険の失敗は、これまで無条件で同盟を結んでいたイギリスの心すら離れさせ、東アジアでは日本もますます用心深くなり、これら2国さえ、もはや見せかけの同盟国にしか見えなくなっている。かつてアメリカの安全保障の傘の下にしっかりと入っていた他の国の多くも、自国の軍備を強化して、傘の下からすり抜けるように出て行こうとしている。一方アメリカは、世界中の出来事に関わり合いを持つことが、そのためにかかるコストと結果に値するかどうかの判断ができなくなっている。国内につのる不満と、世界に対する責任の遂行を維持できないことだけをとってみても、帝国の過伸長（＊4）を示す重要な兆候のように見える。

【訳注】＊1：ブラックボックス＝どのように機能するかはわかっているが、内部がどうなっているのかわからない装置のこと。
＊2：ハロルド・ニコルソン卿＝イギリスの外交官、著述家、政治家。1886年生、1968年没。
＊3：有志連合＝国連安全保障理事会が国連軍を送ることで一致しない時に、それに代わるものとして軍事作戦や人道支援を行う国の集まり。アメリカのアフガニスタン侵攻とイラク戦争が代表的。
＊4：帝国の過伸長＝〈パートIのまとめ〉を参照。

重要性を増す第二世界

三つの帝国はそれぞれのスタイルを世界に推し進めているが、それぞれが影響を及ぼす地域はますます重複し合っている。それに対して第二世界諸国は、いわばある帝国からは経済援助、別の帝国からは軍事援助、さらにもう一つの帝国とは貿易協定といった具合に、バランスをとりつつ、勝ち馬に乗ろうとしている。そしてアメリカ、ＥＵ、中国の三つの帝国は、友人でありまた同時に敵であるという状態をますます深めている。

このような状況のもとでは、世界と関わり合いを持たないことは影響力の放棄に等しい。帝国はどうしても競争に勝たねばならず、それぞれのスタイルを世界に広めるために、以前にも増して多くの政府幹部を世界中に派遣する競争が始まっている。アメリカは新たに〝転換外交〟（＊5）を始め、国務省外交局の多くの要員を世界の苛酷な任地に赴任させている。同様にＥＵの欧州委員会も事業、開発、政治の専門家による外交団を送り出し、中国も世界中に拠点を増やして援助要員を派遣している。

一方、第二世界の反帝国主義ベルトを構成するヴェネズエラ、イラン、カザフスタン、リビア、マレーシアその他の資源国は、ワシントン、ブリュッセル、北京との関係を深めると同時に、彼ら同士の結びつきも強めている。これらの国は三つの帝国を最大限に利用しようとするだけでなく、今後はさまざまな面でお互いの連携をますます深めるようになるだろう。すでにアラブ諸国、南米諸国、中国や東南アジア諸国を直接結ぶ航空路のネットワークができている。

帝国にとっては、国連のような世界機関を通じるより、地域ごとに大使を置いたほうがより効果的に問題解決に当たれるようになってくるかもしれない（#1）。だがアメリカは、転換外交政策はあるものの、ますます非アメリカ的になってゆく世界と対峙しつつ、次第に今より内面を向くようになることも予想される。

【原注】#1：近年、地域的な思考法が重要になってきているため、国連安全保障理事会の改革案のなかには、常任理事国のかわりに常任理事〝地域〟を作り、その地域の国のなかから回り持ちで代表を出したらどうかという案も出ている。

【訳注】＊5：アメリカの〝転換外交〟＝ライス国務長官（当時）が2006年から提唱しているもので、軍事力だけで中東問題やテロなどの世界の諸問題に取り組むことはできないとし、先進国に赴任している多数の外交官をアフリカや中東などの第二世界と第三世界に再配分し、海外援助における人的支援の増加や、アメリカ政府内の省庁改革などを進めている。まっ先に反対したのがラムズフェルド国防長官（当時）で、ペンタゴンと農務省はこの政策に応じていない。

帝国の危険な綱渡り

人類の歴史が始まって以来初めて、文化も性格も明確に異なる三つの大帝国が存在し、地球がますます小さくなり資源が減少するなかで競争しあう時代が訪れた。このような状況のもとで、それぞれの帝国にとって最も重要かつ倫理にかなったこととは、自分がなぜ存在しているのかという「存在理由」と、それに基づいた世界秩序に関する展望を広めていくことだ。だがそのために、アメリカがさまざまな事案で自分は例外だと考えれば考えるほど、ライバルたちもそれぞれ自分も例外だと主張するようになる。このような形でそれぞれの帝国がそれぞれのやり方を推し進めてゆく結果、世界をまとめる国際的な枠組みは徐々に弱体化し、国際法や制度が帝国の競争の暴走を抑えることができるという虚構すら意味を失ってゆく。

もしアメリカが国連を、権威ある世界外交のための国々の集まりとして支えていたなら、他の国々も、たとえ不完全な国連でも支え続けたかもしれない。だがアメリカが横暴なやり方で国連を軽んじたことが、他の国々にも同じようにする口実を与えてしまった(#2)。第二次世界大戦後、世界秩序を構築するにあたって、アメリカは他のどの国より大きく関わった。だが今や、他のどの国とも同じくらいそれをバラバラに壊すようなことをしている。アメリカは世界の人権問題に対して、他の国が手本にできるほどの努力を重ねてきたにもかかわらず、二重基準(*6)と戦争を肯定する孤立主義がそれを帳消しにしてしまい、先制攻撃をしても制裁を受けないという悪例を作ったことで、安全保障理事会の権威を失墜させてしまった。もはや国連は、ひとたび超大国の利害がからめば、かつての国際連盟と同じくらい悲惨なほど現実性がないことを証明した。

目に見えないグローバル化の拡大が進むなか、カスピ海地方をはじめ世界各地で〝発火〟の危険性も増している。さらに、アメリカの金融機関に混乱が起きれば世界経済が大混乱に陥り、政治的な対立が深まり、軍事的な緊張も増す。戦争は軍産複合体(*7)に大きな利益をもたらし、どの国でも常に愛国主義的な勢力に支持される。とはいえ、世界の主導権をめぐる米中の対決という筋書きは、時期尚早のうえ考えが単純すぎる。もし両者が衝突すれば、資本が安全な場所を求めて逃げ出し、ヨーロッパが勝者になってしまうからだ。

今の世界は、三つの帝国が作り出すこれらの大きな緊張に覆われているが、どの帝国も単独で世界のシステムを支配する力は持ち合わせていない。そのため世界の安定は「国際法による平和」と「帝国の力による平和」の間にぶら下がっているが、前者は執行力がなく、後者は常に力の行使が過剰になりやすい。ヨーロッパでは19世紀以来、戦争を回避するシステムを作るために勢力均衡理論（＊8）と集団安全保障（＊9）の考えが何度もくり返されてきた。だが歴史はくり返しているものの、単にぐるぐる回っているだけではなく、前進もしている。

【原注】＃2：国連は、三つの帝国のどれからも世界を統括する機構とは見なされておらず、表向きのポーズをとったり、または他の帝国の動きを阻止したりするための、ただの国の集まりと考えられている。国連は世界各国が協議して共同声明を発表する場所にすぎず、実際に何かの決定が下される機関ではない。その運営は大国とその予算のなすがままに翻弄され、大国間に共通の関わり合いがない事案であれば、大国は国連を使わない。だがその一方で、国連はこれまで平和維持軍の派遣や食料や医療品の支援など、世界中のおもだった人道支援の分野で多くの成果をあげてきた。今後、世界の民主化のための基金、平和維持常備軍、人権問題審議会などが設立されることになるかもしれない。だがそれらをどうするかが重要なテーマとなるのは、帝国たちが介入することをいとわない地域、つまり、おもに第三世界においてだけだろう。

【訳注】＊6：二重基準＝同じことでも、自分がするのはよくて、他のだれかがするのはダメだというなど。106ページ参照。
＊7：軍産複合体＝軍と兵器産業が結びついた巨大な政治的・経済的・技術的利権の構造。
＊8：勢力均衡理論＝突出した勢力を作らず、各国の軍事力が同程度であればバランスが保てるという考え方。
＊9：集団安全保障＝同盟国以外の国も含めた国際的な枠組みのなかで、国際社会全体の利益を個々の国の利益より重視して世界の安定をはかるという考えで、現実には不可能。NATO型の集団的自衛権とは別物。

3極による力の〝平衡〟は可能か

アメリカ、EU、中国の3極を持つ今の世界は、ちょうどカメラの三脚のようなものだ。どの一つが欠けても全体が立っていることはできず、三つの脚が支える力のバランスが取れてはじめて安定する。だが現在この三脚はぐらぐら揺れており、そこで今また歴史がくり返されるのを防ぐために必要なのが、勢力均衡とは少し違う「力の平衡」という考えだ。

〝平衡〟とは、絶え間なく動きながらバランスを取っている状態であり、静止した安定ではない。それゆえ、単一の強大な覇権国が支配している状態よりもバランスを保つのが難しいが、自然にまかせて結果が安定するのを待つなど、かつての勢力均衡理論よりは進化している。だがそこでは、分別だけで世界に対する責任を果たすことはできず、大国同士が重荷を分かち合わなくてはならない。今後の世界の平和、正義、秩序を可能にするには、このような形で得られる力の平衡によるしかないだろう。

3極が力の平衡を保つには、アメリカ、EU、中国が、地政学的ゲームのルールを共同で決める必要がある。そしてそれぞれにとって重要な事案で妥協しあい、国際的な決定を内政に反映させて国内法の整備をするなどの複雑な作業がともなわねばならない。だが、誰でもすぐわかるように、国際間のバランスをとるために自国の力を意図的に低めて、他国を持ち上げるような法制度を作るのは非常に困難だ。

21世紀の世界はあまりに複雑で予測がつかないため、天才物理学者のスティーブン・ホーキング（＊10）ですら、「この混乱と環境破壊のなかで、人類はあと100年もつだろうか」と悲観的なことを述べている。世界権力が拡散し、巨大帝国が争い合う状況のもとで、将来を予測するのはきわめて難しい。「序章」でも述べたように、地政学的な力の衝突を防ぐ唯一の方法がグローバリゼーションだとしても、それだけで世界戦争のサイクルを断ち切ることはもちろんできない。

その究極の課題に対処するには、人間の理性をただ信じるだけでは十分ではない。事実、過去の歴史を見れば、人類は理性が最も必要な時に、しばしば理性的とはほど遠い行動をしている。人類の将来の進路を変えるには、ただ理性に頼るのでなく、第二世界の政治力学について深い知識を持ち、帝国同士が正確な理解を共有し、事前に対策を講じることのできる柔軟な内政と外交の政治手腕がなくてはならない。

これまでにも、さまざまな学者や政府の元高官たちが、世界秩序を管理するためのさまざまな展望を唱えてきたが、現実は常に理論と食い違う。戦争を経ずに国際法が進化すれば、間違いなく最も大きな利益を得るのは超大国だろうから、その道を進むことは難しくないはずだが、現実にそうなったことはない。劇作家ブレヒト(*11)はこう書いている。

「戦争とは恋愛のようなものだ。もう二度としないと誓っても、必ずまた向こうからやって来る」

おそらく人類は、心が進歩した程度だけしか進歩できないのだろう。ハロルド・ニコルソン卿の言葉を借りれば、外交とは「交渉による国際関係の調整・管理」であり、その意味で、戦争は政治の延長ではなく停止である。

100年近く前、グローバリゼーションは地政学的要因に敗北し、第一次世界大戦が勃発した。近い将来、同じ歴史がまたくり返されるかどうかは誰にもわからない。なぜなら、今日の地政学的要因とグローバリゼーションはともに第二世界の国々によって形作られており、今や外交は芸術作品を作るより難しくなっているからだ。

【訳注】＊10：スティーブン・ホーキング＝イギリスの理論物理学者。ベストセラー『ホーキング、宇宙を語る』で有名。
＊11：ベルトルト・ブレヒト＝ドイツの劇作家。代表作に「三文オペラ」。1898年生、1956年没。

訳者あとがき

30年もアメリカに住んでいると、いろいろな国の人に出会う。メモをつけているわけではないが、先日、思い出しながら数えてみたら、58ヵ国になった。思い出すことができたのも、それぞれ印象に残る会話があったからだが、これらの人たちに政府の高官や企業のトップはいない。大部分が普通の人たちだ。だがだからこそ、公式見解ではなく本音を知ることができる。

ひと口にいろいろな国の人と言っても、正確に言えば、その国から来た人と、親や祖父母がその国から来てアメリカで生まれた人の2種類がある。だがアメリカで生まれていようがいまいが、特にそう明言する必要がない限り、普通は単に○○人と呼ばれることが多い。つまり、人々の意識のなかではあくまでもルーツが大事だ。

それぞれの国や民族にはそれぞれの国民性や民族性がある。もちろん、人は一人ひとり違うから、すべての人をひとまとめにして決めつけてはならないが、それでもなお、多くの人に共通する似たような傾向というものはやはりある。いろいろな国や民族の人たちを見ているうちに、そういうことも肌で感じるようになった。そして国々がしていることを見ていると、国の性格もそれぞれの国民の性格と驚くほど共通していることに気づいた。

当たり前だと言われてしまえばそれまでだが、国も結局は人間の集団が動かしているのであり、政府はある意味でその国の典型的な人たちが運営している。いわゆるエリートである政府高官や重要な政治家たちも、主張や手法はさまざまでも、みなそれぞれ、その国の国民性を代表する性格をしている。個人に対する心理学は国家に対しても同じようにあてはまる。指導者が頑固な国は国民にも頑固な人間が多いし、指導者が頼りない国は国民も頼りない。指導者が乱暴な国は国民も乱暴だ。個人と同じように、国々も理屈で動いているように見えても奥には巨大な感情が潜んでいる。本書の序章に「国もまた人間だ」という言葉が引用されているが、これは実に名言だと思う。

イラク戦争以来、アメリカを帝国主義と呼ぶ人が増えている。日本でこの言葉は、ベトナム戦争の頃、共産党をはじめとする左翼の人たち（及び、当時の普通の若者たち、つまり団塊世代の多く）によってよく使われていたが、今では共産主義とまったく関係のないアメリカの一部の著述家やジャーナリストがよく使っている。皮肉なことに、冷戦が終結して共産主義が資本主義の脅威でなくなって10年たってから、日本人ではなく当のアメリカ人の若い世代から、その言葉を大っぴらに使う人たちが出てきたのだ。日本に限らず、各国政府はアメリカの気分を害することを恐れて、そういう言葉を使う人間を排除しようとしてきたが、アメリカ人自身が自分の国の政府を批判する時にそんな遠慮は不要だ。アメリカの言論の自由は、イラク戦争の初期には押さえつけられたが、今ではだいぶ復活しているように見える。ベトナム戦争の時のように徹底的な自由奔放さはないが、これは時代と世代の違いによるものなのだろう。

だが、本書にもアメリカを批判する記述は多いものの、この本はけっしていわゆる反米モノではない。西ヨーロッパ諸国がかつてしてきたことも、中国が今やっていることも、みな究極的には同じだという意味で、ここに書かれているのは世界の政治と歴史の現実であり、人間同士の滅ぼし合いに関する考察だ。この本は、国際政治という窓から人間の行動を眺めて赤裸々にレポートしているドキュメンタリーであり、特定の国を非難することが著者の目的ではない。

最近、特に評論家や知識人などの間で、アメリカの地盤沈下をことさらのようにはやし立てて喜んでいるような風潮があるけれど、世界同時不況でも示されたように、世界経済はまだまだアメリカの消費によって支えられている面が大きい。私たち日本人に必要なのは、対等にものが言えるようになることであって、大国の凋落《ちょうらく》をただ喜んでいるだけでは、自分も一緒に沈没してしまう。

著者はすでに100ヵ国近くを訪れていて、この本を書くために2年をかけてもう一度世界各地に滞在したという。この本はいわば国際政治版「八〇日間世界一周」のようなものだ。著者はツアーガイドとなって、国際政治の現実を見物する旅行に読者を案内してくれる。この本は暴露本ではないが、そういう意味でマスメディアが伝えない話がたくさん登場する。ここには書けなかった話も当然たくさんあるだろうが、これくらい書いてくれればとりあえず十分かもしれない。

このような世界の現実を見せつけられれば、スティーブン・ホーキング（「おわりに」を参照）ならずとも悲観的になってくる人も多いかもしれない。あるいは、そんなことを知ったところで、私たちが世界を動かせるわけではない、と言う人もいるだろう。だが、マスメディアが伝えない世界の現実を知ることにより、普段から不審に思っていたことが霧が晴れるように見えてくる人も多いだろうし、ニュースを見た時に、そこに語られていない奥にあるものを感じ取ることもできるようになるだろう。世界はなぜこうなのか、どのような大きな流れのもとに動いているのかが大雑把にでもわかれば、日本がその波に呑み込まれないようにするにはどうすべきか、どのように世界と関わっていったらよいのか、といったことも考えられるようになるかもしれない。そういう意味で、この本は特に20代、30代の若い人たちに読んでもらいたい本でもある。

今日、世界の人口は毎年7000万人のペースで増えているという。2年ごとに日本がもう一つ誕生しているのと同じ勘定になる。10年で7億人、20年で14億人……今後わずか20年で、中国がもう一つ誕生するのと同じことになるのだ。しかも、全体の数が増えるにしたがい、毎年の増加分はさらに大きくなってゆく。世界の総人口が100億人を突破する日もそう遠くはないだろう。そしてこの増加の大部分を、第二世界と第三世界が占めることになる。資源と食料が不足し、環境破壊がどれほど深刻になるか、想像に難《かた》くない。

本書の著者は新進気鋭の国際政治学者で、外交官の祖父とビジネスマンの父を持ち、ドバイとドイツとニューヨークで育って、ワシントンのシンクタンクに勤めるインド人という、ユニークな存在だ。その立場を活かして世界の人たちと会話を交わし、白人や黒人や黄色人種ならできないことを取材し、言えないようなことも歯に衣《きぬ》着せず、時には冗談をまじえて語っている。何事も穏便にしなければならない日本向けの訳には書けないユーモアなどもあって、その点はちょっと残念だ。本書を書いた時点でまだ30歳、いくら秀才でも30歳でこれだけのことが書けるだろうかと思う読者もいるかもしれないが、その秘密を明かせば、膨大な数の執筆協力者の存在だ。原本の巻末には実に100ページにわたって、執筆協力者、参考文献、資料、引用の出典が載せられている。執筆協力者はインタビューした人も含めれば数百人にのぼり、世界各地のシンクタンクやさまざまな団体や組織の名もある。それらは量が多すぎるので、訳書では割愛させていただいた。なお、本書は世界各国で翻訳されており、この日本語版を含めると11ヵ国語になるという。著者の今後の活躍が期待できそうだ。

本書の出版にあたっては、編集担当の新見あずささんに、とりわけご苦労をおかけしてしまった。だが私の文章に堅苦しい言葉が出てきたり、話がわかりにくくなるたびに彼女がNGを出してくれたおかげで、読みやすい作品にすることができたと思う。この場を借りて、心から感謝の気持ちを伝えさせていただきたい。

2008年12月　　玉置　悟

パラグ・カンナ　PARAG KHANNA

1977年、インドに生まれる。アラブ首長国連邦、ニューヨーク、ドイツで育つ。アメリカのジョージタウン大学国際学部卒。同大学で修士課程修了。専門は国際関係論。ジュネーブの世界経済フォーラム、アメリカのブルッキングス研究所に勤めた後、現在はニューアメリカ財団で戦略研究プログラムのディレクターについており、まもなくロンドン・スクール・オブ・エコノミックスで博士号の取得見込み。ニューヨーク・タイムズ他多数の新聞等に記事を書き、ＣＮＮやカタールの衛星テレビ局アルジャジーラ、ＢＢＣなど数ヵ国のテレビのトークショーに出演している他、ＭＴＶにも出演して世界に何が起きているかをわかりやすい言葉で若者に語っている。これまでに100ヵ国近くを訪問。

訳者＝玉置 悟　SATORU TAMAKI

1949年、東京都に生まれる。東京都立大学工学部を卒業。音楽業界で活躍後、1978年より米国在住。
訳書には『社会悪のルーツ』『木々の恵み』（以上、毎日新聞社）、『毒になる親』（講談社＋α文庫）、『不幸にする親』（講談社）などがある。

THE SECOND WORLD　EMPIRES AND INFLUENCE IN THE NEW GLOBAL ORDER

「三《みっ》つの帝国《ていこく》」の時代《じだい》――アメリカ・ＥＵ・中国《ちゅうごく》のどこが世界《せかい》を制覇《せいは》するか

2009年2月19日　第1刷発行

著者――パラグ・カンナ
訳者――玉置《たまき》 悟《さとる》　
装幀――鈴木成一デザイン室
発行者――中沢義彦
発行所――株式会社 講談社
東京都文京区音羽2-12-21　〒112-8001
電話　(編集部)03-5395-3530
(販売部)03-5395-3622
(業務部)03-5395-3615
印刷所――慶昌堂印刷株式会社
製本所――株式会社国宝社
本文データ制作――講談社プリプレス管理部

定価はカバーに表示してあります。

落丁本・乱丁本は購入書店名を明記のうえ、小社業務部あてにお送りください。
送料小社負担にてお取り替えいたします。
なお、この本についてのお問い合わせは、
生活文化第三出版部あてにお願いいたします。
ISBN978-4-06-215201-3